CISTE CÚRSAÍ REATHA

CISTE CÚRSAÍ REATHA

JIM O'DONNELL
AGUS
SEÁN DE FRÉINE

An Foras Riaracháin
Institute of Public Administration

An Chéad Chló 1992
An Foras Riaracháin
57-61 Bóthar Lansdúin
Baile Átha Cliath 4
Teil: (01) 269 7011 (Foilseacháin)
Facs: (01) 269 8644

ISBN 1 872002 46 3

Clúdaigh agus teideal-leathanaigh arna ndearadh ag Butler Claffey Design
Clóchurtha ag Peanntrónaic Teoranta
Clóbhuailte ag Aston Colour Press Limited

Do bheirt bhan thuisceanacha –
Mary agus Josephine

CLÁR

Réamhrá

D'fhoilsigh an Foras Riaracháin *Wordgloss* le Jim O'Donnell i mí na Samhna 1990. Gan mhoill bhí sé ar na leabhair nuafhoilsithe ba mhó ráchairt sa tír. Tugann *Wordgloss* tuiscint, le taitneamh agus le tallann, ar na téarmaí agus ar na smaointe a úsáidtear sna meáin chumarsáide nuair a phléitear cúrsaí tábhachtacha poiblí. Rianaíonn *Wordgloss* fás agus forbairt na bhfocal seo óna bhfréamhacha bunaidh. An chluas le héisteacht ('ar bhealach atá thar a bheith iontach' mar a dúirt tráchtaire náisiúnta amháin) a thug an pobal do *Wordgloss*, spreag sé smaoineamh eile: go bhfáilteofaí mar an gcéanna roimh a leithéid de ghar ach é a dhéanamh orthu siúd ar spéis leo ceisteanna reatha a phlé i nGaeilge. Chonacthas go raibh éirim sa smaoineamh sin. Is é an toradh a bhí air sin comhar tairbheach idir Jim O'Donnell agus Seán de Fréine chun an saothar sona soilbhir seo, *Ciste Cúrsaí Reatha*, a chur ar fáil.

Den chéad uair, cuireann *Ciste Cúrsaí Reatha* tobar ar fáil as ar féidir tarraingt go fial agus go héasca chun réimse leathan ábhar, a bhaineann le saol an lae inniu, a phlé i nGaeilge ar bhonn fuaimintiúil. Ar na hábhair sin tá an dlí, an stair, an eacnamaíocht, an eolaíocht, an fhealsúnacht, an litríocht, an pholaitíocht, an teicneolaíocht, cúrsaí riaracháin, cúrsaí sóisialta. Léiríonn an saothar seo go soiléir an t-éacht iontach atá déanta ag foclóirithe agus ag teangeolaithe an lae inniu chun cumas agus téagar a chur sa teanga Ghaeilge arís chun coincheapa sofaisticiúla a láimhseáil le cruinneas agus le gontacht.

Léiríonn *Ciste Cúrsaí Reatha*, leis, an chaoi ina nglacann teangacha na hEorpa i gcoitinne focail chucu féin go fras as friotal na gcomharsan. Cuireann sé an ruaig ar an nóisean gur rud mínádúrtha é, nó rud eisceachtúil, nuafhoclaíocht ar an dul seo a chumadh, a chuireann ar chumas na Gaeilge déileáil le ceisteanna beo na haoise seo. Rud eile, cé go bhfuil cosúlacht idir *Wordgloss* agus *Ciste Cúrsaí Reatha*, ní hionann an dá leabhar. Tá rudaí i bpáirt acu, faoi mar a cheapfá, ach tá neart rudaí difriúla i ngach leabhar acu nach bhfuil sa cheann eile. Is tráthúil agus is spéisiúil na difríochtaí sin.

Tabharfaidh *Ciste Cúrsaí Reatha* pléisiúr dóibh siúd a bhfuil spéis acu sa Ghaeilge mar aon le suim i gcúrsaí an tsaoil. Ba chóir go mbeidh sé ina sheoid luachmhar ag daltaí sinsearacha sna scoileanna dara leibhéal. Bainfidh go leor daoine úsáid phraiticiúil as – idir iriseoirí, scríbhneoirí, smaointeoirí, riarthóirí, dhréachtóirí óráide, lucht gnó agus eile – a bhaineann feidhm as an Ghaeilge go rialta nó ó am go ham.

J. J. Lee
Coláiste na hOllscoile Corcaigh
Aibreán 1992

Focal Admhála agus Buíochais

Braitheann leabhar ar nós *Ciste Cúrsaí Reatha* ar réimse leathan acmhainní chun a chuspóir a chur i gcrích. Ar na hacmhainní sin tá toradh shaothar na bhfoclóirithe Gaeilge atá i mbun oibre ó thús na haoise seo. Sa chéad áit, tá cáil faoi leith tuillte ag an Duinníneach mar cheannródaí. Chuir sé an chéad leagan dá *Fhoclóir Gaedhilge agus Béarla* ar fáil chomh fada siar le 1904. Tháinig an dara heagrán uaidh, an saothar a chuir sárstór focal Gaeilge ar fáil i bhfoirm foclóra, sa bhliain 1927. Ach ní cóir dearmad a dhéanamh den obair thábhachtach a dhein T. O'Neill Lane, a d'fhoilsigh a chéad *English-Irish Dictionary* i 1904 freisin, agus a sholáthair leagan i bhfad níos mó de sa bhliain 1922. Sa tréimhse sin, ar ndóigh, bhí tús curtha ag Acadamh Ríoga na hÉireann lena shraith dar teideal *Contributions to a Dictionary of the Irish Language*. Bunaíodh an saothar ábhalmhór seo go príomha ar scríbhinní sa tSean-Ghaeilge agus sa Mheán-Ghaeilge. Foilsíodh an chéad chuid den tsraith sa bhliain 1913, agus an chuid deiridh i 1976. Áirítear gurb é seo an foclóir is mó i dteanga ar bith atá bunaithe ar fhoinsí meánaoiseacha. Ní hionadh sin, b'fhéidir, mar lasmuigh den Laidin agus den Gréigis, is í an Ghaeilge an teanga scríofa is sine san Eoraip. Ba é an *Foclóir Béarla agus Gaedhilge* le Laimbeart Mac Cionnaith SJ (1935) an chéad fhoclóir substaintiúil a raibh de aidhm aige téarmaí nua-aoiseacha agus téarmaí teicniúla na linne seo a chlúdach ar bhonn leathan.

Chuir an Dara Cogadh Domhanda isteach ar thuilleadh forbartha go ceann tamaill. Ach tógadh céim an-tábhachtach eile ar aghaidh nuair a foilsíodh an *Foclóir Béarla-Gaeilge* le Tomás de Bháldraithe (1959). Leathnaigh an saothar seo cumas na teanga Gaeilge go mór chun ábhair inspéise agus ceisteanna ár linne féin a phlé ar ardleibhéal. Ansin, mar chomhlánú ar an obair sin tháinig an saothar mór le Niall Ó Dónaill, an *Foclóir Gaeilge-Béarla*, ar an saol i 1977. Ba é cuspóir an imleabhair seo 'an chuid is coitianta de stór focal na Nua-Ghaeilge a thabhairt le chéile agus a mhíniú'. Ag deireadh na seachtóidí, freisin, chuir Acadamh Ríoga na hÉireann tús le tionscadal foclóireachta nua, is é sin, foclóir stairiúil ar an nua-Ghaeilge ó 1600 i leith (stiúrthóir, Tomás de Bháldraithe; eagarthóir, Eamonn Ó hÓgáin).

Le cois na saothar seo go léir ní foláir tagairt don tsraith shuntasach sainfhoclóirí atá á gcur ar fáil de réir a chéile ag An Gúm, a fheidhmíonn faoi réir na Roinne Oideachais, amhail an *Foclóir Bitheolaíochta* (1968, 1978) agus *Téarmaí Ríomhaireachta* (1990). Sainfhoclóir ceannródaíoch eile is fiú a lua is ea an *Foclóir Fealsaimh* (1958) le Colmán Ó Huallacháin OFM. Tá réimsí leathana focal ar fáil sa Ghaeilge anois a bhaineann leis an iliomad ábhar nua-aoiseach, ábhair – cuid mhaith acu – nach raibh á bplé ar chor ar bith, nó ar éigean, i dteanga ar bith céad bliain ó shin.

Maidir leis seo, is ceart tagairt speisialta a dhéanamh do shaothar Choiste Téarmaíochta na Roinne Oideachais, a bunaíodh de bharr comhairle a thug Tomás Ó Floinn i 1968. Tá ardmholadh ag dul don bheart straitéiseach seo a dhéanann freastal leanúnach ar riachtanais téarmaíochta na Gaeilge, gnó is gá a dhéanamh ar bhealach nó ar bhealach eile i ngach teanga náisiúnta na laethanta seo.

Mar thaca don obair seo agus do scríbhneoirí Gaeilge na linne seo, cuireadh caighdeánú na teanga – nó a hathchaighdeánú ba chirte a rá – sa siúl nuair a d'fhoilsigh Rannóg an Aistriúcháin, a bhaineann le Tithe an Oireachtais, an chéad leagan de *Gramadach na Gaeilge – An Caighdeán Oifigiúil* sa bhliain 1953. Bhí an chuid is mó den ghnó leasaithe is caighdeánaithe seo curtha i gcrích faoin bhliain 1968. Bhí de thoradh ar an obair seo go léir gur thug sé caoi do dhuine ar bith, den chéad uair le trí chéad bliain, an Ghaeilge a scríobh de réir caighdeáin údarásaigh náisiúnta, gan é bheith de iallach air, nó uirthi, dul i dtuilleamaí leagain cúige di.

Bhí toradh tábhachtach eile ar shaothar Rannóg an Aistriúcháin le baint nuair a ceangail Éire leis an Chomhphobal Eorpach. Chuidigh aistritheoirí de chuid na Rannóige le leagan oifigiúil Gaeilge de Chonarthaí an Chomhphobail a chuir ar fáil, agus d'fhoilsigh an Comhphobal an leagan sin i Lucsamburg i 1973. De réir an chonartha ceangail idir Éire agus stáit eile an Chomhphobail, 'tarraingíodh an Conradh seo suas i scríbhinn bhunaidh amháin, sa Bhéarla, sa Danmhairgis, sa Fhraincis, sa Ghaeilge, sa Ghearmáinis, san Iodáilis, san Ioruais, san

Ollainnis; [agus] beidh comhúdarás ag na téacsanna sa Bhéarla, sa Danmhairgis, sa Fhraincis, sa Ghaeilge, sa Ghearmáinis, san Iodáilis agus san Ollainnis...' Ag eascairt as sin d'fhoilsigh Stiúrthóireacht Aistriúcháin, Doiciméadachta, Athchóipeála agus Leabharlainne an Chomhphobail sa Bhruiséil i 1976 gluais chuimsitheach fhónta Béarla-Gaeilge faoin teideal *Liosta d'Abairtí as Conarthaí Tionscanta na gComhphobal Eorpach.*

Toradh eile fós ar an obair thuas, arbh fhéidir úsáid a bhaint as sa leabhar seo, gurbh fhéidir aistriúchán caighdeánach Gaeilge ar an Bhíobla a chur ar fáil, rud a deineadh, ó na buntéacsanna, nuair a d'fhoilsigh An Sagart, Maigh Nuad, *An Bíobla Naofa* sa bhliain 1981.

Ag féachaint siar dúinn, i dtreo thús na staire, agus go dtí laethanta na réamhstaire féin, bhí foinse eile arbh fhéidir tarraingt aisti. B'in obair an Choimisiúin Logainmneacha a fhéachann le ceartfhoirmeacha bunaidh Gaeilge logainmneacha na hÉireann a aimsiú agus a chinntiú. Ba thairbhe freisin an chabhair a bhí le fáil ó Bhrainse Logainmneacha na Suirbhéireachta Ordanáis, agus is cuí tagairt a dhéanamh dá bhfoilseacháin siúd, go háirithe don leabhar fhiúntach, *Gasaitéar na hÉireann*, a d'fhoilsigh siad i 1989.

Ní foláir tagairt a dhéanamh chomh maith don tacaíocht phraiticiúil do fhorbairt na teanga a thugann Institiúid Teangeolaíochta Éireann. Tá sé de phríomhchuspóir ag an Institiúid taighde agus trialacha a thionscnamh agus a chur á ndéanamh ar ghnéithe éagsúla de chúrsaí teanga, ar fhoghlaim agus ar mhúineadh teangacha, go háirithe sa mhéid a bhaineann leis an Ghaeilge.

Mar a deir Colmán Ó Huallacháin, 'le míle go leith bliain ar a laghad tá lúbadh agus aclú á ndéanamh ar an ngnáth-theanga Ghaeilge d'fhonn go bhfónfaidh sí do riachtanais smaointeoirí'. Tar éis sosa ghairid (i dtéarmaí na staire de) is léir go bhfuil an obair sin ar siúl arís. Murach saothar leanúnach diongbháilte na ndaoine agus na bhforas go léir atá ag gabháil den obair ó thús an chéid, ní fhéadfaí tabhairt faoin ghnó atá mar chuspóir ag an leabhar seo. Gabhaimid buíochas leo uile dá réir.

Fuaireamar cabhair, comhairle agus spreagadh ó chuid mhaith daoine. Orthu siúd bhí Colm Breathnach, Michael D. Higgins,

Eoghan Mac Aogáin, Brian Mac Aongusa, Seán S. Mac Gleannáin, Ursula Ní Dhálaigh, Tadhg Ó Ceallaigh, Micheál Ó Cuinneagáin, Breandán Ó Doibhlin, Donncha Ó hÉalaithe, Éamonn Ó hÓgáin, Nól Ó Loingseacháin, Art Ó Maolfabhail, Caoimhín Ó Marcaigh, Pádraig Ó Muircheartaigh, Helen Ó Murchú, Dónall Ó Riagáin, Gearóid Ó Tuathaigh, Alan Titley, Vivian Uíbh Eachach. Ar ndóigh, na daoine a chuidigh le *Wordgloss* agus é á shaolú, tá buíochas ag dul dóibh arís as an chabhair indíreach atá tugtha acu dá bharr don saothar seo.

Léaráidí

Tógadh riar mhaith de na léaráidí atá in *Ciste Cúrsaí Reatha* as *Wordgloss*. Maidir le cuid de na léaráidí úra a bhaineann le *Ciste Cúrsaí Reatha* amháin, fuaireamar cúnamh faoi leith ó na daoine seo a leanas: Larry Donald, Declan Macauley, William Dumpleton, Tom Cox, Séamus Cashman, Elizabeth Combeau.

Tá na foilsitheoirí buíoch den lucht seo a leanas as léaráidí a sholáthar: BSL 5, *The Irish Times* (Tráthscéal Éireann) 6, 14, 38 (Whitaker), 43, 92, 114, 150, 179, 205, 217 (Ó Coisdeala), Leabharlann Náisiúnta na hÉireann 16, 19, 47 (de Búrca), 75, 76, 79, 111, 147, 163, Coimisiún na hEorpa 21, 54, 55, 56, 57, 60, Calafort Bhaile Átha Cliath 51, Réadlann Dhún Since 66, Cumann Lucht Tráchtála Bhaile Átha Cliath 73, Leabharlann Chontae Chill Chainnigh 109, Ambasáid Stáit Aontaithe Mheiriceá, Baile Átha Cliath, 110, Lensmen 25, 153, 165, 166, 217, 225, *Scéala Éireann* (Irish Press) 216, 224, An Páirtí Glas 167 (Garland), Páirtí na nOibrithe 167 (Mac Giolla), An Páirtí Daonlathach 166 (Ó Máille), Áras an Uachtaráin 225 (Mhic Róibín).

Is mian leis na foilsitheoirí a mbuíochas a ghabháil leis an lucht seo a leanas as cead a thabhairt chun léaráidí a mhacasamhlú: Wolfhound Press 2, 19 (bolscaire baile), National Portrait Gallery, Londain 7 (Cockcroft), 30 (Smith), 38 (Keynes), 47 (Locke), 83, 118, Maunsell Collection 7 (Déamaicriteas), 189, British Museum 8, Hulton Picture Company 11, 13, 30 (*Dark Satanic Mills*), 40, 49, 64, 65, 68, 94, 95, 104, 105, 117, 159, 193, 195, 208, Dánlann Chathrach Hugh Lane don Nua-Ealaín 22, National Gallery, Londain 22, Músaem Náisiúnta na hÉireann

36, 141, 160, Bibliothèque Nationale, Páras 44, Banc Ceannais na hÉireann 96, Bruckmann 106, 107, Archivi Alinari 126, 137, Academie Royale des Beaou Arts, an Bhruiséil 144, Banc Aontas Éireann cpt 161, Stocmhalartán na hÉireann 211, Archives Nationales, Páras 219.

Pátrúin

Saothar ceannródaíoch is ea *Ciste Cúrsaí Reatha*. Cuireann sé áis oibre úrnua phraiticiúil i lámha daoine (agus mic léinn san áireamh) ar mian leo, agus ar gnó dóibh, plé a dhéanamh ar cheisteanna reatha i nGaeilge an lae inniu. Gabhann an Foras Riaracháin buíochas faoi leith leis na comhlachtaí seo a leanas a thug an chabhair airgeadais agus an tacaíocht phraiticiúil ba ghá le saothar cuimsitheach coimpléascach – agus neart léaráidí ann – ar nós *Ciste Cúrsaí Reatha* a fhoilsiú go maisiúil agus go rathúil:

Irish Permanent
Bord Soláthair an Leictreachais
Údarás na Gaeltachta
An Post (Seirbhísí Speisialta Dáileacháin)
Aer Rianta
Church & General
An Crannchur Náisiúnta.

Murach a gcabhair siúd, ní fhéadfaí an saothar seo a chur ar fáil ar an dóigh is dual.

Is mian linn ár mbuíochas a chur in iúl go háirithe do Sheán Ó Gallchóir, Stiúrthóir Ginearálta an Fhorais Riaracháin, a thug lántacaíocht ó thús don ghnó. Táimid buíoch chomh maith de fhoireann fhoilsitheoireachta an Fhorais, a chuidigh lena scileanna chun an leabhar seo a chur ar fáil: Kathleen Harte, Eileen Kelly, Finbarr O'Shea, Sarah Blair, Dolores Meagher, Hannah Ryan. As a gcuidiú riachtanach gairmiúil is mian linn ár mbuíochas a chur in iúl freisin do na daoine seo: Clíona Ní Bhréartúin, Gerry Butler, Paul Claffey, Norman Blakely.

AG BAINT ÚSÁIDE AS *CISTE CÚRSAÍ REATHA*

1. An comhartha beag 'o' a ghabhann le téarmaí áirithe nó le focail áirithe ar feadh an téacs, mar shampla '°faoi choim', cuireann sé in iúl go bhfuil míniú ar an téarma, nó ar an fhocal (nó ar leagan de), le fáil in áit eile sa téacs. Is féidir an míniú sin a aimsiú ach féachaint ar an téarma nó ar an fhocal san innéacs agus dul go dtí an leathanach a luaitear ansin i gcló Iodálach.

2. Na huimhreacha, 1–208, atá le fáil freisin tríd an téacs, tagraíonn siad do na nótaí a thugtar sa roinn 'Saibhreas Breise' den leabhar (lgh 229–286). Tá ilchineál ábhair sna nótaí seo: tugann cuid acu eolas breise; déanann cuid eile acu forbairt ar phointí gramadaí nó teangeolaíochta; cuid eile fós, soláthraíonn siad liostaí de fhocail úsáideacha nó de fhocail spéisiúla a eascraíonn go nádúrtha as ábhar an téacs.

3. Mar chabhair bhreise, gheofar go minic ag bun leathanaigh gluais bheag de fhocail atá in úsáid ar an leathanach sin. Tá idir fhocail inspéise orthu, fhocail neamhghnácha agus fhocail theicniúla. Liostaítear na focail seo, maraon lena míniúcháin, de réir a n-ionaid sa téacs, mar áis don léitheoir nach bhfuil ina dtaithí. Ní tharraingítear aon aird sa téacs ar na focail seo, i dtreo is nach gcuirfidh siad moill gan ghá sa léitheoireacht ar an té atá ina dtaithí cheana féin. Ach i gcás téarmaí teicniúla ach go háirithe, beidh sé áisiúil don léitheoir stracfhéachaint a thabhairt ar na gluaiseanna seo sula dtéann sé, nó sí, i mbun ábhar an leathanaigh lena mbaineann siad a léamh.

4. Maidir le litriú ainmneacha dílse eachtrannacha agus logainmneacha thar lear, leantar i gcoitinne den chleachtas atá bunaithe ag an Choiste Téarmaíochta. Dá bhrí sin, glactar leis na leaganacha de na hainmneacha seo a úsáidtear ina dtíortha dúchais féin, ach amháin sa chás go bhfuil leagan aitheanta Gaeilge den ainm sin in úsáid, ar nós 'Londain', 'an Róimh'. Maidir le hainmneacha na sean-Ghréagach,

déantar iad a thraslitriú de réir nós an Choiste Téarmaíochta.

5. Ar mhaithe le simplíocht ghramadaí, mar a fheictear í do na húdair, leantar den nós Ultach, faoi mar atá ceadaithe sa Chaighdeán Oifigiúil, an t-ainmfhocal cinnte a shéimhiú i ndiaidh réamhfhocail, mar shampla 'ar an bhord' in áit 'ar an mbord'.

6. Is leagan amach foclóra atá ar an leabhar. Mar sin, is féidir teacht ar fhocal nó ar théarma atá ina cheannteideal ar mhír ach é a lorg de réir an oird aibítrigh.

7. Mar chuidiú breise don léitheoir chun teacht ar na hábhair a phléitear, tá innéacs cuimsitheach ag gabháil leis an leabhar. Áit a n-úsáidtear focal/téarma innéacsaithe roinnt uaireanta i sainalt, is é an nós a leanamar ná an leathanach sin a lua mar a bhfaightear an focal/téarma den chéad uair san alt. Ba bhealach é seo, dar linn, chun teorainn chiallmhar a chur leis an innéacs.

ábharachas
dearcadh a deir nach bhfuil sa saol ach ábhar °fisiceach amháin. (Séanann na hábharaithe go bhfuil nithe neamh-ábhartha ann, amhail an spioradáltacht, anam duine, nó Dia)

Is ionann 'ábhar' agus 'damhna'. Focal eile ar an rud chéanna is ea 'dúil'; is é sin, rud ar bith a bhfuil °toirt fhisiceach nó toise fisiceach ann, a °áitíonn spás, nó atá inmhothaithe ag na céadfaí[1]. Mura bhfuil na comharthaí sóirt seo ag rud, níl °réaltacht ann, dar leis na hábharaithe. Go hachomair, mura féidir rud a thomhas, ní hann dó.

An 'fealsamh ábharaíoch' a tugadh ar Mharx. Bhí cúis mhaith leis sin: na gnóthaí a dtugann daoine fúthu chun cúrsaí ábhartha an tsaoil a °riar, °mhaígh sé gurbh iad sin go bunúsach na haon fhórsaí amháin a mhúnlaíonn moráltacht an duine agus a shaol sóisialta. Dá bhrí sin ní raibh i gcúrsaí staire, dar le Marx, ach feidhmiú an phróisis ábhartha seo. Is mar gheall air seo a thugtar ábharachas stairiúil ar theoiric Mharx i leith na staire.

Ó am go chéile mairgníonn eaglaisigh[2] go bhfuil an t-ábharachas ag leathnú in Éirinn. Ní hamhlaidh atá siad ag rá go bhfuil an °fhealsúnacht ábharaíoch ag dul i gcion ar dhaoine. Níl á rá acu ach go bhfuil an tsaint ag dul i bhfeidhm ar phobal na tíre: go bhfuil méadú ar a ndúil i gcnuasach stóir (earraí ábhartha), agus go bhfuil sé ag fáil an lámh in uachtar ar luachanna traidisiúnta mar an chothroime agus an charthanacht. Níl i gceist acu ach oiread gur rud incháinte ann féin é saibhreas a shaothrú.

ábharachas: materialism
damhna: ábhar, substaint/ material, substance
toise: miosúr/ measurement
go hachomair: i mbeagán focal/ briefly, concisely
fealsamh: duine a dhéanann machnamh ar an saol/ philosopher
múnlú: foirm nó cruth a chur ar rud/ to mould, shape
feidhmiú: oibriú/ to function
mairgneach: brón a nochtadh/ to lament, grieve
cothroime: cóir, ceart do chách/ fairness, equity
carthanacht: cairdeas, carthanas/ friendliness, charity

Ach ar ndóigh is féidir leis an dúil sa saibhreas dul thar fóir. Rud a thuig Raifteirí na bpócaí folmha (1784-1835) go maith. Dúirt sé:

Is cuma le Mámon, dia an óir,
Cén teampall, cén croí, ina leagann sé a stór.
Milleann sé cách le saint is le tnúth
Chun dearmad a dhéanamh ar Rí na nDúl.

I bhfad níos luaithe ná sin dúirt file eile, Donncha Mór Ó Dálaigh (1174-1244):

Má dhéanann duine dia dá mhaoin,
Ní fhuil ann ach dia díomhaoin.

searmanas deabhóide i Mainistir na Buaille san aois seo. An grianghrafadóir clúiteach, P. de Brún SJ, a thóg an pictiúr i 1932. Bunaíodh an mhainistir Chistéirseach seo in 1161 (mar 'iníon' de chuid °Mhellifont). Bhí Donncha Mór Ó Dálaigh ina ab anseo

acht (nó reacht)
dlí is ea é seo a reachtaítear ag an Oireachtas; ní hionann é agus an dlí coiteann

Tagann an focal 'acht' ón Laidin, *agere, actum*, briathar a chiallaíonn 'gníomhú' nó 'feidhmiú'. An gníomh is coitianta ag an Oireachtas dlíthe a reachtú. Tosaíonn ábhar reachta de ghnáth mar 'bhille' i gceann de an Ranna Stáit, faoi threoir Aire na Roinne sin. Faigheann an Roinn comhairle dhlíthiúil maidir leis an ghnó ón

---

thar fóir: iomarcach, míchuibheasach/ excessive
tnúth: dúil láidir, cíocras/ envy, strong desire
díomhaoin: gan feidhm, falsa/ idle, fruitless
acht: act, statute
dlí coiteann: na dlíthe atá bunaithe ar an seanchleachtadh/ common law

dréacht
sin ábhar a ullmhú nó a leagan amach i scríbhinn

teachta
foirm iolra de 'teacht' a bhí san fhocal ar dtús. Chiallaigh sé °toscaireacht a théadh nó a thagadh chun gnó a phlé. Le haimsir, deineadh uimhir uatha de. 'Teachta', 'teachtaí' na foirmeacha atá againn anois

Ard-Aighne. Cuireann saineolaí[49] dlí in oifig an Ard-Aighne dréacht den bhille ar fáil. Dréachtóir parlaiminte a thugtar ar an saineolaí seo. Bíonn oilteacht ag an té seo chun bille a chur i gcruth agus i bhfoclaíocht a oireann don dlí.

Ansin lorgtar cead ó cheann de Thithe an Oireachtais (an Dáil nó an Seanad) chun an bille a chur os a gcomhair. Má fhaightear an cead, clóbhuailtear an bille agus °dáiltear cóipeanna de ar bhaill an Tí (na Teachtaí Dála nó na Seanadóirí). Pléitear an bille roinnt uaireanta sa Teach (tá cúig chéim ar fad sa °phróiseas). Is féidir an bille a leasú ar a bhealach ar aghaidh. Ansin cuirtear an bille faoi chaibidil sa Teach eile. Má leasaíonn an Seanad bille de chuid na Dála, cuirtear ar ais chuig an Dáil é leis an leasú sin a thoiliú.

Nuair a ghlactar le bille sa dá Theach – seachas bille chun an °bunreacht a leasú – cuirtear é chuig an °Uachtarán lena shíniú. Síníonn an tUachtarán é faoi réir amchláir an-bheacht; is é sin, ar an cúigiú, ar an séú nó ar an seachtú lá tar éis dó, nó di, é a fháil; agus gan roimhe sin nó ina dhiaidh.

Tá dhá eisceacht ón amchlár seo: (1) má ritear rún, a dtacaíonn an Seanad leis, go síneofar é níos luaithe ná an cúigiú lá; nó (2) má °chinneann an tUachtarán féin an bille a chur faoi bhráid na °Cúirte Uachtaraí chun a bhunreachtúlacht a thástáil.

Is féidir le °tromlach an tSeanaid agus trian ar a laghad de na Teachtaí Dála °achainí ar an Uachtarán gan bille a shíniú ar an ábhar go bhfuil an oiread sin tábhachta lena bhfuil ann gur cóir é a chur faoi bhráid an phobail. Sa chás sin is féidir leis an Uachtarán, tar éis dul i gcomhairle le Comhairle an Stáit, géilleadh don °achainí. Ní shíníonn an tUachtarán an bille sin go

---

Ard-Aighne: an comhairleoir dlí atá ag an rialtas faoi Alt 30 den bhunreacht/ Attorney General
clóbhualadh: priontáil/ to print
caibidil: díospóireacht/ debate, discussion
tástáil: triail/ to test

dtí go bhfuil glactha ag an phobal leis faoi reifreann, nó ag Dáil a thoghtar as an nua in olltoghchán.

Nuair a ritear bille chun an bunreacht a leasú, nó nuair a mheastar a leithéid a bheith rite ag an dá Theach san Oireachtas, agus ar ghlacadh leis ag an phobal faoi reifreann, síníonn an tUachtarán é láithreach.

Fógraíonn an tUachtarán an dlí nua le ráiteas in *Iris Oifigiúil*. Is tréimhseachán[3] oifigiúil í seo a fhoilsítear[4] dhá uair sa tseachtain. Coimeádtar an bhunchóip shínithe den bhille – nó an t-acht mar atá air anois – i dtaisce in oifig na Cúirte Uachtaraí.

acmhainn nádúrtha
aon ghné nó aon cháilíocht den °dúlra nó den timpeallacht atá ina tairbhe don duine

'Nádúr', is ionann é agus *natura* na Laidine, focal a chiallaíonn °réaltacht nithiúil an domhain. Focal dúchasach sa Ghaeilge is ea 'acmhainn' a chiallaíonn rud is féidir a úsáid chun riachtanas daonna a shásamh. (Agus tá de mhí-ádh ar an fhocal 'acmhainn' go mílitrítear é go minic!) Ar uaire, cuirtear brí an-teoranta leis an téarma 'acmhainní nádúrtha'. Ní bhíonn i gceist ansin ach rudaí cosúil le miotail, gual, gás, ola. Uaireanta eile, bíonn ciall an-leathan i gceist. Ansin clúdaíonn an téarma gach sórt

iris: tréimhseachán/ magazine, journal
acmhainn: cumas chun rud a dhéanamh/ resource
timpeallacht: imshaol/ environment
tairbhe: buntáiste, leas/ advantage, benefit

acmhainn nádúrtha is ea uisce a úsáidtear chun leictreachas a ghiniúint. Is deacair leictreachas a stóráil, ach sa chóras chliste atá ag Bord Soláthair an Leictreachais ag Cnoc an Turlaigh i °gCill Mhantáin scaoiltear an t-uisce ón loch °daondéanta i mbarr an chnoic tríd an °ghineadóir, nuair is gá, chun tobéilimh leictreachais a shásamh. Ansin istoíche, úsáidtear leictreachas °díomhaoin ó ghineadóirí eile chun an t-uisce a phumpáil ar ais ón loch íochtair go dtí an loch stórála san uachtar

ruda, daoine fiú. ('Is í an óige an acmhainn nádúrtha is mó atá againn', a deirtear go minic.)

Is féidir acmhainní nádúrtha a roinnt ina dhá gcineál, idir acmhainní in-athnuaite agus acmhainní neamh-athnuaite. Ní féidir °mianraí nó breoslaí mar ghual, gás, ola a athnuachan. Ídítear iad de réir mar a chaitear iad. Ach is féidir miotail a athúsáid de ghnáth, tríd an athchúrsáil. Ar acmhainní in-athnuaite tá uisce, ithir, foraoisí[5], an t-iasc, an fiadhúlra, fuinneamh gréine agus fuinneamh na taoide, an t-aer.

Ní áirítear an °bhéascna nó an cultúr a thagann le dúchas agus le hoidhreacht mar acmhainn, de ghnáth.

---

in-athnuaite: is féidir a athnuachan/ renewable
breosla: connadh, ábhar tine nó fuinnimh/ fuel
ídiú: úsáid go hiomlán, dísciú/ to exhaust, use up
athchúrsáil: cóiriú le haghaidh athúsáide/ to recycle
ithir: talamh nó cré, torthúil de ghnáth/ soil
fiadhúlra: fiabheatha/ fauna, wildlife
oidhreacht: atharthacht/ heritage, patrimony

Is aisteach sin. Mar is dócha gur acmhainn é an cumas a bhíonn ag pobail áirithe teacht aniar tar éis tubaistí móra, faoi mar a dhein na Fionlannaigh, na Gearmánaigh, na Seapánaigh tar éis Chogadh Domhanda II. Ní bhíonn an cumas céanna ag gach pobal. Tír sceirdiúil go maith is ea an Eilvéis. Ach an treallús atá mar chuid dá ndúchas ag muintir na hEilvéise, d'fhéadfaí a rá go bhfuil sé ar cheann de na hacmhainní is mó atá acu. °Dealraíonn sé gur maoin gan mhaitheas na hacmhainní nádúrtha eile mura mbíonn fuinneamh ag pobal, agus fonn orthu, chun iad a úsáid.

adamh
an méid is lú is féidir a bheith ann de dhúil cheimiceach ar bith

Bunaítear eolaíocht na nuafhisice ar theoiric an adaimh. Tá an-dul-chun-cinn déanta san eolaíocht seo lenár linn féin. An t-eolaí Éireannach, E.T.S. Walton (a rugadh i 1903), a réitigh an bealach chun °forbairt a dhéanamh i gcúrsaí na fisice núicléiche i rith na haoise seo, é féin agus Sir John Douglas Cockcroft (1897-1967). Sa bhliain 1931 d'fhorbair siad an chéad ghineadóir[6] °cáithníní núicléacha. Bronnadh Duais Nobel san Fhisic orthu dá bharr i 1951.

Ach téann tús scéal na teoirice i bhfad siar, go dtí na sean-Ghréagaigh sa séú céad roimh Chríost. Le dhá chéad bliain roimhe sin bhí daoine ar nós Thailéis ag fiosrú faoi nádúr ábhartha an domhain. An °fealsamh Déamaicriteas (timpeall 460-370 RCh) a °d'fhorbair °teoiric shásúil faoi dheireadh: gurb iad na hadaimh

Walton

sceirdiúil: diolba, dealbh/ bleak
treallús: cur chun cinn, dícheall/ initiative, industriousness
adamh: atom
dúil: substaint cheimiceach/ element
ceimiceach: a bhaineann le hathruithe adamhacha nó móilíneacha/ chemical [móilín, sin an chuid is simplí de chomhdhúil cheimiceach, mar shampla de uisce (H_20)/ molecule]
gineadóir: gléas a ghineann cumhacht/ generator
núicléach: a bhaineann le núicléas adaimh/ nuclear

Cockcroft

na comhchodanna bunata a bhfuil gach rud déanta astu. Níl rud níos lú ná iad, dúirt sé. Sin an fáth gur thug sé 'adaimh' orthu, focal a chiallaíonn 'rud nach féidir a ghearradh'. Is é sin, blúirín ábhair is ea adamh atá chomh mion sin nach féidir é a ghearradh ina thuilleadh píosaí.

Ba iontach an t-éacht é teacht ar an eolas seo le tréan intinne amháin. Ní raibh na Gréagaigh in ann an teoiric a °thástáil, mar nach raibh trealamh meicniúil nó gléasanna eolaíocha acu, nó fiú eolas ar an ailgéabar[7] ag an am. Le cumas intleachta amháin a d'éirigh leo ceist Thailéis a réiteach chun a sástachta.

Tailéas

Seo mar a thug siad faoin obair. Bhí duine acu, Anacsagaras, tar éis a rá go raibh an t-ábhar, is é sin, °damhna na °cruinne, déanta as 'síolta' beaga, agus nach raibh aon teorainn leis an líon síolta a d'fhéadfadh a bheith in aon rud. Dhein fealsamh eile, Séanón, machnamh air seo. Ní raibh sé sásta leis mar scéal. Cuir i gcás cathaoir, ar sé. Is féidir í a roinnt ina dhá leath, agus na leatha sin a leathú arís, agus arís agus arís eile. Más fíor do Anacsagaras, ní bheadh aon teorainn leis an mhéid blúiríní a d'fhéadfaí a dhéanamh as an chathaoir. Ach d'fhiosraigh sé: an mbeadh meáchan sna blúiríní sin? Mura mbeadh, ní bheadh meáchan ar bith sa chathaoir. Is follas nach fíor sin. Ach má tá meáchan éigin, dá laghad é, i ngach blúirín, agus gan aon teorainn le líonmhaireacht na mblúiríní, ansin níl aon teorainn le meáchan na cathaoireach. Más ea, ní fhéadfaí í a bhogadh ar chor ar bith. Is léir nach bhfuil sin fíor ach oiread. Mar sin, ní foláir nó go bhfuil líon teoranta de bhlúiríní

Déamaicriteas

comhchuid: comhpháirt/ component
bunata: ó bhonn, príomhúil/ basic, primary
blúirín: mionphíosa/ tiny fragment
éacht: gaisce/ achievement, feat
tréan: neart/ force, power
trealamh: fearas, gléasra/ equipment, mechanical means
intleacht: intinn/ intellect
meáchan: méid áirithe troime/ weight
follas: soiléir/ obvious

Anacsagaras

do-roinnte, nó do-ghearrtha, i ngach rud. Sin iad na hadaimh.

Bhí roinnt fadhbanna eile le réiteach sa scéal, ach chuir Déamaicriteas clabhsúr ar an obair. Eisean a dúirt go raibh gach adamh díreach mar a bheadh domhan beag, agus iad go léir ag síorghluaiseacht laistigh de spás a °gcruinne féin. Bhí rudaí eile le rá aige ina dtaobh, ach is leor an méid sin chun éirim intinne na nGréagach a léiriú.

Tuigtear anois go bhfuil fochodanna san adamh, núicléas, prótóin, leictreoin[8], cuarcanna agus eile. Cuid acu, tagann siad ann agus imíonn siad as laistigh de °mhicreashoicind. Ach is féidir a rá go n-athraítear cáilíochtaí ceimiceacha an adaimh nuair a scoiltear na fochodanna atá sa núicléas ó chéile. Ní hann do ábhar an adaimh sin a thuilleadh. Is fíor mar sin gurb é an t-adamh an blúirín is lú de dhúil cheimiceach ar bith. Is °spás folamh atá san adamh den chuid is mó. Níl sa núicléas ach an míle milliún milliúnú (10^{-15}) cuid de spás iomlán an adaimh. Amuigh ar an imeall tá na leictreoin, ceann in aghaidh gach prótóin sa núicléas. Ach níl i leictreon ach an $^{1}/_{1836ú}$ cuid de phrótón!

aibítir
na litreacha a bhaineann le teanga scríofa, agus iad in ord áirithe

Tá litreacha na haibítre ar na rudaí is luachmhaire dá bhfuil againn. Mar is orthu atá an °scríbhneoireacht bunaithe. Agus is í an scríbhneoireacht an t-aireagán is tábhachtaí a chum an duine riamh. Cuireann sé ar a chumas eolas agus smaointe a °chaomhnú agus a chur

---

clabhsúr: gníomh a thugann rud chun críche/ conclusion
éirim: cumas, inniúlacht, ábaltacht/ ability
prótón: cáithnín i núicléas an adaimh le lucht dearfa leictreachais/ proton, positive electrically- charged atomic particle
leictreon: cáithnín san adamh le lucht diúltach leictreachais/ electron, atomic particle with negative electrical charge
cuarc: ceann de thrí chineál cáithnín bhunúsaigh a mheastar a bheith ann/ quark
aibítir: alphabet
aireagán: rud a chumtar, nach raibh ann roimhe/ invention

glúin
tá dhá bhrí éagsúla leis an fhocal: 'alt sa chos' nó 'sraith daoine' ('ó ghlúin go glúin'). Tá an gaol ait seo sa Laidin chomh maith: *genu* atá ar 'glúin' (cuid den chos) agus *genus* ar 'síolrú clainne' nó 'giniúint'. Agus nach ait é freisin go bhfuil gaol ó bhunús idir *knee* agus *kin* sa Bhéarla?

aimsir
'am' ba chiall leis an fhocal seo trí chéad bliain ó shin. Ansin glacadh leis chun cur síos ar na °toscaí meitéareolaíocha (scamallach, fliuch, tirim srl) a bhain le tréimhse ama áirithe; agus sin is gnáthchiall leis an fhocal anois

ar aghaidh ó ghlúin go glúin. Mar sin is féidir le glúin amháin tógáil ar na smaointe a d'fhág an ghlúin rompu le huacht acu, agus na smaointe sin a °fhorbairt ar mhaithe le dul chun cinn an chine. Murach an scríbhneoireacht bheadh ar gach glúin tosú as an úire, beagnach, ar lorg an eolais, mar is an-teoranta go deo an chuimhne dhaonna mar ghléas stórála feasa i gcomparáid le °leabharlann.

Gan leabhair, gan eolas. Thuig an file Dáibhí Ó Bruadair (1625-98) an méid sin nuair a chonaic sé an scrios a bhí á dhéanamh ar chultúr na hÉireann trí chéad bliain ó shin. Tá cuma seanaimseartha – sách deacair b'fhéidir – ar chuid dár scríobh sé. Mar sin féin, ba ardfhile é, agus is fiú na línte seo a leanas as dán clúiteach leis a bhreacadh anseo (tá míniú orthu thíos):

D'aithle na bhfilí, darbh ionnús éigse is iúl,
Is mairg a chonaic an chinniúint d'éirigh dúinn:
Ár leabhair ag titim i leimhe is ag liathadh ar gcúl,
Is ag maca na °droinge gan siolla dá séada rúin.

Is éard is ciall leis na línte sin ná: I ndiaidh na bhfilí a raibh stór iontach léinn agus eolais acu, is brónach an scéal dúinne a chonaic an drochstaid a tharla dúinn: ár leabhair ag cailleadh a gcuid °éifeachta agus ag dul ar gcúl. Agus, dá bharr sin, gan focal den saibhreas eolais a bhí iontu ag sliocht na n-údar a scríobh iad.

Ba iad na Seimítigh a cheap an chéad aibítir, beagnach ceithre mhíle bliain ó shin. Bhí an aibítir sin bunaithe ar phictiúiríní a chuireadh idéithe in iúl. Fuair na Gréagaigh an aibítir ó na Féinícigh, pobal Seimíteach a bhunaigh cathair chumhachtach, an

---

as an úire: as an nua/ afresh
d'aithle: i ndiaidh, tar éis/ after, in the wake of
ionnús: saibhreas/ wealth
éigse: léann, filíocht/ learning, poetry
iúl: eolas/ knowledge
leimhe: gan bhlas, gan éifeacht/ insipid, impotent
siolla: aonad fuaime i bhfocal/ syllable
séada: stór luachmhar/ valuables
idé: rud a cheaptar san intinn/ idea

Chartaig, ar chósta na hAfraice. Is ó na Gréagaigh a fuair na Rómhánaigh an gléas iontach seo na scríbhneoireachta.

An stíl scríbhneoireachta a dtugtar 'an cló Gaelach' air, is í sin an stíl a chleacht an Eaglais ar fud na hEorpa sa cúigiú céad, an uair a tháinig Pádraig Naofa go hÉirinn. Is cosúil gur tosaíodh ar an Ghaeilge a scríobh de réir an chórais seo am éigin sa séú céad.

Ach bhí cineál scríbhneoireachta in Éirinn roimh theacht na Críostaíochta féin. B'in an tOgham (ainmníodh an córas as an dia Cheilteach *Ogmios*). Meastar go bhfuarthas an script aisteach seo ó dhraoithe Ceilteacha na Mór-roinne. Tá sé le feiceáil ar chlocha cuimhneacháin cianaosta[177] ar fud na tíre go fóill. Sa chóras seo ainmníodh na litreacha as crainn. Sin é an fáth go dtugtar 'oghamchraobh' ar an aibítir sin. Seo iad ainmneacha na litreacha Gaelacha de réir an chórais sin: ailm, beith, coll, dair, eabhadh, fearn, gort, uath, íodha, luis, muin, nion, oir, peith, ruis, sail, teithne, úr.

ainrialachas
teagasc polaitiúil[9] a deir gur ceart gach rialtas a chur ar ceal agus córas deonach i °gcomhar a chur ina áit

'Ain-', 'an-', °réimír dhiúltach a chiallaíonn drochrud nó rud mínádúrtha, atá againn anseo, móide 'riail' (ceannas rialtais). Níl na hainrialaithe in éadan oird agus °eagair. Ach is mór acu an tsaoirse. Deir siad gur ceart ligean don duine, mar dhúil dhaonna shóisialta, comhluadar agus caidreamh a dhéanamh lena chomhchréatúir ar bhonn deonach, gan cur isteach air ag °rialtas. Níl na hainrialaithe ar aon tuairim, áfach, faoi conas is ceart an staid idéalach seo a bhaint amach. Ach tá siad ar aon fhocal gur drochrud é stát an lae inniu, mar go gcuireann sé °d'iallach ar dhaoine gníomhaíocht a dhéanamh lena chéile dá ndeoin nó dá n-ainneoin; agus cuireann an obair seo córas ar fáil,

---

ainrialachas: anarchism
dúil: créatúr nó eilimint nádúrtha/ creature, natural element
dá ndeoin nó dá n-ainneoin: lena dtoil nó in éadan a dtola/ with or without their consent, willy-nilly

Proudhon

dar leo, a thugann deis don stát éagóir a imirt orthu. Ní smacht °lárnach rialtais, ach smacht áitiúil, a theastaíonn ó na hainrialaithe.

Sa naoú céad déag thug ainrialaithe áirithe faoina gcreideamh a chur chun cinn leis an lámh láidir. Dhein siad go leor míghníomhartha amhail °feallmharú Shár na Rúise, Alastar II, sa bhliain 1881. Dá bharr sin is minic a shamhlaítear ainrialaithe mar lucht scriosach °comhcheilge a bhíonn ag beartú báis agus foréigin[5] °faoi choim na hoíche. Ceanglaítear i meon an phobail iad le dreamanna mar bhriogáidí dearga[10] na hIodáile agus mar Dhrong Baader-Meinhof[11] na Gearmáine.

Tá ainrialaithe eile ann a d'fhéach lena dteagasc a chothú ar bhealaí síochánta, ar nós na heasumhlaíochta sibhialta, stailceanna agus an neamh-chomhoibrithe. Meastar gurbh é Pierre Joseph Proudhon (1809-65) an chéad ainrialaí a bhaineann lenár linn féin. An aisling a bhí aige ná slua mór de phobail °fhéinrialaitheacha ag comhoibriú lena chéile ar mhaithe lena gcomhleas, agus an stát °buirgéiseach ag feo agus ag imeacht as. Chuir sé béim ar chearta an duine aonair. Eisean a dúirt gurbh ionann °maoin phríobháideach agus goid.

Is ó na hainrialaithe a fuair Marx an smaoineamh gurbh ionann feo an stáit agus bláthú an chumannachais. Bhí tionchar acu freisin ar na sindeacáitigh (daoine a cheap gur chóir neart na gceardchumann a úsáid chun an stát buirgéiseach a scrios). Bhí an smaoineamh sin go láidir sa Spáinn le linn an Chogaidh Chathartha (1936-39).

Bhí an t-úrscéalaí[12] cáiliúil Rúiseach, Leon Tolstoy (1828-1910), ina ainrialaí Críostaí. Mheas sé nach bhféadfadh córas an stáit réiteach go sásúil leis an °charthannacht, °príomhshuáilce na Críostaíochta.

cara
tá gaol ag an fhocal seo le *carus* (muirneach, grách) sa Laidin. Tá baint aige le 'croí', le *cor* sa Laidin, agus le *kardia* sa Ghréigis. Fuair an Béarla *cordial* ón Laidin mheánaoiseach sa 14ú céad. Is spéisiúil a chosúla is atá sin leis an fhocal dúchasach Gaeilge, 'cairdiúil'

---

scriosach: millteach/ destructive
easumhlaíocht: easurraim, aimhriar/ disobedience
comhleas: an mhaitheas choitianta/ common good
feo: dreo/ to wither, decay
sindeacáiteach: duine a ghlacann leis gur cóir do oibrithe cumhacht a ghabháil le lámh láidir/ syndicalist. (Ba shindeacáiteach laoch an bhailéid *Joe Hill*, 'an fear nach bhfuair bás riamh'.)

airgeadaí
duine a chreideann gurb é an bealach is fearr chun gníomhaíocht °gheilleagrach a chothú agus chun cobhsaíocht praghsanna a bhaint amach ná trí diansmacht a choinneáil ar an soláthar airgid. (An soláthar airgid, is ionann é sin agus an méid airgid atá ag gabháil thart timpeall i measc an phobail agus, lena chois sin, an méid is féidir leo a fháil ar iasacht, ar théarmaí eacnamaíocha, ó na bainc)

Bhí obair na miotalóireachta – seachas úsáid an iarainn – á cleachtadh ag na Ceiltigh agus ag na Laidinigh breis is trí mhíle bliain ó shin, sular scar an dá chine Ind-Eorpacha seo ó chéile. D'fhág sin go raibh na focail chéanna acu ar na miotail luachmhara, 'ór' (*aurum* sa Laidin) agus 'airgead'[13] (*argentum*), cé go n-áirítear uaireanta 'ór' ina iasacht ón Laidin.

Maidir leis an fhocal 'airgead' sa Ghaeilge, leathnaigh a bhrí de réir a chéile. Clúdaíonn sé anois an miotal féin, agus an t-ábhar (idir bhoinn[14] airgid reatha agus nótaí dlíthairisceana) a nglactar leis i measc an phobail i ndíolaíocht ar earraí agus ar sheirbhísí. Sa dara ciall seo, an chiall leathan, is ionann 'airgead' agus *money* an Bhéarla, focal a tháinig ó *moneie* na Sean-Fhraincise. Tá an focal céanna sa Ghaeilge chomh maith, focal a tháinig ón fhoinse chéanna. 'Mona' atá ar an fhocal sa Ghaeilge. Ach teorainníodh brí an fhocail 'mona' le himeacht aimsire. Bonn nó píosa airgid amháin is ciall dó anois.

Deir lucht an °Chéinseachais gur gá don rialtas lámh a ghlacadh sa gheilleagar chun an oiread fostaíochta is féidir a bhaint amach gan °boilsciú a spreagadh dá bharr. Ach is é a deir na hairgeadaithe – lucht an airgeadaíochais – nach gnó don rialtas ach tosca a chumadh de chineál a sheolfaidh an t-airgead atá ann i dtreo na ngníomhaíochtaí is fearr °eagar agus °riar; agus i dtreo gníomhaíochtaí a chuireann earraí agus seirbhísí ar fáil a bhfuil fíoréileamh orthu, seachas cinn nach bhfuil ach éileamh bréige neamh-eacnamaíoch orthu (amhail cúrsaí cultúrtha go minic).

Creideann na hairgeadaithe i dtosca an tsaor-mhargaidh. Cúrsaí polaitíochta is príomhghnó don °rialtas, dar leo, ní leigheasanna ná leasanna

---

airgeadaí (sa chomhthéacs seo): monetarist
cobhsaíocht: staid sheasmhach/ stability
bonn: mona, píosa airgid/ coin
nóta dlíthairisceana: airgead reatha/ legal tender note
díolaíocht: cúiteamh/ payment, recompense
fostaíocht: post ar pá/ employment
tosca: dálaí, cúinsí, cúiseanna/ circumstances, factors

Friedman

geilleagracha. Mar sin, ní cóir don rialtas gabháil de °tháirgeadh earraí ná seirbhísí, ach a °laghad is féidir. Dar leo freisin, níl rialtas in ann gnóthaí den sórt seo a riar go °héifeachtach. Ní nach ionadh, tá na hairgeadaithe ar son an °phríobháidithe.

Is é Milton Friedman urlabhraí mór an airgeadaíochais an lá atá inniu ann (ach duine eile acu, Karl Brunner, a chum an téarma 'airgeadaí' don choincheap). Bhí tionchar mór ag Friedman ar °smaointeoireacht na °gCoimeádach sa Bhreatain, go háirithe ar an °eite sin díobh a bhain le Margaret Thatcher. Theastaigh uathu siúd smacht docht a choimeád ar an soláthar airgid ar eagla an °bhoilscithe, locht a bhain leis an Chéinseachas, dar leo.

Nuair a luann eacnamaithe *polasaí airgeadaíoch* an rialtais, bíonn siad ag tagairt dá °chinntí °straitéiseacha i leith rátaí úis agus an tsoláthair airgid. Nuair a luann na heacnamaithe *polasaí °fioscach* an rialtais, is chuig a pholasaí i leith °cánachais agus caiteachais phoiblí a bhíonn siad.

apairtéid
an córas uathúil éagothrom[184] a bhunaigh údaráis na hAfraice Theas chun daoine a scaradh ó chéile ar dhath cnis

Focal Afracáinise is ea *apartheid*. 'Bheith scartha ó chéile' is ciall dó. Nuair a chaith Éamonn Mac Giolla Iasachta (an sloinnteoir clúiteach Edward Mac Lysaght) dhá bhliain san Afraic Theas díreach roimh Chogadh Domhanda II, d'aithin sé fréamhacha an chórais seo sa tír. Deir sé ina leabhar (*An Aifric Theas*, 1947), 'De réir polaitíochta níl aon cheart ag na ciníocha dúchasacha ... tá daoine léannta ina measc – dochtúirí, oidí agus cléir – ach roilsí an linbh a imrítear leo, cuma cén léann a bhíonn orthu'.

---

urlabhraí: duine a labhraíonn thar ceann daoine eile/ spokesperson
chuig rud, bheith: lua go hindíreach / to allude to
uathúil: nach bhfuil a leithéid eile ann/ unique
cneas: craiceann/ skin
Afracáinis: teanga a shíolraíonn ón Ollainnis/ Afrikaans
roilsí: modh iompair faoi leith/ mannerisms, treatment
roilsí an linbh a imirt le: to treat as children

Tháinig an focal apairtéid i mbéal an phobail nuair a chuaigh an Páirtí Náisiúnta Afracánach i mbun an rialtais tamall ina dhiaidh sin, sa bhliain 1948. °Reachtaigh siad dlíthe chun forlámhas[5] an chine ghil[15] a dhaingniú ar an tír, trí cead vótála agus cearta daonna eile a cheilt ar an °tromlach ghorm, ar ionann iad agus 85 faoin gcéad de phobal na tíre. Tá cearta teoranta ag na hIndiaigh agus ag na daiteánaigh (na ciníocha cróna), ach féachadh leis na daoine gorma –

Nelson Mandela, ceannaire ar an Chomhdháil Náisiúnta Afracach, i °dTeach Laighean, nuair a labhair sé leis an °Dáil, Iúil 1990. Scaoileadh saor é ó phríosún tamall roimhe sin tar éis seacht mbliana is fiche i mbraighdeanas. Ba chómhartha é sin go raibh ré na hapairtéide ag druidim chun deiridh

an tromlach mór – a scoilt ó chéile trí iad a áireamh ina ndeich gcine dhifriúla. Thug na Náisiúin Aontaithe 'coir in aghaidh an nádúir dhaonna' ar an chóras seo. De bharr smachtbhannaí idirnáisiúnta a cuireadh i bhfeidhm ina gcoinne d'fhógair rialtas na hAfraice Theas ag tús na bliana 1991 go gcuirfí deireadh le gnéithe áirithe den chóras. Ach tá °antoiscigh °challánacha ann atá go tréan in éadan cead vótála a thabhairt do na gormaigh.

---

coir: cion, sárú dlí/ crime
smachtbhanna: beart smachta idirnáisiúnta ar thír a sháraíonn an dlí/ sanction

Ní hamháin go bhfuil éagothrom °colanda i gceist, ach spreagann an córas díobháil chreimneach shíceolaíoch chomh maith. Mar a dúirt Eoghan Rua Ó Súilleabháin (1748-84) faoi éagothrom den sórt seo lena linn féin in Éirinn:

Ní hí an °ainnise is measa de
Ná bheith thíos go deo,
Ach an °tarcaisne a leanann í,
Ná leigheasfaidh na leoin.

---

creimneach: rud a ídíonn go searbh/ corrosive
leoin: laochra/ champions (In aimsir Eoghain Rua ní fhéadfadh na laochra dúchasacha teacht i gcabhair ar an phobal mar bhí siad thar sáile ina nGéanna Fiáine.)

B

baghcat
bealach síochánta chun tionchar a imirt ar dhuine trí gach comhluadar sóisialta agus gach caidreamh gnó a cheilt air; duine a eascoiteannú

Seo focal a tháinig isteach sa Ghaeilge um dheireadh na haoise seo caite. Chuala Dubhghlas de hÍde 'cotbaigheáil' sa chaint i nGaeltacht Dhún na nGall timpeall 1890.

Nuair a bhí Cogadh na Talún faoi lánseol deich mbliana roimhe sin, in 1880, bhí an Captaen Boycott (1832-97) ina mhaor[16] talún ag an Tiarna Erne, tiarna talún ar chuid de Chontae Mhaigh Eo timpeall Loch Measca. Bhí fómhar na bliana sin go dona agus chuaigh de na tionóntaithe an cíos a íoc. D'iarr siad laghdú cíosa ar an Chaptaen. Dhiúltaigh sé dóibh. Is é rud a dhein pobal an cheantair ansin ná droim láimhe

an mheitheal chúnta ag fágáil slán le muintir Boycott ag Lough Mask House, Nollaig 1880

a thabhairt dó: d'eascoiteannaigh siad é. Ní shaothródh oibrí fir dó, nó bean tí, nó cailín aimsire, nó fiú spailpín fánach. Ní íocfadh na tionóntaithe cíos ar bith leis. Cuireadh seisear póilín á chosaint, agus meitheal ón Tuaisceart chun a chuid barr a bhaint. B'éigean

eascoiteannú: caidreamh de gach cineál a cheilt ar dhuine/ to ostracise, boycott
faoi lánseol: i mbuaic a réime/ at its height
maor: báille, stíobhard/ bailiff, steward
meitheal: dream oibre/ work party

complacht láidir saighdiúirí a chur á gcosaint siúd. Tar éis sé mhí ghéill Boycott. Ghlan sé leis lena theaghlach go Sasana gan filleadh arís níos mó.

Ach maireann a cháil, mar tugadh baghcat ar an chineál seo gníomhaíochta pobail d'fhonn °tionchar a imirt ar dhuine. Ghlac Conradh na Talún chucu é mar phlean agus bhí sé ina sheift éifeachtach chun cosc a chur ar dhaoine ('graibeálaithe') feirmeacha a thógáil ar cíos as ar ruaigeadh na tionóntaithe go héagórach.

boilsciú
próiseas is cúis le hardú leanúnach praghsanna agus le laghdú i luach an airgid

Go bunúsach, is é is ciall le 'boilsciú' ná rud a mhéadú le haer nó le gás, amhail balún. Tá baint ag an fhocal le 'bolg'.

Tá trí bhunchúis le méadú i bpraghsanna earraí agus seirbhísí. Sa chéad áit, má bhíonn ganntanas earraí ann, nó easpa seirbhísí, ach neart airgid ag °tomhaltóirí, beidh an iomarca airgid ar thóir an bheagáin earraí. Ardóidh na soláthraithe praghsanna na n-earraí ansin, ar an phrionsabal gur maith an rud é an t-iarann a bhualadh nuair atá sé te. An dara cúis le boilsciú ná méadú ar na costais °táirgthe amhail tuarastail, costas ola nó ábhair eile fuinnimh, agus costas iompair. Sa chás sin ardóidh na soláthraithe a bpraghsanna i gcúiteamh ar na costais bhreise atá orthu. Agus an tríú cúis le boilsciú ná nuair a théann an rialtas chuig an Bhanc Ceannnais a lorg airgid ar °iasacht chun easnamh sa bhuiséad a °mhaoiniú. Is éard a tharlaíonn dá bharr sin ná go mbíonn méadú ar sholáthar an airgid i measc an phobail, ach gan ach an méid céanna earraí sna siopaí. Arís, tarlaíonn boilsciú.

Tá gléas ann chun an ráta boilscithe a °thomhas, faoi mar a bhíonn ag an dochtúir chun bualadh an

---

complacht: díorma, buíon/ contingent, posse
d'fhonn: chun, ionas/ in order to
boilsciú: bolgadh/ inflation, expansion
soláthraí: duine a chuireann earraí srl ar fáil/ supplier
buail an t-iarann nuair atá sé te: tapaigh do dheis nuair is féidir leat/ make hay while the sun shines!
cúiteamh: aisíoc/ recompense

chroí a thomhas. An tInnéacs Praghsanna Tomhaltais a thugtar air. An Phríomhoifig Staidrimh[17] atá i mbun an innéacs seo. Aimsíonn siad an costas ar bheart samplach normálta[18] de earraí agus de sheirbhísí ag am áirithe i mbliain áirithe. Sin an bhonnbhliain. Ansin aimsíonn siad praghsanna reatha an bhirt chéanna ar dhátaí tráthrialta ina dhiaidh sin. Is féidir leo an ráta boilscithe a aimsiú ansin ó na difríochtaí a bhíonn sna praghsanna. Sna naoi-déag-seachtóidí bhí ráta boilscithe in Éirinn de bhreis agus 20 faoin gcéad. Sna hochtóidí thit an ráta faoi bhun 3 faoin gcéad. I dtús na nóchaidí tá sé ar cheann de na rátaí is lú i dtíortha an Chomhphobail Eorpaigh.

bolscaireacht
bealach eagraithe[19] chun eolas nó scéal (cuma fíor bréagach é) a chur i láthair ar mhaithe le rialtas, nó le dream ar bith, chun a leas a dhéanamh agus a seasamh a dhaingniú i súile an phobail; is féidir feidhm dhiúltach a bheith ag an bholscaireacht chomh maith, chun dímheas a chaitheamh ar namhaid agus a sheasamh a laghdú

Oifigeach cúirte nó oifigeach baile a bhí sa bholscaire fadó. An gnó a bhíodh aige teachtaireachtaí tábhachtacha a fhógairt go poiblí thar ceann an tiarna nó ar son chomhairle an bhaile. Bhíodh air teacht i láthair go foirmiúil ar ócáidí °tionóil, nó siúl thart timpeall i measc an phobail, aird a tharraingt air féin le clog láimhe a chroitheadh, agus ansin an teachtaireacht oifigiúil a bhí aige a chraobhscaoileadh in ard a ghutha. Go minic ní bheadh i gceist ag an bholscaire baile ach eolas a thabhairt ('a hocht a chlog is gach i gcóir!'), ach ar uaire thugadh na húdaráis scéal claonta[20] dó le fógairt, mar gurbh é sin an rud ab fhearr a réiteodh lena bpolasaí féin seachas an fhírinne.

Tá focal Laidine *propagare* a chiallaíonn 'méadú', nó 'craobhscaoileadh'. Sa bhliain 1622 bunaíodh cuallacht nó oifig de chuid na hEaglaise Caitlicí sa Róimh chun an creideamh Caitliceach a chraobh-scaoileadh arís tar éis an Reifirméisin. An *Sacra Congregatio de Propaganda Fide* a tugadh mar theideal air. 'An creideamh is cóir nó is gá a chraobhscaoileadh'

---

staidreamh: staitistic/ statistic
bonnbhliain: túsbhliain/ base year
tráthrialta: féiltiúil/ regular
bolscaireacht: propaganda

an bolscaire baile i mBéal Easa, Contae Mhaigh Eo, sa bhliain 1938 (pictiúr eile le P. de Brún SJ)

is brí leis an dá fhocal deiridh den teideal. Ansin °chrom stáit na hIodáile ar theachtaireachtaí dá gcuid féin a chraobhscaoileadh, in aimsir chogaidh ach go háirithe, agus bhain siad feidhm as an téarma *propaganda*. Ceanglaíodh ainbhrí leis an fhocal, ní nach ionadh, sular thóg an Béarla é ar iasacht ón Iodáilis.

Le linn fheachtas[21] na saoirse in Éirinn theastaigh ó Shinn Féin na haoise sin meon an phobail a °bhíogadh ina dtreo féin. Chinn siad ar phíosa bolscaireachta chun go dtoghfaí a n-iarrthóir, Seosamh Mac Aonghusa, ina bhall de pharlaimint na Breataine i bhfothoghchán i gContae Longfoirt i 1917. Bhí Seosamh i bpríosún i Sasana ag an am de bharr páirt a ghlacadh in Éirí Amach 1916. Léiríonn an póstaer ar chlé an gléas éifeachtach bolscaireachta a úsáideadh. D'éirigh leis: chuir na vótálaithe isteach sa pharlaimint é, agus scaoileadh é as an phríosún dá bharr.

---

ainbhrí: drochbhrí, brí dhiúltach/ pejorative meaning
feachtas: gníomhaíocht eagraithe leanúnach/ campaign

bonneagar
an córas tacaíochta a bhíonn ina dhúshraith faoi bhun gníomhaíochta

'Bonn', sin an chuid de do chos a seasann tú air, cuid den cholainn nach bhfeictear de ghnáth agus nach dtugtar mórán °airde uirthi. Ach mura mbíonn sí i gceart, mura mbíonn sí 'in ord is in °eagar', is beag dul chun cinn a dhéanfaidh tú, gan trácht ar bheith in ann fanacht i do sheasamh.

Mar an gcéanna i gcúrsaí poiblí, agus i °gcomhthéacs °forbartha tionsclaíche ach go háirithe: ní féidir dul chun cinn sásúil a dhéanamh sna cúrsaí seo mura mbíonn an bonneagar ceart fúthu. Ar an sórt bonneagair a theastaíonn ón tionsclaíocht, mar shampla, tá °córas maith iompair, chun °amhábhar a thabhairt go dtí an mhonarcha, agus le hearraí críochnaithe a chur ar aghaidh uaithi sin chun margaidh. Beidh soláthar uisce ag teastáil chomh maith, mar is mór an méid uisce a úsáideann °próisis tionsclaíochta éagsúla. Beidh córas teileachumarsáide[22] de dhíth freisin, agus soláthar fuinnimh. Tá mórán gníomhaireachtaí rialtais ann – na comhairlí contae, mar shampla – chun an bonneagar sin a chur ar fáil agus a choimeád i gcóir.

monarcha
saothar nó dreas oibre is ciall don fhocal 'monar'. Cuireadh '-cha' leis chun cur síos ar áit ina ndéantaí obair, díreach mar a cuireadh '-cha' le 'ceard' chun tagairt don áit ina ndéanann gabha a chuid oibre ('ceárta' atá ar 'cheardcha' anois). Focail bhaininscneacha is ea 'monarcha' agus 'ceárta'. Is °suntasach gur focail bhaininscneacha mórán focal sa Ghaeilge a bhaineann le torthúlacht agus le °táirgeacht, ar nós 'meitheal', 'foireann', 'ceardlann', 'beach', 'foinse', 'ubh'

An bonneagar °ábhartha atá i gceist ansin. Ach tá gá le bonneagar sóisialta chomh maith – córas °slándála poiblí, soláthar °oideachais (de gach cineál, agus ar gach leibhéal), seirbhísí sláinte, córas airgeadais agus go leor eile. Áirítear mar chuid den bhonneagar sin anois timpeallacht thaitneamhach fholláin – timpeallacht 'ghlas', mar a déarfá.

---

bonneagar: infrastructure
tacaíocht: cabhair, taca/ support
dúshraith: bonn/ foundation
tionsclaíoch: a bhaineann le cúrsaí tionscail/ industrial
teileachumarsáid: na modhanna a bhaineann le scéala a scaipeadh le teileafónaíocht, le teilifís, le raidió srl/ telecommunications
de dhíth: ag teastáil/ required, wanting
gníomhaireacht: áisíneacht, eagras i mbun sainseirbhíse/ agency
i gcóir: i gceart/ in working order

Bruiséil, an Bh-
lárionad an °Chomhphobail Eorpaigh

Tá ceannáras Chomhairle na hEorpa suite i bpríomhchathair na Beilge. Mar an gcéanna do Choimisiún na hEorpa (nó Coimisiún na gComhphobal Eorpach, chun a theideal foirmiúil a chur air). Uime sin, tugann na °meáin chumarsáide 'an Bhruiséil'[23] ar smaointeoireacht pholasaí ardleibhéil an Chomhphobail. An Berlaymont ainm an árais mar a bhfuil an Coimisiún suite. Úsáidtear 'an Berlaymont' ar uaire, mar sin, chun an ghníomhaíocht déanta polasaí ag ardleibhéil an Choimisiúin a chur in iúl.

I Lucsamburg atá Cúirt Bhreithiúnais an Chomhphobail agus an Banc Eorpach °Infheistíochta, leis. In Strasbourg a bhíonn seisiúin iomlánacha Pharlaimint na hEorpa – ach tagann coistí na Parlaiminte le chéile sa Bhruiséil.

an Berlaymont

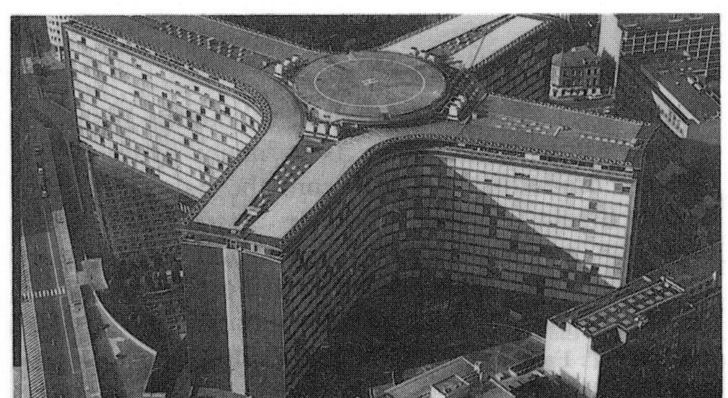

buirgéiseacht, an bh-
an mheánaicme

Tagann an focal seo ó *bourgeoisie* na Fraincise. *Bourgeois,* sin cathróir, duine a chónaíonn i mbuirg nó i mbaile mór. Ach is ón tSean-Ard-Ghearmáinis a fuair na Francaigh é. Ar dtús chiallaigh an focal *burg* 'dún daingean'. Toisc go mbíodh cónaí ag lucht leanúna

smaointeoireacht: saothar machnaimh/ thinking, reflecting
iomlánach: go huile, gan easnamh/ plenary
buirg: baile, nó cuid de bhaile (bardas) a bhfuil rialtas áitiúil aige/ borough

tiarna in aice a dhúin, b'in áit shábháilte chun baile a thógáil. Tá a fhianaise sin le sonrú in ainmneacha mórán bailte; mar shampla in Éirinn tá an Daingean, Dún Laoghaire, Dún Geanainn agus go leor eile. Le himeacht aimsire glacadh leis an fhocal *bourg* sa Fhraincis mar fhocal ar bhaile nó ar chathair, amhail Strasbourg agus Lucsamburg. Choinnigh an Ghaeilge greim ar an dá choincheap i gcás Chathair Dhúin Iascaigh (an t-ainm traidisiúnta ar An Chathair i gContae Thiobraid Árann). Is amhlaidh is dócha in

Léiríonn an phéintéireacht seo, *Les Parapluies* le Renoir, saol sona mealltach na buirgéiseachta i bPáras ag deireadh na haoise seo caite

Albain freisin: tugtar Edinburgh ar phríomhchathair na hAlban i mBéarla, ach sa Ghàidhlig is Dún Eideann atá air.

Ba ghnách le lucht trádála cur fúthu faoi dhídean na cathrach, agus ba °dhual do lucht an bhaile dul i mbun an ghnó chéanna, an trádáil, mar shlí bheatha. Aicme shóisialta ar leith a deineadh díobh, meánaicme nua a bhí idir an °chosmhuintir (an ísealaicme) agus na tiarnaí talún is na huaisle (an ardaicme). Tugadh an bhuirgéiseacht .i. lucht na buirge[24], ar an aicme nua seo.

téarma
focal a bhfuil ciall theoranta nó ciall dhearfa leis, ón Fhraincis, *terme*, Laidin, *terminus*, a chiallaíonn 'teorainn'. Is ón fhréamh chéanna don fhocal 'tearmann' faoi mar atá sa logainm 'Tearmann Feichín' i gCo. Lú, ionad oiliúna Bhantracht na Tuaithe. Tearmann – an limistéar laistigh de teorainneacha mainistreach nó eaglaise: áit shábháilte (*sanctuary* i mBéarla)

Ba é Marx a cheangail an téarma leis an aicme a bhí níos fearr as ná an °phrólatáireacht, mar a thug sé ar an chosmhuintir (sclábhaithe ar pá nach raibh de acmhainn acu ach a gclann páistí). Dar le Marx, ba ionann an bhuirgéiseacht agus an °drong ar leo na °hacmhainní °táirgthe – an talamh, °amhábhar, innealra. Bhain siad allas as na sclábhaithe a bhí ag obair dóibh, agus fuair siad greim ar chóras an stáit i dtreo is go mbuanódh an °bunreacht a °réim. Ach, arsa Marx, bheadh críoch fhuilteach ar chúrsaí seo na staire.

Ní bheadh aon dul as an °chinniúint a bhí le teacht: coimhlint aicmeach idir an phrólatáireacht agus an bhuirgéiseacht. Agus bheadh an bua ag an ísealaicme de thoradh dhlíthe dochta an °gheilleagair. Is éard a tharlódh °de dheasca iomaíocht gan taise an chórais °chaipitligh ná go gcruinneofaí, de réir a chéile, na hacmhainní °táirgeachta go léir i lámha dreama a bheadh ag dul i °laghad an t-am ar fad. De réir mar a bheidís ag éirí níos cumhachtaí agus níos saibhre, is amhlaidh a bheidís ag dul i dteirce. An toradh a bheadh air sin ná go gcuirfeadh na caipitlithe lámh ina °ndíothú féin de réir a chéile, fiú (idir an dá linn) mura mbrostódh an phrólatáireacht an lá sin le °réabhlóid.

---

allas a bhaint as: buntáiste a bhaint go míchothrom/ to exploit
gan taise: gan trua, gan trócaire/ merciless
teirce: gainne, ganntanas/ fewness, scarceness

---

buiséad
an ráiteas foirmiúil a leagann an tAire Airgeadais os comhair na Dála ag tús gach bliana i dtaobh bearta caiteachais agus cánach an rialtais don bhliain sin

Seo focal a thóg an Ghaeilge ar iasacht ó Ghàidhlig na hAlban san aois seo. Síolraíonn 'buiséad' ó *bougette* na Fraincise, focal a chiallaíonn 'mála'. Sa Bhreatain is nós le Seansailéir an Státchiste a mholtaí airgeadais bliantúla a bhreith leis i seanmhála leathair batráilte atá ann leis na °cianta, chuig Dáil Shasana (Teach na dTeachtaí). Is ón nós seo a °d'eascair an téarma ar dtús, *budget* an Bhéarla. Is deise agus is cruinne an focal buiséad ná an seantéarma Gaeilge 'cáinaisnéis'.

Tosaíonn °próiseas an bhuiséid in Éirinn aimsir an fhómhair. Ullmhaíonn gach roinn stáit meastacháin chaiteachais don bhliain dár gcionn. Coinníonn an Roinn Airgeadais súil ghéar na faire ar an obair.

Tá dhá chineál caiteachais ann. Is ionann an *caiteachas reatha* agus an t-airgead a chaitheann na ranna stáit ó lá go lá chun íoc as na seirbhísí reatha a chuireann siad ar fáil agus as imeachtaí reatha eile a bhíonn ar siúl acu, mar shampla, costais chíosa, teasa, taistil, tuarastail.

Caiteachas caipitiúil, sin an t-airgead is gá a chaitheamh chun oibreacha marthanacha a chur ar fáil, amhail bóithre, ospidéil, aerfoirt, °foirgnimh scoile.

°Idirdhealaíonn na meastacháin idir an dá chineál caiteachais seo. Más caiteachas reatha atá i gceist, glactar leis gur cóir é a íoc as ioncam reatha; mar sin, is ceart °míreanna caiteachais reatha a leagan amach go soiléir nuair atáthar ag pleanáil don bhliain atá le teacht.

Más gá airgead a fháil ar iasacht, is den chríonnacht é iasachtaí a lorg do °thionscadail chaipitiúla a bheidh in ann na suimeanna caipitiúla a aisíoc, mar aon leis an ús[25] a bhaineann leo. Ba chóir na míreanna caiteachais caipitiúla seo a leagan amach go soiléir freisin. De thoradh an idirdhealaithe seo is fusa pleanáil stuama airgeadais a dhéanamh.

---

batráilte: brúite/ battered
dár gcionn: ina dhiaidh sin/ the following
súil na faire: airdeall, súil aireach/ surveillance
marthanach: buan/enduring, long-lasting
stuama: ciallmhar/ prudent

Paralan Ó hEachthairn, T.D.
Aire Airgeadais

cultúrtha
nuair a dhéantar rud a shaothrú chun míneadais, tá sé cultúrtha. Tagann an focal ó *colere, cultum,* 'talamh a threabhadh', sa Laidin (míneadas: snoiteacht/ refinement). Chun 'cultúr' sa chiall is leithne a chur in iúl is minic a úsáidtear 'béascna' sa Ghaeilge

Cá bhfaigheann an rialtas an t-airgead chun íoc as an chaiteachas seo go léir, idir chaiteachas reatha agus chaiteachas caipitiúil? Tagann sé ar chuid den airgead trí earraí agus seirbhísí áirithe a dhíol, ach faigheann sé bunús an airgid ó chánacha a ghearrtar ar cháiníocóirí agus ar chomhlachtaí, agus ó iasachtaí a fhaightear in Éirinn agus thar lear.

In óráid an bhuiséid sa Dáil ag tús gach bliana déanann an tAire Airgeadais athbhreithniú ar dtús ar staid an °gheilleagair náisiúnta. Ansin °rianaíonn sé conas mar a fheidhmeoidh an rialtas ina leith sa bhliain atá roimhe amach. Déanann sé athmheas freisin ar na seirbhísí sóisialta agus ar na seirbhísí cultúrtha a gheobhaidh cabhair stáit. Ansin nochtann sé a bhfuil i gceist aige maidir le cáin a ghearradh agus le hiasachtaí a lorg i rith na bliana, i dtreo is gur féidir íoc as an chaiteachas go léir.

Le blianta beaga tá Airí Airgeadais ag féachaint conas is féidir an °próiseas buiséid a fheabhsú. Bhain dhá easnamh mhóra leis an seanchóras. Sa chéad áit, míreanna éagsúla caiteachais a bhain le cuspóirí faoi leith, bhíodh gnéithe difriúla díobh scaipthe ar fud Leabhar na Meastachán; mar shampla, tuarastail in áit amháin, taisteal in áit eile, tógáil foirgneamh[26] in áit eile fós. D'fhág sin gur dheacair léiriú cruinn a fháil ar cad a bhí ar siúl ag an rialtas i dtaobh mórcheisteanna áirithe, an °dífhostaíocht i measc na hóige, mar shampla. Chun an fhadhb seo a réiteach leagtar amach na meastacháin chaiteachais anois de réir sainchlár[49] oibre.

An dara heasnamh a bhí ann ná go dtaispeántaí an caiteachas ar rudaí áirithe (scéimeanna agus tionscadail) ar bhonn bliantúil amháin, d'ainneoin nárbh fhéidir iomlán an chaiteachais ná °éifeacht an chaiteachais sin a mheas ach tar éis roinnt blianta. Sampla maith dá leithéid is ea an caiteachas a theastaíonn chun °forbairt °thionsclaíoch a chur chun cinn.

---

bunús: an chuid is mó, mórchuid/ the major portion
cáiníocóir: duine a íocann cáin/ taxpayer

Buiséid ilbhliantúla (il: tá an réimír seo gaolmhar le *polus* na Gréigise, nó *poly* sa Bhéarla, agus an 'p' fágtha ar lár de réir nós na Q-Cheilteach): féachann buiséid den sórt seo le hioncam agus caiteachas a fhortheilgean ar aghaidh go ceann roinnt blianta (trí bliana de ghnáth) chun an fhadhb seo a réiteach. Ach ar ndóigh bíonn sé an-deacair ilbhuiséadú a dhéanamh go sásúil i dtrátha luaineacha éiginnte geilleagracha.

Buiséadú go heasnamhach: tarlaíonn a leithéid nuair a °chinneann Aire Airgeadais ar oiread áirithe caiteachais reatha bliana a cheadú d'ainneoin gur mó é ná an t-ioncam reatha a bhfuil súil aige leis (de thoradh cánach srl) sa bhliain sin. Íoctar an t-easnamh, go sealadach, trí iasachtaí a lorg, i ndúil go mbeifear in ann na hiasachtaí sin a aisíoc de thairbhe forbartha eacnamaíochta (a bheidh incháinithe) lá is faide anonn. Tugtar *Riachtanas Iasachta an Státchiste* ar an tsuim iomlán a fhaigheann an tAire Airgeadais ar iasacht le haghaidh gach cineáil riachtanais agus é ag buiséadú.

aire
tugann aire (duine) aire (cúram) do rud éigin. Maidir le hainmfhocail a chríochnaíonn ar 'e' nó 'i', is riail ghramadaí réasúnta úsáideach é (cé go bhfuil eisceachtaí ann) gur firinscneach na cinn atá coincréiteach (amhail 'aire' – duine) agus gur baininscneach na cinn atá teibí (amhail 'aire' – cúram)

Mionbhuiséad: más mian le hAire Airgeadais roinnt athruithe airgeadais a dhéanamh i rith na bliana (mar shampla, breis cánach a ghearradh ar pheitreal[27]), tig leis mionbhuiséad a chur os comhair na Dála. Seift é seo chun feidhmiú gnáthbhuiséid a leigheas nuair is gá dó 'ceartú meánchúrsa' a dhéanamh (mar a déarfaí i dtéarmaí na spásaireachta).

bunaíocht, an bh-
iad sin go léir a bhfuil údarás acu i gcúrsaí tíre, mar aon leis na daoine agus leis na hinstitiúidí[28] a théann i gcion ar an tír

Téarma úsáideach de chuid an lae inniu is ea 'an bhunaíocht'. Tá sé pas éiginnte, agus sin mar is fearr, arae tá an °coincheap lena mbaineann sé éiginnte go leor. Ní hionann sin agus a rá nach bhfuil substaint

fortheilgean: measúnú i dtaobh a dtárlóidh / to project
luaineach: éiginnte, inathraithe, guagach/ volatile
i ndúil: ag súil le/ in the expectation that
spásaireacht: cúrsaí spástaistil/ matters of space travel
an bhunaíocht: the establishment
pas: roinnt, beagáinín/ somewhat
arae: mar, de bhrí go/ because

laistiar den °choincheap. Tá. Sa bhliain 1955 scríobh Henry Fairlie sa tréimhseachán[3] *The Spectator*: 'Is éard is mian liom a chur in iúl leis an téarma "an Bhunaíocht", ní hamháin na láithreacha ina mbíonn an chumhacht oifigiúil le fáil; baineann siadsan leis cinnte. Ach tá níos mó i gceist, mar atá, an °gréasán leathan de theagmhálacha, idir oifigiúil agus shóisialta, trína bhfeidhmítear an chumhacht'.

polaiteoir
polis an focal sa Ghréigis ar 'cathair'. Uaidh sin tháinig *politēs*, 'saoránach' agus *politikos*, 'a bhaineann le riarachán an stáit'

Na daoine a chothaíonn leanúnachas an stáit, is polaiteoirí iad, an rialtas, ardseirbhísigh phoiblí, úinéirí[29] na nuachtán is mó le rá, ceannairí ceardchumann, na °grúpaí sainleasa[49] móra sa tír. Mar a dúradh, coincheap éideimhin[184] is ea an bhunaíocht. Is rud neamhfhoirmiúil é, agus athraíonn sé de réir mar a bhíonn °'drong ag teacht agus drong ag imeacht', faoi mar a dúirt Aogán Ó Rathaille (1670-1729) fadó.

Ach is iondúil go mbíonn claonadh °coimeádach ag an bhunaíocht. Ní hamhlaidh a fhaightear °radacaigh, °ainrialaithe nó °réabhlóidithe ina measc. Ach dá dtiocfaidís siúd i gcumhacht, níl amhras ar bith ann ach go gcumfaí bunaíocht dá gcuid féin.

Is féidir an téarma a cheangal le °réimse eagraithe ar bith den saol, mar shampla 'bunaíocht lucht leighis', 'bunaíocht na dornálaíochta'.

bunreacht
dlí bunúsach an stáit

Is éard atá i mbunreacht ná 'bun-reacht', an dlí is °bunúsaí sa stát ('bun': gaolmhar le *fund-amentum* sa Laidin, agus le fréamh Ind-Eorpach *bhudno*, a chiallaíonn 'an chuid is ísle').

Tá dlisteanacht[48] na ndlíthe eile go léir agus cleachtas seasta an stáit ag brath ar an bhunreacht. Is

---

láthair: ionad/ place, situation
teagmháil: tadhall/ contact
éideimhin: éiginnte/ uncertain, vague
iondúil: gnách/ customary
radacach: fréamhúil/ radical
bunreacht: constitution
dlisteanacht: údarás de réir dlí/ legitimacy
cleachtas seasta: nós seanbhunaithe/ institutional practice

féidir féachaint ar an bhunreacht mar chonradh[30] idir an pobal agus na rialtóirí atá orthu, go háirithe más amhlaidh atá glactha ag an phobal leis an bhunreacht de bharr °reifrinn, faoi mar atá in Éirinn. Leagann an bunreacht amach na cumhachtaí is ceadmhach don rialtas a úsáid, agus dearbhaíonn sé na forais agus na bunchleachtais fhoirmiúla trína bhfeidhmítear na cumhachtaí sin. Sonraíonn sé an bhaint agus an ceangal atá acu seo go léir – idir chumhachtaí, chleachtais agus fhorais – lena chéile. Ar an taobh eile °rianaíonn an bunreacht na bundualgais atá ar na saoránaigh i dtreo is go mbeidh °buntáiste (ó *avantage* na Sean-Fhraincise) luachmhar an daonlathais acu. Is ionann bunreacht agus srian i lámha na saoránach ar lucht a rialaithe. Is baránta agus °foinse a °n-údaráis é, leis, dóibh siúd atá i mbun rialú na tíre.

Chuir Bunreacht °Dháil Éireann 1919 tús le stair bhunreachtúil nua-aoiseach na tíre seo. Glacadh le Bunreacht Shaorstát Éireann ina ionad i 1922. Ina dhiaidh sin tháinig Bunreacht na hÉireann 1937. Tá caoga airteagal móide réamhrá sa bhunreacht sin. Tá sé go mór faoi anáil Bhunreacht Mheiriceá, go háirithe maidir leis an chumhacht a thugann sé don Chúirt Uachtarach impleachtaí an bhunreachta a mhíniú. °Go hiondúil, má mheasann saoránach go bhfuil rud sa dlí a sháraíonn a chearta faoin bhunreacht, tig leis dul i muinín na cúirte chun an cheist a réiteach. Le scór go leith de bhlianta anois tá ról[31] gníomhach ag cúirteanna na tíre maidir le brí an bhunreachta a shoiléiriú.

airteagal
téarma °dlíthiúil a tháinig chugainn tríd an tSean-Fhraincis, ón fhocal Laidine, *articulus*, 'alt beag' (féach 'as alt': *out of joint*). Ach is ionann *artus* na Laidine agus *alt* na Gaeilge (is minic a mhalartaítear 'r' agus 'l' i dteangacha éagsúla)

Ní féidir an bunreacht féin a leasú ach le toil an phobail, a chuirtear in iúl trí reifreann. Deineadh sin naoi n-uaire, go dtí seo, ó 1937.

---

dearbhú: cinntiú/ to confirm
foras: institiúid/ institution
bunchleachtas: cleachtas seasta (mar atá thuas)
sonrú: sainmhíniú, sainiú/ to define, specify
baránta: gealltanas, dearbhú/ warranty
anáil: tionchar/ influence
dul i muinín: dul i dtuilleamaí/ to have recourse to

C

caipitleachas
córas geilleagrach a thugann saoirse do lucht gnó príobháideach – idir chomhlachtaí agus dhaoine aonair – fórmhór na n-earraí agus na seirbhísí a theastaíonn ón phobal a chur ar fáil ar an saormhargadh. As an mhéid a dhíolann an lucht gnó seo gnóthaíonn siad brabús dóibh féin, agus lena chois sin airgead le haghaidh na rudaí eile seo: tuarastail dá lucht oibre; costais amhábhair, innealra, fuinnimh, iompair agus eile; agus cúiteamh de bharr a ngustal féin a chur sa seans ar an mhargadh. Ar phríomhthréithe an chórais tá drogall roimh an lárphleanáil maidir le cionroinnt acmhainní nó maidir le luach saothair a bhronnadh ar an lucht saothraithe

Is ó *caput, capitis* ('ceann') na Laidine a tháinig an focal seo chugainn. Feictear an caipitleachas ag feidhmiú áit ar bith a gcuireann daoine earraí nó seirbhísí ar fáil do dhaoine eile ar bhonn íocaíochta de chineál ar bith (airgead nó malartú ábhair nó sliogáin[32], fiú). Tá an obair sin ar siúl ag daoine leis na cianta cairbreacha. Is iomaí aistear fada anróiteach atá curtha díobh ag trádálaithe agus iad ag dul le hearraí ó thír go tír, amhail an long úd a tháinig tráth ó Valparaiso.

Ach go dtí ár linn féin, beagnach, ní raibh sa trádáil ach gníomhaíocht an-teoranta i gcomparáid le cúrsaí tráchtála an lae inniu. Cuir i gcás: an méid earraí a thagadh isteach sa Fhrainc i rith bliana, i dtús an ceathrú céad déag, ar cheann ar bith de na mórbhealaí tráchtála, ní líonfadh sé oiread agus traein earraí amháin de chuid na haoise seo.

Le teacht na Réabhlóide Tionsclaíche d'athraigh an scéal. Tháinig méadú °as cuimse ar ghnó na trádála. Ní hiad na húinéirí móra talún, ach na caipitlithe, a bheadh chun tosaigh i gcúrsaí tráchtála agus °geilleagair feasta. Mheall an réabhlóid na mílte oibrí ón tuaith isteach sna bailte móra, áit ar deineadh saothraithe pá neamh-oilte (na °prólatáirigh) díobh. Cor nua i gcúrsaí sóisialta ba ea é seo. Tugtar an 'caipitleachas' ar an fheiniméan úr seo. Chaith Marx dúthracht a shaoil lena anailísiú.

Roimhe sin d'fhéach an t-eacnamaí clúiteach

---

caipitleachas: capitalism
brabús: an sochar de thoradh rud nó seirbhís a dhíol/ profit
gustal: saibhreas, rachmas/ wealth
cionroinnt: cuid le haghaidh cuspóra faoi leith/ allocation
sliogán: slige, an craiceann crua a bhíonn ar ainmhithe áirithe agus ar éisc áirithe/ shell
cianta cairbreacha: blianta fada fada ó shin/ ages past
anróiteach: dian/ severe, bleak, dire
cor: casadh/ twist, turn
anailísiú: miondealú/ to analyse

Adam Smith

Albanach, Adam Smith (a d'fhoilsigh *The Wealth of Nations* sa bhliain 1776), conas a d'fhéadfaí saibhreas tíre – is é sin, an mhaoin a bhí le fáil ag gach uile dhuine sa tír – a mhéadú. Ba é a thuairim gur sa chaipitleachas a bhí tobar na féile[33] le fáil, ach é a oibriú i gceart. Bheadh fonn ar na caipitlithe cur lena rachmas féin de shíor, trí mhianta síoraí an phobail a shásamh le hearraí a sholáthróidís dóibh ar phraghsanna géara. (Bheadh na praghsanna ar an leibhéal ab ísle ab fhéidir de thoradh °iomaíochta idir lucht °táirgthe.)

De réir theoiric Smith chaithfeadh go mbeadh de cheart ag an duine aonair °maoin phríobháideach a bheith ina sheilbh i dtreo is go bhfeidhmeodh an caipitleachas. Níorbh fholáir freisin go mbeadh °tosca na saorthrádála i réim. Ba cheart don rialtas glacadh, mar sin, le polasaí *laissez faire*; ba leor de phríomhchúram ar an rialtas an tslándáil phoiblí a chinntiú, go hinmheánach agus go seachtrach, agus súil na faire a choinneáil ar imeachtaí an mhargaidh (chun °monaplachtaí agus °cleachtais shriantacha agus a leithéidí a chosc). An tsaoirse a d'éiligh na caipitlithe ar a son féin, ba chóir í a chur ar fáil do chách – i dtreo is go mbeadh ar a gcumas bheith ina gcaipitlithe chomh maith. De réir an dearcaidh seo ghabh an tsaoirse agus an caipitleachas go dlúth lena chéile.

Ach níor oibrigh an caipitleachas tionsclaíoch seo go rómhaith. Thagair an file William Blake[34] do na *'dark Satanic mills'*, a sholáthraigh anró agus ainnise i dteannta le hearraí. Níorbh fhada go raibh °tromaíocht ghéar á dhéanamh air mar chóras. Ar an duine ba mhó a thug faoi bhí Karl Marx. Leag sé bonn teoirice faoin mhórchóras a rachadh i gcoimhlint leis an chaipitleachas – an cumannachas. Tar éis na Réabhlóide Boilséiví sa Rúis in 1917, a chuir críoch le

rachmas: saibhreas, caipiteal/ wealth, capital
teoiric: leagan amach a shamhlaítear mar mhíniú/ theory
polasaí: beartas/ policy
slándáil: daingniú/ security
sriantach: coisctheach/ restrictive

seilbh ar mhaoin phríobháideach sa tír sin, tosaíodh ar an chóras chumannach a °thástáil go heimpíreach. Is léir anois nár oibrigh an córas seo go rómhaith ach oiread.

Geilleagar beag oscailte atá againn in Éirinn (agus é ar oscailt do thrádáil dhomhanda), laistigh den chóras chaipitleach. °Fearacht fhormhór gheilleagair Iarthar Eorpa, is geilleagar measctha é. Is é sin, tá cuid de na hacmhainní °táirgthe i lámha caipitlithe, agus cuid eile i seilbh an stáit. Fiú i gcás[35] geilleagair mheasctha, is nós leis an stát anois cuid mhaith beart a chur i ngníomh (idir rialacháin agus dhreasachtaí) chun an geilleagar a threorú.

cánachas
córas na n-íocaíochtaí a ghearrann an °stát ar dhaoine agus ar chuideachtaí (is é sin, ar chomhlachtaí) chun díol as na seirbhísí a chuireann an stát ar fáil don phobal

Gearrann an rialtas cánacha ar ioncaim, ar °mhaoin, ar °tháirgeadh earraí agus seirbhísí, agus ar mhiondíolachán na n-earraí agus na seirbhísí sin.

Ar na cánacha ar ioncaim tá *Íoc Mar a Thuillir* (ÍMAT) agus cánacha ar oibrithe féinfhostaithe. Ar na *cánacha caipitiúla* tá cáin oidhreachta agus cáin mhaoine cónaithe (sin cáin ar mhaoin chónaithe atá os cionn luacha áirithe). Tá *cáin chorparáide* ann leis, is í sin cáin a ghearrtar ar an bhrabús a ghnóthaíonn cuideachtaí de thoradh táirgthe. Tá cineálacha áirithe táirgthe ann a ngearrtar sainch※áin[49] ar leith orthu. Mar shampla, gearrtar *dleacht mháil* ar tháirgeadh fuisce[36]. Cuirtear cáin ar mhiondíolacháin earraí agus seirbhísí; cáin faoi leith a bhaineann leis seo is ea an *Cháin Bhreisluacha* (CBL).

---

eimpíreach: turgnamhach, a bhaineann le haimsiú na fírinne de thoradh trialacha praiticiúla/ empirical
beart: plean/ plan
dreasacht: ábhar spreagtha/ incentive
cánachas: taxation
ioncam: fáltas, teacht isteach/ income, revenue
Íoc Mar a Thuillir (ÍMAT): Pay as You Earn (PAYE)
maoin chónaithe: sealúchas cónaithe/ residential property
dleacht: duty
dleacht mháil: excise duty
Cáin Bhreisluacha (CBL): Value-Added Tax (VAT)

Is sampla é an CBL de cháin *ad valorem*. Ciallaíonn an téarma Laidine seo go mbraitheann méid na cánach go díreach ar luach na n-earraí nó na seirbhíse a dhíoltar (*ad*, sin 'i dtreo'; *valor*, sin 'luach').

Tá dhá shórt cánach ann, *cánacha díreacha* agus *cánacha indíreacha*. Tá siad 'díreach' má tá gaol díreach acu le hioncam an duine a íocann an cháin. Is cáin dhíreach í ÍMAT, mar gearrtar í go díreach ar ioncam an cháiníocóra, is é sin, té íoctha na cánach. Ní féidir le duine éalú ón mhéid a íocann sé nuair is cáin dhíreach atá i gceist. Ach is féidir leis an mhéid a íocann sé as cáin indíreach a laghdú – go dtí pointe, pé scéal é. Chuige sin, ní gá dó ach srian a chur leis an mhéid a chaitheann sé ar an earra nó ar an tseirbhís a bhfuil an cháin air.

céim
is ionann 'céim' agus gníomh siúil nó dul ar aghaidh ('céim ollscoile'). Ba ghnách fad a thomhas de réir an leithid nó an fhaid atá i mbaill an choirp. Tagann 'orlach' ó ordóg. Is ionann 'troigh' agus ball den chos nó dhá orlach déag. Ag na léigiúin Rómhánacha, agus iad ag mairseáil, ba ionann *mille passuum* (míle coiscéim) agus 'míle slí'. Is ionann *mille* sa Laidin agus 'míle' na Gaeilge

Tá bealach eile chun cánacha a °rangú, is é sin, de réir mar atá siad *céimnitheach, comhréireach,* nó *cúlchéimnitheach*. Cánacha céimnitheacha, baineann siad níos mó airgid ón saibhir ná ón daibhir. Mar shampla, má cheaptar struchtúr cánach ioncaim le rátaí cánach a théann i méid de réir mar a théann an t-ioncam i méid, ansin tá cáin chéimnitheach in úsáid. Ach má bhaintear an cháin de réir an ráta chéanna (abraimis 25 faoin gcéad) de gach ioncam, idir bheag agus mhór, is cáin chomhréireach é, mar tógann sí an chomhréir chéanna, nó an °céatadán céanna (25 faoin gcéad sa chás seo) de ioncam cách.

Gearrann cánacha cúlchéimnitheacha níos mó airgid, ar bhonn comhréire, ar an duine bhocht ná ar an duine shaibhir. Mar seo a tharlaíonn: má bhaintear dleacht 30p ar lítear peitril, is céatadán níos airde an méid sin airgid de ioncam an bhochtáin ná de ioncam dhuine an airgid.

Sa bhliain 1988 ba é an t-ioncam cánach iomlán a ghnóthaigh na Coimisinéirí Ioncaim[37] ná £7.3 billiún.

---

céimnitheach: céimnithe de réir ráta a théann i méid/ progressive
comhréireach: coibhneasach/ proportional
cúlchéimnitheach: céimnithe de réir ráta a théann i laghad/ regressive

Seo iad na céatadáin den iomlán a chuir na cánacha éagsúla i gciste an stáit:

Cáin Ioncaim (ÍMAT den chuid ba mhó):	42 %
Cáin Bhreisluacha (CBL):	25 %
Dleachtanna máil:	25 %

Is í an cháin is déanaí chugainn ná an Cháin Choinneála ar Ús Cuntas Taisce (nó DIRT i mBéarla). Gearrtar an cháin seo ar an °ús a thuilleann airgead °infheistithe, agus coinníonn an banc nó an institiúid airgeadais an cháin siar ón infheisteoir thar ceann an stáit. Saothraíonn an cháin seo idir a dó is a trí faoin gcéad den ioncam cánach iomlán.

ceann stáit
an té (an príomh-shaoránach nó ceann rítheaghlaigh) a dhéanann ionadaíocht thar ceann an stáit

De ghnáth is monarc oidhreachtúil (rí, banríon nó impire), nó uachtarán arna thoghadh, is ceann foirmiúil ar an stát. Sna Stáit Aontaithe tá an tUachtarán ina cheann ar an rialtas chomh maith, ach ní nós róchoitianta é na laethanta seo go mbeadh an duine céanna i bhfeighil[38] an dá phost sin san aon am amháin. Aithnítear gur cuí an rud é go mbeadh ceann ar stát chun dualgais fhoirmiúla a chomhlíonadh thar ceann na saoránach go léir. Chuige sin, glactar leis in Éirinn gur cóir go mbeadh an ceann stáit neamhspleách ar chúrsaí agus ar chonspóidí polaitiúla. Deirimid gur cóir don uachtarán bheith 'os cionn na polaitíochta'. Tá cúis eile ann le dualgais na huachtaránachta a scaradh ó chúraimí cheann an rialtais. Is í sin go mbíonn dóthain cúraimí ar cheann an rialtais gan dualgais bhreise a chur leo. D'fhéadfaimis an seanfhocal a athrú beagáinín agus a rá 'Ní thig leis an Uachtarán an dá thrá a fhreastal'.

Ceathrú hEastát, an
na °meáin chumarsáide

Síolraíonn an focal 'eastát' ón bhriathar Laidine[39] *stare, statum,* 'seasamh'. Tá gaol ag 'atá' na Gaeilge leis an

---

Cáin Choinneála ar Ús Cuntas Taisce: Deposit Interest Retention Tax (DIRT)
ceann stáit: head of state
cuí: cóir/ fitting, appropriate
an Ceathrú hEastát: the Fourth Estate

pictiúr
– 'dath a chur ar rud' is ciall le *pingere, pictum* sa Laidin, agus is uaidh sin a thagann an focal 'pictiúr'. Bhí páipéar, agus ábhar eile a mbeadh oiriúnach chun scríobh air, gann sa seansaol. Chun a scileanna léaráidíochta agus péintéireachta a chleachtadh, dheineadh na Rómhánaigh a gcuid ballaí agus na dealbha a bhí acu a phéinteáil

bhriathar chéanna. Cailleadh an túslitir 's' sa Ghaeilge, díreach mar a chailltear go minic sa Fhraincis (féach *étude* (ceacht) ó *studium* na Laidine; agus *état* (stát) ó *status* na Laidine).

I gcás na Gaeilge is é 'bíonn' an gnáthláithreach den bhriathar 'bheith'. Ach ciallaíonn 'bíonn' rud a thiteann amach ar bhonn leanúnach, gan briseadh sa ghníomhaíocht. D'fhéadfá an leagan sin den bhriathar a chur i gcomparáid le spól nó le ríl scannáin a thaispeánann pictiúr reatha de ghníomhaíocht mar rud atá ina ghluaiseacht. Ach nuair a theastaíonn uait tagairt don eachtra ag pointe ama faoi leith, caithfidh tú an ríl a stop, chun aird a dhíriú ar fhráma amháin den phictiúr reatha sin. Tá focal seachas 'bíonn' sa Ghaeilge a léiríonn go bhfuil an spól ina stad ag fráma áirithe! Is é 'atá' an focal sin, focal ar ciall dó, go bunúsach, 'seasann'. Dála an scéil tá gaol idir 'stad' na Gaeilge freisin agus *stare*.

Roimh Réabhlóid na Fraince bhí trí eastát, mar a thugtaí orthu, sa ríocht – na huaisle, an chléir agus na tuataí. Ba é an Tríú hEastát (na tuataí[40], ionadaithe an phobail) a chuir tús leis an Réabhlóid. Nuair a ghair an rí Louis XVI na hEastáit Ghinearálta[41] le chéile in Versailles i 1789, d'éiligh an Tríú hEastát go dtabharfadh an rí na trí Eastát le chéile in aon tionól amháin, seachas ina dtrí Theach °leithleacha. Bhí brí san éileamh seo. Dá dtiocfaidís le chéile i dteannta a chéile, bheadh °móramh na n-ionadaithe ag na tuataí, agus d'osvótálfaidís an °freasúra a bheadh ina gcoinne i measc na n-uaisle agus na n-eaglaiseach. Ach dá dtiocfadh gach Eastát le chéile ina ghrúpa ar leith, bheadh gach Teach díobh cothrom ó thaobh cumhachta de. Is é a tharlódh ansin ná go leagfadh an dá Theach eile cros ar cibé rud a gcinnfeadh na tuataí air.

Sheas an Tríú hEastát go daingean lena n-éileamh. Faoi dheireadh bhog cuid den chléir ar a dtaobh.

tuata: duine saolta/ lay, secular person
osvótáil: sárú ar bhonn vótála / to outvote
cros: cumhacht chun cosc a chur ar ghníomh nó ar dhlí/ veto

Láithreach bonn, tháinig an Tríú hEastát le chéile agus dhearbhaigh gurbh iad an Comhthionól Náisiúnta. Ag sin céim thosaigh na Réabhlóide.

Shíolraigh parlaimintí na Breataine agus na Fraince ón °fhoinse °fheodach chéanna. Tá na trí eastát acu sa Bhreatain fós, ach go dtugtar orthu na tiarnaí tuata, na tiarnaí spioradálta agus na comóntaigh. An tÉireannach Éamann de Búrca (1729-97) a chum an téarma, 'an ceathrú heastát'. In óráid i bparlaimint na Breataine thagair sé do na hiriseoirí a bhí i láthair ag breacadh a gcuid nótaí: 'Ansiúd atá siad, an ceathrú heastát, an ceann is tábhachtaí ar bith!'

Ceilteach
rud a bhaineann leis na Ceiltigh, nó leis an Cheiltic, ceann de ranna teanga na hInd-Eorpaise, mar aon leis an Heilléinic (an Gréigis), an Ghearmáinic, an tSlavóinic, an Iodáilic agus eile

Ní fios cathain a d'fhás an Ghaeilge ina sainteanga[49] ar leith. Is eol dúinn áfach gur teanga Cheilteach í, agus go raibh sí á labhairt breis agus dhá mhíle bliain ó shin. Bhí na Ceiltigh °lonnaithe i gcroílár na hEorpa, ar feadh uachtar aibhneacha na Réine agus na Danóibe, am éigin tar éis 2000 RCh. Faightear an chéad °léargas cinnte orthu sa Tréimhse Hallstatt, °béascna chré-umhaoiseach, timpeall 1300 RCh. Um 500 RCh bhí béascna iarannaoiseach bainte amach acu, a dtugtar La Tène uirthi. Iar sin scaip na Ceiltigh ar fud na hIar-Eorpa ar fad, agus chuaigh dreamanna eile ó dheas agus soir ar ráigeanna chomh fada leis an Róimh agus an Ghréig. Am éigin sna tráthanna sin, mar chuid den scaipeachán seo, bhain na Gaeil Éire amach freisin.

Léiríonn mórán logainmneacha de bhunús Ceilteach ar an mhór-roinn a ngaolmhaireacht leis an[42] Ghaeilge. Is ionann Lyon, Leiden, Leignitz, mar shampla, agus 'Lugh-dhún'. Ba é Lú an dia Ceilteach a bhfuil mí Lúnasa ainmnithe as. Tuigtear anois gur

---

iriseoir: scríbhneoir nó tuairisceoir nuachtáin/ journalist
cré-umhaois: tréimhse idir an chlochaois agus an iarannaois, ó 2000 RCh go dtí 500 RCh in Éirinn, ina n-úsáidtí uirlisí de chumasc copair agus stáin/ Bronze Age
ráig: ruathar, fogha tobann/ foray

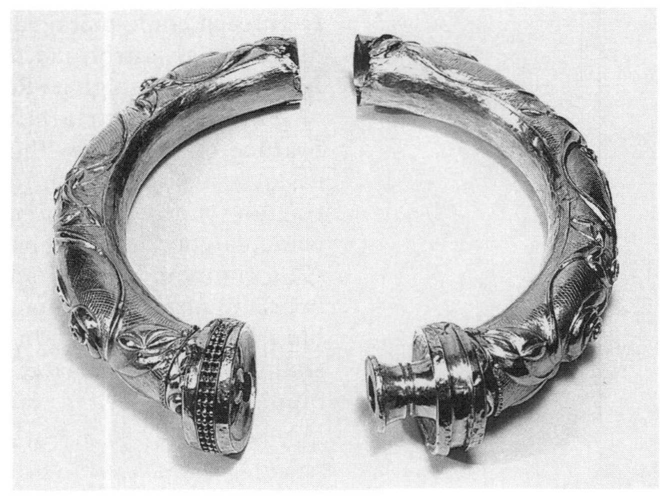

Muince Brú Íochtair (i gContae Dhoire) ón chéad chéad AD, déantús ealaíonta a léiríonn an t-ornáideachas Ceilteach traidisiúnta

ainm eile[43] ar Lú gurb ea Fionn. Is ionann Vín (Vienna) agus Findubona, a bhfuil an t-ainm 'Fionn' mar chuid de. An rud atá geal, soiléir, tá sé 'fionn'. Níor ghá do Fhionn ach a ordóg feasa a chur ina bhéal agus shoiléireofaí an fhírinne dó. Ar ndóigh, is ionann 'fionnaim' agus 'faighim amach'. Tá gaol idir 'fionnaim' na Gaeilge agus *find* an Bhéarla, focal a théann siar go dtí *fintan* sa tSean-Ard-Ghearmáinis.

Deineadh dhá chuid den Cheiltis, bunteanga na gCeilteach, i bhfad siar. An P-Cheiltis agus an Q-Cheiltis a thugtar ar na ranna seo. Baineann an Ghaeilge leis na Q-Cheiltigh. Maidir leis na Q-Cheiltigh seo, ba °leasc leo an litir 'p' a úsáid! Ar dtús, d'fhág siad é ar lár ar fad. Níos déanaí, chuiridís 'q', (nó 'c' i nGaeilge an lae inniu) ina áit. Níor bhain an nós seo leis na P-Cheiltigh.

teanga
gaolmhar leis an fhocal Laidine, *lingua. Dingua* an bunfhocal: chuir na Rómhánaigh *l* in áit *d;* chuir na Gaeil *t* in áit *d* mar aon le lucht na dteangacha Gearmánacha, mar shampla *tongue* sa Bhéarla

Tá roinnt fianaise againn go ndéanadh teangacha Ind-Eorpacha eile °idirdhealú ar an dul chéanna. Tá claonadh °suntasach sa Laidin 'q' a chur i bhfocal áit a bhfuil 'p' le fáil sa Ghréigis. *Quinque* an focal sa Laidin ar 'cúig'; *pente* atá ag na Gréagaigh. *Equus* (each, capall) atá sa Laidin, agus *hippos* atá sa Ghréigis ar an ainmhí chéanna.

Lasmuigh de na teangacha Ceilteacha eile (ar a bhfuil Gàidhlig na hAlban, an Bhreatnais agus an

Bhriotáinis), is í an Laidin is cóngaraí gaol don Ghaeilge. Tá gaol suntasach ag na teangacha Ceilteacha leis na teangacha Gearmánacha chomh maith, agus mar sin tá an Ghaeilge agus an Béarla gaolmhar lena chéile, mar is léir ón sampla thuas i dtaca le Fionn. Ach is soiléire i bhfad an ceangal idir an Ghaeilge agus an Laidin.

Seo roinnt samplaí a léiríonn an ceangal seo eatarthu (tá an focal Laidine idir lúibíní): bó (*bos*), tarbh (*taurus*), each (*equus*), capall (*caballus*), cú-con (*canis*), gabhar (*caper*), uan (*agnus*), fear (*vir*), dia (*deus*), tír (*terra*), muir (*mare*), airgead (*argentum*), stán (*stannum*). Níl aon fhocal ar 'iarann' i bpáirt ag an dá theanga, rud a thugann le fios dúinn gur scar na Ceiltigh agus na hIodálaigh ó chéile roimh thús na hiarannaoise, rud is eol dúinn a bheith fíor ó fhianaise eile.

Is ionann *pen* sa Chornais (teanga P-Cheilteach) agus 'ceann' sa Ghaeilge. Mar sin, is ionann Ceann Mara i gCo. Chiarraí agus Penmaric i gCorn na Breataine

Seo roinnt samplaí de fhocail inar fhág na Q-Cheiltigh an 'p' ar lár, bíodh go bhfuil sé sa Laidin: athair (*pater*), iasc (*piscis*), éan (*penna*), úr (*purus*), lán (*plenus*), lámh (*palma*). Agus roinnt focal ina bhfuil 'c' (nó q) in áit 'p': clúmh (*pluma*), Cáisc (*Pascha*), seacht (*septem*), eisceacht (*exceptio*), corcra (*purpureus*).

Cathal Ó Conchúir shíolraigh sé ó Ruairí Ó Conchúir, Ard-Rí deireanach na hÉireann († 1198)

Nuair a bhíothas ag iarraidh seasamh a thabhairt don Ghaeilge arís i gcúrsaí oideachais san aois seo caite, bhí a fhios ag Cathal Ó Conchúir (Ó Conchúir Donn), a bhí ina theachta Éireannach i bparlaimint na Breataine san am, go gcuirfí go tréan in éadan na Gaeilge, agus méid an fhuatha a thug polaiteoirí Shasana di. Mar sin, chun teacht timpeall ar an chonstaic, mhol sé i dTeach na dTeachtaí go gceadófaí 'an Cheiltis' mar ábhar ar chlár na scoileanna. Glacadh leis sin.

Céinseach
aidiacht a chuireann in iúl ábhar °smaointeoireachta an eacnamaí Bhriotanaigh, John Maynard Keynes (1883-1946)

Aidiacht fhichiú-haoiseach is ea 'Céinseach', a cumadh as sloinne an eacnamaí cháiliúil Keynes. Dhírigh an Céinseach a °aird ar conas a d'fhéadfaí an °geilleagar a stiúradh i dtreo is go mbainfí an

constaic: fadhb/ problem, difficulty

Keynes

lánfhostaíocht amach. Bhí sé den tuairim gur bhraith leigheas na faidhbe ar mhéid an éilimh iomláin gheilleagraigh (°tomhaltas móide °infheistíocht). Murar leor an méid áirithe sin chun daoine a chur ag obair, mhol sé gníomhú rialtais chun an t-éileamh a mhéadú. D'fhéadfadh an rialtas é seo a dhéanamh trí ghníomh díreach, tógáil bóithre mar shampla; nó trí ghníomh indíreach, amhail °fiontraithe a ghríosú chun infheistíocht a dhéanamh, na cánacha a laghdú agus an tomhaltas a spreagadh dá réir. Nó d'fhéadfaí an dá bhealach seo a úsáid i dteannta a chéile.

Whitaker

Dá dtarlódh go raibh an t-éileamh iomlán eacnamaíoch ró-ard, chothódh a leithéid an °boilsciú agus bheadh ina bhagairt dá bharr ar an fhostaíocht. Sa chás sin, ba chóir don rialtas an infheistíocht a mhaolú trí srianta a chur leis. Chonacthas do Keynes freisin go bhféadfadh an rialtas an t-éileamh teaghlaigh ar earraí agus ar sheirbhísí a ghríosú trí bhuiséadú go heasnamhach: ní éileodh an rialtas an méid iomlán ba ghá trí mheán cánacha chun an t-easnamh a ghlanadh; d'fhágfadh sin breis airgid i bpócaí daoine lena chaitheamh; agus mhéadófaí ar an éileamh eacnamaíoch (agus ar an fhostaíocht dá bharr) de thoradh an chaiteachais bhreise a dhéanfaidís.

Sna caogaidí, nuair a bhí borradh geilleagrach sa chuid eile den domhan thiar, bhí °meathlú tráchtála in Éirinn. Bhí an geilleagar go marbhánta, an dífhostaíocht go forleathan, agus an eisimirce[44] ina tonn tuile. D'ainneoin sin, bhí infheistíocht shubstaintiúil á déanamh ag Éireannaigh freisin, ach is thar lear a bhí sé. Sa bhliain 1958 chuir an Dr T. K. Whitaker, a bhí ina Rúnaí ar an Roinn Airgeadais san

rúnaí
ar dtús, duine a choimeadadh gnóthaí a mháistir faoi cheilt (nó faoi rún): féach *secret/secretary* i mBéarla. Ba fhocal Lochlannach *rún* a chiallaigh rud nárbh eol don ghnáthdhuine (mistéir)

fostaíocht: an méid oibre a bhíonn ar fáil/ employment
maolú: laghdú/ to lessen, moderate
éileamh teaghlaigh: an méid earraí agus seirbhísí a bhfuil líonta tí sásta a íoc as/ household demand
buiséadú go heasnamhach: dul i muinín iasachtaí chun an buiséad a chothromú/ deficit budgeting
borradh: fás tréan/ strong growth, boom
marbhánta: leochaileach/ stagnant
tonn tuile: rabharta/ flood tide, spate

plean
scéim nó beart nó léaráid de obair thógála atá le cur i ngníomh. Téarma ailtireachta a bhí ann ar dtús, a tháinig chugainn ó na hailtirí oilte sin, na Rómhánaigh. 'Leibhéalta', 'cothrom', 'réidh' is ciall le *planus* sa Laidin. Mar sin, tugadh *planum* ar léaráid nó líníocht ar dhromchla cothrom (amhail píosa páipéir) mar threoir sula dtabharfaí faoi foirgneamh a thógáil

am, °beart téarnaimh os comhair an rialtais, an *Plean um Fhorbairt Eacnamaíoch*, a thuill an oiread sin iomrá.

Léirigh an plean an prionsabal Céinseach maidir le hinfheistíocht stáit a chur chun cinn i °dtionscadail saothruithe saibhris. Chuathas i mbun oibre ar an bhonn sin, agus tháinig borradh °suntasach ar gheilleagar na tíre idir na blianta 1958 agus 1974. Thug an beart deis don gheilleagar tairbhe a bhaint as biseach sa gheilleagar idirnáisiúnta. (I gcás geilleagair bhig oscailte mar Éire, tá na °tosca idirnáisiúnta geilleagracha thar a bheith tábhachtach.)

Ó 1972 ar aghaidh, go ceann deich mbliana, rinne an rialtas buiséadú reatha easnamhach, le cois dul i bhfiacha go mór le haghaidh tionscadal caipitiúil. De réir phrionsabail an Chéinseachais, ba chóir an t-easnamh a °riar de réir staid an gheilleagair. Ach in Éirinn, i rith na seachtóidí agus na luath-ochtóidí, chuaigh an t-easnamh i méid gan stad, cuma cén °riocht a bhí ar an gheilleagar.

Dá bhfásfadh an geilleagar ar bhonn an bhorrtha idirnáisiúnta, b'fhéidir go bhféadfaimis ár gcaighdeán[45] maireachtála a °chaomhnú. Ach bhraithfeadh sin ar ár gcumas chun dóthain cistí[46] a ghnóthú san am chéanna (as cánacha ar an fhás breise) chun aisíoc a dhéanamh ar na hiasachtaí ba ghá sa chéad áit chun °Riachtanas Iasachta an Státchiste a °mhaoiniú.

Táthar ann anois a deir nach mbaineann foirmlí Céinseacha le cúrsaí geilleagracha níos mó, agus a bhfuil de athruithe ar an saol óna linn. I rith an dara leath de na hochtóidí thosaigh geilleagar na hÉireann ag fás arís. Ach is mó a bhraitheann an dul chun cinn

téarnamh: biseach/ recovery
le cois: i dteannta le/ in addition to
caighdeán maireachtála: leibhéal cothabhála, an leibhéal de leas agus de chompord a bhíonn ag duine nó ag aicme/ standard of living
ciste: stór airgid/ fund
foirmle: caoi nó bealach aitheanta chun rud a dhéanamh nó chun ceist a réiteach/ formula

seo ar cheartghníomhú °fioscach – a chothaíonn tosca infháis – ná ar phrionsabail Chéinseacha.

cinnteachas
an tuairim go bhfuil iompar an uile ní sa °chruinne réamhcheaptha ón tús, gan aon dul as

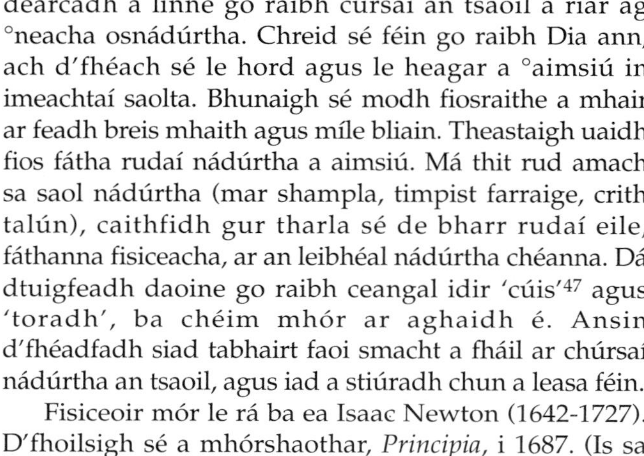

Ní raibh Arastotail (384-322 RCh) sásta glacadh le dearcadh a linne go raibh cúrsaí an tsaoil á riar ag °neacha osnádúrtha. Chreid sé féin go raibh Dia ann, ach d'fhéach sé le hord agus le heagar a °aimsiú in imeachtaí saolta. Bhunaigh sé modh fiosraithe a mhair ar feadh breis mhaith agus míle bliain. Theastaigh uaidh fios fátha rudaí nádúrtha a aimsiú. Má thit rud amach sa saol nádúrtha (mar shampla, timpist farraige, crith talún), caithfidh gur tharla sé de bharr rudaí eile, fáthanna fisiceacha, ar an leibhéal nádúrtha chéanna. Dá dtuigfeadh daoine go raibh ceangal idir 'cúis'[47] agus 'toradh', ba chéim mhór ar aghaidh é. Ansin d'fhéadfadh siad tabhairt faoi smacht a fháil ar chúrsaí nádúrtha an tsaoil, agus iad a stiúradh chun a leasa féin.

Fisiceoir mór le rá ba ea Isaac Newton (1642-1727). D'fhoilsigh sé a mhórshaothar, *Principia*, i 1687. (Is sa Laidin a scríobh sé.) Na dlíthe[48] a nocht sé ansin, trí cinn de dhlíthe na gluaiseachta agus dlí na himtharraingthe, chuir siad bonn faoi dhul chun cinn na fisice agus na meicnice go dtí ár n-aois féin. Réitigh a chuid dlíthe mórán cruacheisteanna a raibh an cine daonna dall orthu go dtí sin. Mhínigh siad fithis na reann timpeall na gréine, agus fithis na gealaí timpeall an domhain. Ach fórsa na friotaíochta a chur san

Newton

infháis: a chuidíonn le fás/ favourable to growth
cinnteachas: determinism
fiosrú: fiafraí, fiosrúchán/ enquiry
fisiceach: rud a bhaineann leis an nádúr nó leis an dúlra/ physical
fisiceoir: saineolaí san fhisic/ physicist
imtharraingt: an fórsa fisice a tharraingíonn nithe chun a chéile/ gravity
meicnic: roinn den eolaíocht/ mechanics
fithis: turas ciorclach, nó beagnach ciorclach/ orbit
reann (gineadach iolra de 'rinn'): plainéad/ planet
friotaíocht: an cur i gcoinne gluaiseachta a tharlaíonn nuair a chuimlíonn dhá rud le chéile/ friction

áireamh, thug siad míniú chomh maith ar oibriú rudaí ábhartha a bhí ar dhromchla an domhain.

Ach bhí impleachtaí mearaithe ag baint leis na dlíthe seo ó thaobh na °fealsúnachta de. Mar go bhféadfaí, go teoiriciúil, iompar °cáithnín ábhair ar bith sa chruinne a °thuar anois go beacht ar bhonn °imoibrithe na gcáithníní go léir ar a chéile, agus ar bhonn na bhfórsaí a bhí ag dul i bhfeidhm orthu. Dá mbeadh sé riamh indéanta ionad agus luas gach cáithnín sa chruinne a aimsiú, ansin d'fhéadfaí todhchaí gach cáithnín díobh a réamhthuairisciú go cruinn beacht, agus todhchaí na cruinne a thuar lena chois. Ar chiallaigh seo nach raibh sa saol ar fad ach píosa innealra ar nós uaireadóra, a raibh an cinnteachas ag baint leis ó thús deireadh a réime? Mheas go leor daoine gurbh ea.

fórsa
ó *fortis*, 'láidir', 'tréan', sa Laidin. Tá 'foirtil' againn chomh maith, a chiallaíonn 'cumhachtach' nó 'cróga'. Is iasacht dhíreach é sin ó *fortilis* na Laidine

Chraobhscaoil Marx teagasc cinnteachais i leith cúrsaí eacnamaíochta agus daonna. Chum sé dlíthe a mhínigh oibriú na bhfórsaí °táirgthe (.i. an chaoi a sásaítear riachtanais ábhartha an duine); a mhínigh céimeanna na staire; agus a mhínigh éabhlóid an °chomhfheasa shóisialta (i gcúrsaí dlí, reiligiúin, moráltachta). Cé go bhféadfadh daoine na himeachtaí a stiúradh le cumas meabhrach, ní raibh, dar leis, aon dul as cinniúint nádúrtha na héabhlóide.

Tá go leor daoine a chuireann in aghaidh an chinnteachais mar theoiric. Deir siad, maidir leis na dlíthe a bhaineann le leibhéal amháin den chruthaíocht, nach gá go mbeadh feidhm acu, nó an oiread céanna feidhme, ar leibhéal níos airde. An °dúlra neamhbheo, ní hionann na dlíthe a rialaíonn é agus dlíthe an dúlra phlandúil. Dlíthe eile a oibríonn ar leibhéal na beatha ainmhí, agus dlíthe eile fós ar leibhéal an chomhfheasa (leibhéal an duine). Saintréith[49] a bhaineann leis an éabhlóid seo go léir,

dromchla: uachtar, craiceann/ surface
mearaithe: dothuigthe/ puzzling, perplexing
todhchaí: an t-am atá le teacht/ the future
réim: cúrsa/ career
cruthaíocht: an chruinne agus gach a bhfuil ann/ creation

deir siad, ná go bhfuil níos mo saoirse ag gach leibhéal ná mar atá ag na cinn a ghabh roimhe, agus go bhfuil ar a gcumas dul i bhfeidhm ar na leibhéil rompu ar mhaithe leo féin. Mar sin, deir lucht °freasúra an chinnteachais, tá saoirse ag an duine. Ach má tá, níl sí gan teorainn. Má bhí °breall ar Mharx ar bhealaí áirithe, is cuidiú dúinn an tuiscint a thugann an anailís a dhein sé ar conas mar a imríonn °tosca °geilleagracha tionchar ar ghnéithe éagsúla de shaol an duine.

Maidir le cinnteachas ar leibhéal na fisice, baineadh dá bhoinn go mór é le teacht nuafhisic an fichiú haois, ar a dtugtar an chandam-mheicnic, nó chun bheith níos cruinne, °leictridinimic an chandaim.

clann
slíocht, aicme, páirtí

Is minic a athraíonn focal a bhrí agus a sheasamh ó aois go haois agus ó theanga go teanga. Is léiriú maith air sin an focal 'clann'. Tháinig sé isteach sa Ghaeilge i gcéaduair ón Laidin, *planta* (fásra), go ndearna na Q-Cheiltiseoirí 'cland' de agus ansin 'clann'. Fásann *planta* ó shíol, agus mar sin tugadh clann ar shliocht de shíolrú daonna. Maidir le 'síol' sa chiall seo, féach 'Síol mBroin', muintir Bhroin (Ó Broin); 'Síol gCéin', muintir Eadhra (Ó hEadhra); 'Síol Éibhir', muintir na Mumhan; 'Síol Éabha', an cine daonna.

Sna seanscéalta bhí Clann Lir agus Clann Uisnigh ann. Nuair a cheangail na Normannaigh leis an chultúr Ghaelach in Albain, tháinig córas nua polaitíochta, córas Gaelfheodach, as an chomh-shnaidhm sin. Tugadh 'clann' ar an chnuasach daoine a tháinig faoi cheannas taoisigh faoi leith. Ghlac na daoine lena shloinne agus leis an mhiotas gur den tsinsearacht chéanna iad. Bhíodh údarás leathan ag an

---

candam-mheicnic: an réimse den eolaíocht a bhaineann le hiompar cáithníní agus adamh de réir theoiric an chandaim/ quantum mechanics
sliocht: pór, gin/ offspring, descendants
miotas: scéal ó thréimhse réamhliteartha i dtaobh pearsan osnádúrtha/ myth

taoiseach ar chúrsaí na treibhe sin. Níor tharla a leithéid in Éirinn, áit a raibh teorainn le cumhacht na dtaoiseach faoi chóras Dhlí na mBreithiúna, a bhí i réim ar bhonn náisiúnta go dtí an seachtú haois déag.

Nuair a úsáidtear an focal 'clann' chun tagairt do shloinne, tagraítear do shloinnte dúchasacha le 'Mac' de ghnáth, agus do shloinnte in Albain agus i gCúige Uladh ach go háirithe. Is fíorannamh a bhaineann sé le sloinnte le h'Ó'. Faighimid mar sin Clann Ránaill (in Albain), Clann Dónaill (in Albain agus i gContae Aontroma), Clann Suibhne (a tháinig as Albain go dtí Tír Chonaill).

Albain
cé nach mbaineann an t-ainm Ceilteach seo ach le cuid de oileán na Breataine anois, bhain leis an oileán ar fad uair amháin (faoin leagan *Albion* nó a leithéid). Meastar gur chiallaigh sé 'bán', agus gur thug na Ceiltigh ar an mhór-roinn an t-ainm sin air agus iad ag féachaint thall ar *the white cliffs of Dover*. Focal Ceilteach ar 'uisce' is ea *Dover*. Tá sé againne sa logainm Gaoth Dobhair, i gContae Dhún na nGall, agus san ainmfhocal 'dobharchú' (madra uisce/ otter)

Ach úsáideadh an focal ar bhonn níos leithne ar fud na hÉireann chun tagairt a dhéanamh do limistéir[50] na dtaoiseach nua, a tháinig chun cinn tar éis teacht na Normannach. Is le teaghlaigh Normannacha is mó a ceanglaíodh an úsáid nua seo, amhail Clann Riocaird agus Clann Liam (na Búrcaigh), Clann Giobúin agus mar sin de. Bhí corrtheaghlach úr Gaelach freisin, amhail Clann Aodha Bhuí (de mhuintir Néill).

Baineadh úsáid as an téarma fosta chun aicmí cumhachtacha eachtrannacha a chur in iúl. 'Clann Londan' a tugadh ar Rialtas Whitehall, agus 'Clann Liútair' ar lucht an Reifirméisin. 'Clann Bhullaí' a bhí ar lucht leanúna Rí Liam. Bhí blas den tarcaisne ag baint leis an úsáid seo.

Mac Giolla Bhríde

Fuair an focal athghradam polaitiúil in Éirinn le linn daichidí na haoise seo nuair a bunaíodh dhá pháirtí nua pholaitiúla, Clann na Talún (páirtí na bhfeirmeoirí beaga) agus Clann na Poblachta (páirtí faoi cheannas Sheáin Mhic Ghiolla Bhríde, duine a bhuaigh Duais Síochána Nobel agus Duais Síochána Lenin araon).

Murar leor sin mar scéal, tháinig *planta* na Laidine isteach sa Ghaeilge uair amháin eile, faoi ghné eile. An dara huair is mar 'planda' a glacadh leis.

---

tarcaisne: dímheas, masla/ contempt, insult
athghradam: stádas úr/ renewed standing

clé / deas / lár
raon na polaitíochta – idir °smaointeoireacht pholaitiúil agus pháirtithe polaitiúla – agus é á shamhlú mar chuar leanúnach, ón °ainrialachas ar thaobh na láimhe clé go dtí deachtóireacht antoisceach ar thaobh na heite deise

Mí Bealtaine 1789: Géilleann Louis XVI na Fraince don Tríú hEastát (ionadaithe an phobail). Ordaíonn sé do na Trí Eastát teacht le chéile in aon tionól amháin. Tagann, agus suíonn na huaisle ar thaobh na láimhe deise den rí, an áit is mó gradam. Suíonn an Tríú hEastát ar thaobh na láimhe clé.

Ó shin i leith i dtionóil na Fraince, agus i bparlaiminti eile ar an mhór-roinn ón naoú céad déag ar aghaidh, is nós é ag na hionadaithe daonlathacha liobrálacha suí ar thaobh clé an uachtaráin. Is ón chleachtadh seo a thagann na téarmaí fíorchlé, clé, cléach, eite chlé, taobh clé den lár, lár, taobh deas den lár, deasach, eite dheas, deas, fíordheas.

na hEastáit Ghinearálta 1789. Tá Louis XVI ina shuí faoin cheannbhrat i lár baill. Tá na huaisle agus an chléir ar a lámh dheas. Féach na heaspaig, atá chun tosaigh, agus iad gléasta ina suirplísí bána

Síneann an clé ó na hainrialaithe go dtí na cumannaigh, na sóisialaigh agus na daonlathaigh shóisialta. Síneann an deas ó na coimeádaigh go dtí na faisistigh. Féachann an lár le tacaíocht a ghnóthú ón dá thaobh, idir chlé agus dheas.

raon: réim/ range
cuar: stua, cuid de chiorcal/ arc
tionól: tiomsú, bailiú le chéile/ assembly
antoisceach: ainmheasartha, thar fóir/ extremist
gradam: onóir/ honour
liobrálach: a bhaineann le leasú agus le hathrú/ liberal
cléach: claonadh ar chlé/ leftist
deasach: claonadh ar dheis/ rightist

In Éirinn ní thugann ach °mionlach de na vótálaithe tacaíocht do pháirtithe na heite clé (níos lú ná 15 faoin gcéad de na vótaí a fuair Páirtí Lucht Oibre[51], Páirtí na nOibrithe agus an Páirtí Daonlathach Sóisialach in olltoghchán 1989). D'ainneoin sin, léiríonn Éire ceann de mhór-shaintréithe geilleagair shóisialaigh, is é sin, go bhfuil codán an-ard den °olltáirgeacht náisiúnta (OTN) á láimhseáil ag áisíneachtaí stáit. Go pragmatach, luíonn na páirtithe ar chlé nó ar dheis, de réir riachtanais na hócáide.

Sa Dáil, is nós le páirtí, nó le páirtithe, an rialtais suí ar an taobh chlé den Cheann Chomhairle.

coimeádachas
dearcadh polaitíochta a chuireann béim ar °chaomhnú na bhfiúntas traidisiúnta agus na modhanna traidisiúnta i gcúrsaí an tsaoil; a chuireann in aghaidh an °radacachais mar uirlis pholaitiúil chun athruithe a chur i bhfeidhm; agus atá i bhfabhar bealaí socra síochánta chun cibé athruithe is gá a thabhairt i gcrích de réir a chéile

Is féidir féachaint ar an radacachas agus ar an choimeádachas mar dhá °fhoirceann speictream na polaitíochta. Creideann an radacach gur féidir dul chun cinn an duine a bhaint amach ach athruithe °bunúsacha a dhéanamh sna struchtúir shóisialta agus i modhanna oibre an chórais shóisialta. Dar leis, ní foláir mórathruithe chun leas cách a chinntiú. Ní aontaíonn an coimeádach leis sin. Deir sé gur cuma cén córas a cheaptar nó a ceapadh riamh, gur baol dó i gcónaí mar chóras nádúr an duine agus máchailí an dúchais, an mé-féineachas, an chamastaíl, santú na cumhachta. Mar sin, cuireann an coimeádach i gcoinne mórathruithe sóisialta, mar nach gcreideann sé gur féidir leas an phobail a dheimhniú ar an bhealach sin.

Ar an taobh eile, is minic a mheastar an coimeádachas mar chnuasach de phrionsabail, de dhearcaidh, de ghnásanna a fhéachann le pribhléidí na huasaicme a chinntiú. Meallann sé an pobal i gcoitinne chun ciúnais trí cothroime os comhair an dlí

coimeádachas: conservatism (Coimeádach, sin Tóraí i dtéarmaí polaitíochta na Breataine/ Conservative)
fiúntas: bua nó cáilíocht a leagtar meas mór air/ value
uirlis: gléas, ball acra/ tool
máchail: locht/ flaw
camastaíl: caimiléireacht/ crookedness, fraud
santú: tnúth le/ to covet

balsam
'cumhra' a chiallaigh *basam* san Eabhrais. Dhein na Gréagaigh *balsamon* de. Ola nó smearadh le boladh deas cumhra is ciall don fhocal sa Ghaeilge

a gheallúint dóibh, agus leis na °buntáistí a ghabhann le córas socair sóisialta. Is milis an balsam é don duine a mhothú go mbaineann sé le córas traidisiúnta dea-mhéiniúil náisiúnta, a bhfuil institiúidí móra buana ag gabháil leis (amhail an Choróin, eaglais náisiúnta, forais ar nós an airm, na cúirteanna – faoi mar atá sa Bhreatain); córas a bhfuil aige, lena chois sin, institiúidí áitiúla mar an teaghlach, an chomhairle áitiúil, an leabharlann, an biocáire, an constábla; is é sin, córas iontaofa ar leibhéal aitheantais an duine atá mar thaca aige ó aois linbh go bás.

Is féidir leis an choimeádachas dul i bhfeidhm ar mheon an duine laistigh de chomhthéacs ar bith. Bíonn 'daoine coimeádacha' ann i ngach tír; bíonn 'eaglaisí coimeádacha' ann; is féidir le 'páirtí Cumannach coimeádach' a bheith ann, faoi mar atá sa tSín. 'Liag chuimhneacháin ar uaigh réabhlóidí marbha', sin sainmhíniú amháin atá ar an choimeádachas. Dúirt Benjamin Disraeli (1804-81) nach raibh i rialtas coimeádach ach 'fimínteacht, agus °eagar uirthi'.

Cuireadh tús le coimeádachas Eorpach an lae inniu chomh fada siar leis an seachtú haois déag. Um dheireadh na haoise sin thosaigh an °spairn idir na huaisle – na tiarnaí móra talún lena gcleithiúnaithe (idir thionóntaithe móra, sheirbhísigh agus an chléir) – ar thaobh amháin, agus an °bhuirgéiseacht ar an taobh eile. Bhí an bhuirgéiseacht (lucht tionscail, ceannaithe, siopadóirí, baincéirí, ceardaithe agus a seirbhísigh féin) ag iarraidh fáil réidh le pribhléidí na n-uaisle agus leis na °laincisí feodacha a bhí ag cur isteach ar chúrsaí °táirgthe agus tráchtála. Agus bhí an uasaicme ag iarraidh an córas traidisiúnta meán-aoiseach a chaomhnú.

---

dea-mhéiniúil: dea-chroíoch/ benevolent
biocáire: ministir paróiste (Anglacánach)/ vicar
iontaofa: muiníneach/ trustworthy
liag: leac thuama/ headstone
fimínteacht: bréagchrábhadh/ hypocrisy
cleithiúnaí: duine atá ag brath ar dhuine eile/ dependant

Locke

An glór ba bhinne leis an bhuirgéiseacht ná teachtaireacht an liobrálachais, a bhí á cur chun tosaigh ag an °fhealsamh Shasanach, John Locke (1632-1704). Dhein fealsúna na Fraince a theagasc a fhorbairt san ochtú haois déag. Leag siad béim ar an ionannas agus ar shaoirse an duine. Sa naoú haois déag ba é teagasc an liobrálachais an °idé-eolaíocht pholaitiúil ba laidre san Eoraip.

Níl aon pháirtí polaitiúil in Éirinn a thugann coimeádaigh orthu féin. Ní hionadh sin, b'fhéidir, mura bhfuil de chúis leis ach cúrsaí na staire. D'fhás páirtí polaitiúil na gCoimeádach sa Bhreatain, sa naoú haois déag, as na Tóraithe, daoine le dearcadh coimeádach a bhí i bparlaimint na Breataine roimhe sin. Is mar tharcaisne a tugadh 'tóraithe' orthu i dtús, focal Gaeilge a chiallaíonn foghlaí bóthair nó a leithéid, nó rapaire Éireannach amhail Seán Ó Duibhir an Ghleanna. (Aisteach go leor, sa Ghaeilge, bhíodh na foghlaithe seo 'ar a gcoimeád' ón dlí.)

De Búrca

Ceangal eile idir Éire agus na Coimeádaigh Shasanacha ná gurbh é an státaire Éireannach Éamann de Búrca (1729-97) an smaointeoir polaitíochta a thug sainmhíniú – agus an sainmhíniú clasaiceach[52] – ar cad ba chiall leis an choimeádachas. Eisean a dúirt 'chun caomhnú caithfimid leasú'. Leis an chomhairle sin shábháil sé an coimeádachas ó pholasaí seasc a chuirfeadh in éadan athrú nó dul chun cinn ar bith.

In 1886 cheangail cuid de na Liobrálaigh leis na Coimeádaigh – an chuid sin díobh a chuir in éadan polasaí Ghladstone chun féinrialtas a thabhairt do Éirinn. As sin amach ghlac siad leis 'an Páirtí Coimeádach Aontachtúil' mar theideal orthu féin.

cóir fhioscach, an ch-
riar airgeadas an stáit go críonna cúramach

Is focal Laidine é *fiscus* a chiallaíonn 'cófra[53] airgid'. Le himeacht aimsire ceanglaíodh an focal le ciste an impire. Baineann 'fioscach' inniu leis an °státchiste.

foghlaí bóthair: gadaí bóthair/ highwayman
ar a gcoimeád: ar teitheadh/ on the run
seasc: neamhthorthúil/ sterile
cóir fhioscach: fiscal rectitude

°Fearacht rialtas comhaimseartha eile, thug rialtais Éireannacha na linne seo faoi réimse ábhalmhór seirbhísí a sholáthar don phobal. D'éiligh siad táillí ar chuid acu, ach chuir an chuid is mó díobh ar fáil 'saor in aisce'. Faraor, níl aon rud saor. Ba éigean don stát íoc as na seirbhísí seo trí cánacha a ghearradh ar na saoránaigh. Ach mhéadaigh ar an éileamh ar thuilleadh seirbhísí 'saora'. Ba dheacair do na rialtais, ar chúiseanna polaitiúla, diúltú dóibh. Chuaigh na cánacha i méid go géar. Chuir na saoránaigh ina gcoinne siúd, ach níor mhaolaigh ar a n-éileamh ar sheirbhísí.

Chun teacht slán as an abar[54] seo thosaigh na rialtais ag lorg airgid ar iasacht. Níorbh fhada go ndeachaigh siad i bhfiacha go trom. Ar ndóigh, glactar leis mar nós ceart °seanbhunaithe ag rialtais iasachtaí a fháil chun °tionscadail chaipitiúla a mhaoiniú (mar is féidir na hiasachtaí sin a aisíoc as an bhrabach a ghnóthaíonn tionscadail thorthúla). Ach anois bhí na rialtais ag fáil iasachtaí chun na héilimh reatha (na seirbhísí reatha a bhí á lorg ag an phobal) a mhaoiniú chomh maith. Ní raibh aon °mhaoin ann – seachas breis cánacha – chun na fiacha breise seo a aisíoc. Chuaigh an fiachas náisiúnta i méid go mór.

Tugtar an chóir fhioscach ar an chóras smachta a úsáidtear chun gearradh siar ar na seirbhísí poiblí agus ar ardrátaí cánachais, ar mhaithe le cúrsaí airgeadais an stáit a chur ina gceart. Ní in Éirinn amháin ab éigean don rialtas a leithéid a dhéanamh.

comh-aireacht
an rialtas agus iad ag feidhmiú le chéile mar choiste rialtais

Tá dhá bhealach ann le cumhacht °fheidhmitheach rialtais a chur i gcrích: trí mheán comh-aireachta, nó trí chóras uachtaránach. Nós na comh-aireachta atá againne in Éirinn, faoi mar atá sa Bhreatain.

ábhalmhór: rímhór, thar a bheith mór/ enormous, immense
fiachas: fiach/ debt
comh-aireacht: cabinet
uachtaránach: ar nós uachtaráin/ presidential

Seoirse III

Cé go dtugann °bunreacht na hÉireann ceannas iomlán an rialtais don Taoiseach, tá comhfhreagracht ar an rialtas mar aonad amháin (mar chomh-aireacht) don Dáil as gach a ndéanann siad.

A bhuíochas do Sheoirse III[55], rí Shasana, is ea seiftíodh prionsabal na comhfhreagrachta rialtais. Bhí de nós aige siúd airí aonair a gheafáil lena fháil amach cé a dúirt seo agus cé a mhol siúd i gcruinnithe rialtais. Ansin chuireadh sé brú ar na hairí de réir a chuid eolais, ar mhaithe lena thoil féin a chur i bhfeidhm. Chun teacht slán ón °ladar ríúil seo, ghlac an rialtas chucu prionsabal na comhfhreagrachta.

Sna Stáit Aontaithe ceapann an tUachtarán daoine chun poist cheannais na bpríomhranna feidhmitheacha (an Státrúnaí, mar shampla) le cead an tSeanaid. Tá dháréag díobh ann, agus feidhmíonn siad mar chomh-aireacht nuair a thagann siad le chéile chun comhairle a thabhairt don Uachtarán. Baineann cuid de na hUachtaráin úsáid leathan as gléas na comh-aireachta; cuid eile acu, is ar bhonn aon le haon a dhéileálann siad le ceannairí na rann. Cuid eile fós, téann siad i muinín comhairleoirí pearsanta dá gcuid féin. Modh neamhfhoirmiúil é seo: tugtar comh-aireacht chistine ar a leithéid.

comhardú na n-íocaíochtaí
taifead[56], ar bhonn bliantúil de ghnáth, de na beartaíochtaí go léir a mbaineann airgead eachtrach leo. Tá dhá chineál beartaíochta i gceist anseo: (a) *beartaíochtaí reatha* (°onnmhairí agus °allmhairí, idir 'infheicthe' agus 'dofheicthe'); aistriú

In aimsir na mbard in Éirinn fadó thugtaí 'comhardadh' ar chineál ríme ina raibh comhréiteach fuaimeanna i línte filíochta. Chiallaigh 'comhardadh' go raibh rudaí áirithe i gcothrom lena chéile. (Tagann

comhfhreagracht: bheith freagrach as gnó i dteannta le daoine eile/ joint responsibility
seiftiú: réiteach faidhbe a chumadh, rud a dhéanamh amach/ to devise, contrive
geafáil: bleid a bhualadh ar dhuine/ to buttonhole (a person)
comhardú na n-íocaíochtaí: balance of payments
beartaíocht: gnó tráchtála nó trádála/ transaction
aistriú (i gcúrsaí airgeadais): airgead a chur ó ionad go hionad, nó ó thír go tír/ to transfer
rím: ionannas i bhfuaimeanna focal/ rhyme

airgeadais idirnáisiúnta (íocaíochtaí as cistí an Chomhphobail den chuid is mó, agus seoltáin ó eisimircigh, leis); aisdúichiú brabaigh a ghnóthaíonn comhlachtaí eachtracha sa tír; agus an t-°ús a íoctar ar iasachtaí eachtracha; agus (b) *beartaíochtaí caipitiúla* (idir iasachtaí stáit agus ghluaiseachtaí caipitil phríobháidigh). Úsáidtear an téarma go neamhfhoirmiúil, fiú i measc eacnamaithe, chun tagairt do staid na mbeartaíochtaí *reatha*. Bíonn comhardú foriomlán ann – agus caithfidh bheith amhlaidh – nuair a chuirtear (a) agus (b) le chéile

an focal 'cothrom' ó 'comh-throm'.) Is í an chothromaíocht atá i gceist freisin i gcás an fhocail 'comhardú'.

Chun ár °gcaighdeán maireachtála a °chaomhnú agus a fheabhsú ní foláir dúinn earraí áirithe a allmhairiú. Is iad sin na hearraí nach féidir linn a chur ar fáil sa tír seo as ár n-acmhainní féin, nó a bheadh róchostasach dá dtabharfaimis faoi. Caithfimid airgead a íoc leis na táirgeoirí thar lear a dhíolann na hearraí seo linn. Ní leor puint Éireannacha chun é sin a dhéanamh. Caithfimid an sórt airgid a íoc a nglacfaidh na daoine thar lear leis, agus caithfimid a dhóthain den airgead sin a bheith againn. Chun teacht ar an airgead seo le haghaidh earraí eachtracha a cheannach, ní foláir dúinn earraí dár gcuid féin a dhíol thar lear chomh maith, is é sin, iad a onnmhairiú, idir earraí talmhaíochta agus earraí tionsclaíocha. Tugtar earraí infheicthe ar a leithéidí, amhail feoil reoite agus ríomhairí.

Nuair is mó luach na n-allmhairí infheicthe ná luach na n-onnmhairí infheicthe, bíonn easnamh trádála ann (is é sin, easnamh i gcomhardú na trádála). Tharla a leithéid an chuid is mó den am in Éirinn ó 1920 i leith. Sna hochtóidí déanacha, áfach, ba mhó luach na n-onnmhairí infheicthe ná luach na n-allmhairí infheicthe, rud[57] a d'fhág barrachas trádála ag Éirinn.

Ach tá níos mó i gceist ná earraí infheicthe. Dáiríre, faighimid cuid den airgead eactrannach a theastaíonn uainn ar bhealaí eile, mar atá: airgead a thuilleamh as an turasóireacht; deontais a fháil ón Chomhphobal Eorpach; airgead a sheolann Éireannaigh thar lear chun a ngaolta sa bhaile; aisdúichiú

seoltán: airgead a sheoltar abhaile/ remittance
aisdúichiú: cur ar ais go dtí a thír dhúchais féin/ to repatriate
foriomlán: an t-iomlán uile nuair a chuirtear gach rud san áireamh/ overall total
táirgeoir: déantóir earraí/ producer
barrachas: farasbarr/ surplus
eachtrannach: iasachtach, allúrach/ foreign

Calafort Bhaile Átha Cliath. Timpeall 4,000 long a thagann isteach anseo gach bliain

brabaigh a shaothraíonn daoine in Éirinn ar °infheistíochtaí agus ar ghnóthaí atá acu thar lear; airgead a thuilltear as seirbhísí a chuireann Éireannaigh ar fáil thar lear (seirbhísí airgeadais, seirbhísí comhairleachta, seirbhísí oiliúna agus mar sin de). Is onnmhairí 'dofheicthe' na rudaí seo nach féidir a fheiceáil lenár súile cinn ach a ghnóthaíonn airgead dúinn mar sin féin ó °fhoinsí[58] thar lear.

Faigheann eachtrannaigh airgead Éireannach ar na dóigheanna céanna. Braitheann ár gcumas iomportála ní hamháin ar chomhardú na trádála, ach ar chomhardú na nithe eile go léir atá luaite thuas. Tugtar an trádáil dhofheicthe ar na nithe eile seo nach rudaí °ábhartha infheicthe iad. Nuair a chuirtear le chéile na suimeanna go léir a fhaightear agus a íoctar as trádáil na n-earraí infheicthe (comhardú na trádála) agus as an trádáil dhofheicthe, faightear an móriomlán a dtugtar *comhardú na n-íocaíochtaí* air.

ní (*nithe*)
rud neamhbheo, nó rud beag, is ciall leis an fhocal seo. Nuair a deirimid, mar shampla, go bhfuil gnó éigin níos fearr ná ceann eile, is éard atá á rá againn ná go bhfuil sé 'ní is fearr', is ea sin, gur rud é atá beagáinín níos fearr ná a chéile

Le tamall de bhlianta bhí easnamh i gcomhardú na n-íocaíochtaí i leith an chuntais reatha in Éirinn. Nuair a tharlaíonn a leithéid, caithfhidh an stát iasachtaí a lorg thar lear, mura mbíonn insreabhadh caipitil phríobháidigh chuig an tír. Má théann na hiasachtaí eachtracha i méid an iomarca, is féidir go mbuailfear go dona ar chaighdeán maireachtála an phobail agus ar luach an airgeadra náisiúnta. Is éard is cúis leis na drochthorthaí seo ná go gcaithfidh an státchiste

comhairleacht: treoir oilte/ consultancy
insreabhadh: teacht isteach/ inflow
airgeadra: airgead reatha/ currency

íocaíochtaí úis agus aisíocaíochtaí caipitil a dhéanamh; agus cuireann seo brú dá réir ar an °gheilleagar, rud a thugann airgeadaithe thar lear faoi deara. Is lú an fonn a bhíonn orthu mar sin an t-airgeadra a bhíonn faoi bhrú a cheannach. Íslítear a luach dá réir.

comhlachtaí státurraithe
go ginearálta[59], gníomhaireachtaí – seachas an státseirbhís, údaráis[60] áitiúla agus boird shláinte – atá bunaithe ag an stát chun feidhmeanna áirithe a chur i gcrích ar son an phobail

Focal Laidine is ea *status* a thug 'staid' (gradam, céim) don Ghaeilge i bhfad siar; agus shíolraigh 'stát' uaidh chomh maith níos faide anonn. Ach téann 'urra'[61] siar go dtí an Féineachas, nó Dlíthe na mBreithiúna. Is focal é sin a chiallaíonn (1) neart, cumas, seasmhacht, nó (2) údarás, taoiseach, duine inmhuiníne. Saorfhear ba chiall leis, freisin. Focal atá gaolmhar leis is ea 'urrús' a chiallaíonn geallúint, banna, cinnteacht. Tá 'urramach' ann leis, aidiacht a chuireann onóir agus meas in iúl. Ó Albain a fuaireamar 'An tUrramach' mar theideal ómóis do mhinistir. Is ionann an briathar 'urrú' agus 'dul i mbannaí'.

Mar sin, comhlacht státurraithe, sin comhlacht a bhfuil an stát taobh thiar de mar thaca dó. Tá tuairim is nócha comhlacht den chineál seo ann. Orthu siúd tá Aer Lingus (litriú giorraithe ar 'loingeas' is ea 'lingus'), Árachas Sláinte Saorálach (ASS), Bord Soláthair an Leictreachais (BSL), Bord Fáilte, Bord na Móna, Córas Iompair Éireann (CIÉ), Cuideachta an Chairde Tionscail cpt, An Post, Radio Telefís Éireann (RTÉ), agus an tÚdarás Forbartha Tionscail (UFT).

Aer Lingus

airgeadaí: (sa chomhthéacs seo) duine a bhfuil baint aige le gnóthaí airgeadais / financier
comhlachtaí státurraithe: state-sponsored bodies
inmhuiníne: iontaofa/ trustworthy
banna: geallúint/ bond, guarantee
Árachas Sláinte Saorálach: Voluntary Health Insurance
Bord Soláthair an Leictreachais: Electricity Supply Board
Cuideachta an Chairde Tionscail: Industrial Credit Corporation
Údarás Forbartha Tionscail: Industrial Development Authority

Tá °réimse fada fairsing feidhmeanna ag comhlachtaí státurraithe, amhail an easportáil a chur chun cinn (Córas Tráchtála), taighde (Eolas), °táirgeadh (Nítrigin Éireann Teo), rialachán (An Chomhairle Leighis). Cuireadh na comhlachtaí seo ar bun mar gur féidir leo feidhmiú, de ghnáth, le níos mó saoirse ná na ranna stáit. Tá timpeall 96,000 duine ag obair iontu.

Níl aon sainmhíniú[49] dlíthiúil againn ar cad is comhlacht státurraithe ann. Má áirítear eagras mar chomhlacht státurraithe de réir na nósmhaireachta, is comhlacht státurraithe é; murab ea, ní hea: sin a bhfuil de shainmhíniú againn. Ach déanann an rialtas °idirdhealú idir comhlachtaí státurraithe tráchtála (na cinn atá i mbun tráchtála) agus na comhlachtaí neamh-thráchtála. Bíonn ar an rialtas tuarastail na ndaoine sna comhlachtaí neamhthráchtála a íoc. Sin bunchúis an idirdhealaithe.

na comhpháirtithe sóisialta
na fostóirí, na ceardchumainn, na feirmeoirí agus an rialtas

Féachann rialtais dhaonlathacha an lae inniu le comhaontú poiblí a bhaint amach maidir le mórcheisteanna a réiteach, idir shóisialta, gheilleagracha, chultúrtha agus dhlíthiúla.

Lorgann an rialtas comhaontú trí cead cainte[62] a thabhairt do na °grúpaí sainleasa[49] móra nuair atáthar i mbun polasaí a chumadh. Tugann an rialtas cuireadh dóibh moltaí a chur faoina mbráid, agus buaileann siad leo chun pleananna náisiúnta a phlé, d'fhonn comhaontú a fháil i dtaobh a bhfuil i gceist. Toisc go mbíonn na haicmí seo go léir ag feidhmiú i bpáirt le chéile ar thóir an chomhaontaithe maidir le ceisteanna poiblí, tugtar na 'comhpháirtithe sóisialta' orthu.

Comhphobal Eorpach, an
comhlachas an dá thír déag in Iarthar Eorpa atá bunaithe ar Chonradh na Róimhe (25 Márta 1957)

Sa bhliain 1945, tar éis an Dara Cogadh Domhanda, bhí mórán den Eoraip ina smionagar den dara huair

nósmhaireacht: gnáthchleachtas/ custom
na comhpháirtithe soisialta: the social partners
comhlachas: cumann, eagras/ association
smionagar: smidiríní/ smithereens

Schuman

laistigh de ghlúin. Ach an t-am seo bhí an scéal i bhfad níos measa ná mar a bhí i 1918. San ár nua seo maraíodh 55 mhilliún duine ar fad, goineadh 35 mhilliún, bhí 3 mhilliún ar iarraidh. San Eoraip féin bhí 30 milliún díláithreach, Gearmánaigh den chuid ba mhó, a díbríodh as a n-áitreabh dúchais. Bhí tíortha Oirthear na hEorpa ar fad beagnach faoi smacht Rúiseach, agus an t-aon dá thír nach raibh, an Fhionlainn agus an Ghréig, bhí siad faoi bhagairt.

Tháinig triúr státairí chun cinn a raibh de aisling acu córas nua a thógáil nach ligfeadh a leithéid de thubaiste tarlú arís. Ar dhuine acu bhí Robert Schuman (1886-1963) na Fraince, a bhain le Páirtí Ghluaiseacht Dhaonlathach an Phobail (MRP). Sa bhliain 1950 d'fhoilsigh sé doiciméad[63] ar a tugadh Plean Schuman. Mhol an plean go mbunófaí cómhargadh guail, iarainn agus cruach ar feadh caoga bliain i measc tíortha Iarthar Eorpa. D'fháiltigh beirt Daonlathach Críostaí go croíúil roimh an phlean, Konrad Adenauer (1876-1967), seansailéir na hIar-Ghearmáine (fear a d'fhulaing príosún faoi na Naitsithe) agus Alcide de Gasperi (1881-1954), príomh-aire na hIodáile.

As sin tháinig an Comhphobal Eorpach um Ghual agus Chruach sa bhliain 1951. Ansin i 1957 síníodh Conarthaí na Róimhe a bhain le comhoibriú °geilleagrach i gcoitinne agus le húsáid fuinnimh °núicléigh. Comhcheanglaíodh na gluaiseachtaí seo le chéile sa bhliain 1967. Bhí lámh ag sé thír sa phlean ó thús: an Bheilg, an Fhrainc, an Iar-Ghearmáin, an Iodáil, an Ísiltír agus Lucsamburg. Tháinig an Danmhairg, Éire agus an Ríocht Aontaithe i bpáirt leo in 1973. Ansin cheangail an Ghréig in 1981, agus tháinig an Phortaingéil agus an Spáinn ina dteannta sa bhliain 1986.

ár: sléacht/ slaughter
díláithreach: díbeartach/ displaced person
áitreabh: gnátháit cónaithe/ habitation
seansailéir: ceann rialtais i dtíortha áirithe, ceann onórach ar ollscoil/ chancellor
comhcheangal: snaidhmeadh/ to merge

Conarthaí na Róimhe á síniú, 25 Márta 1957 sa Palazzo Farnese

Idir an dá linn bhí °forbairt ag teacht ar an smaoineamh bunaidh. Cómhargadh a bhí i gceist ar dtús. Ach d'fhás sé: anois is comhphobal é, agus é ag plé le gach gné den saol. Aontaíodh ar an ghníomh thábhachtach is déanaí ag cruinniú de Chomhairle na hEorpa i Lucsamburg, Nollaig 1985. Glacadh ansin leis an Ionstraim Eorpach Aonair. Leasaíonn agus leathnaíonn an Ionstraim scóip Chonradh an Chomhphobail Eacnamaígh. Tháinig sé i bhfeidhm ar an chéad lá de Iúil 1987.

Is í bunaidhm an Chomhphobail síocháin agus rath a chothú trí aontacht, idir gheilleagrach agus pholaitiúil, a bhunú idir tíortha Iarthar Eorpa. Tá deireadh anois le °dleachtanna[48] custaim idir na ballstáit, tá comhtharaif eachtrach i bhfeidhm acu, agus Comhbheartas Talmhaíochta (CT). Tá cead ag saoránaigh agus ag oibrithe de chuid na mballstát cur fúthu agus saothrú i stát ar bith is rogha leo sa

---

Ionstraim Eorpach Aonair: Single European Act
taraif: cáin ar iompórtálacha mar chosaint do earraí dúchasacha / tariff
Comhbheartas Talmhaíochta: Common Agricultural Policy (CAP)

An Taoiseach, Seán Ó Loingsigh TD, agus an Dr Pádraig S. Ó hIrghile TD, ag feidhmiú thar ceann na hÉireann, sa Bhruiséil, nuair a cheangail Éire leis an Chomhphobal Eorpach, 22 Eanáir 1972

Chomhphobal. Tá an Córas Airgeadaíochta Eorpach (CAE) ann, le cuidiú le trádáil inmheánach an Chomhphobail trí °airgeadraí na mballstát a chobhsú laistigh de theorainneacha cinnte. Ní fada uainn an lá, de réir cosúlachta, a mbeidh airgeadra comónta amháin in úsáid ar fud iarthar na hEorpa.

Déanann an Comhphobal comhaontuithe eachtracha thar ceann na mballstát. Tá °cistí speisialta aige chun cabhrú le forbairt na réigiún agus le forbairt shóisialta. Forbraíonn sé polasaí tionsclaíoch an Chomhphobail. Tugann sé cabhair do thíortha atá i mbéal forbartha, faoi scáth Choinbhinsiún Lomé. Tá breis agus seasca tír lasmuigh den Eoraip – san Afraic, i Muir Chairib agus san Aigéan Chiúin – ag baint tairbhe as an Choinbhinsiún seo.

Tá constaicí fós le sárú ar bhealach an chomhtháthaithe – idir theicniúil, ábhartha agus fhioscach.

Córas Airgeadaíochta Eorpach: European Monetary System (EMS)
inmheánach: ar an taobh istigh, intíre/ internal
cobhsú: coimeád i riocht socair/ to stabilise
tír i mbéal forbartha: tír i mbun forbartha/ developing country
comhtháthú: iomlánú/ integration
fioscach: a bhaineann le hairgeadas an rialtais/ fiscal

Na °bacainní neamhtharaifí seo, cuireann siad go mór le costais an Chomhphobail, i dtaca le praghsanna, le fás geilleagrach agus le °fostaíocht de. Sa bhliain 1985 d'fhoilsigh an Comhphobal Páipéar Bán a liostaigh timpeall 300 beart ba ghá a dhéanamh chun na bacainní seo a chur as bealach agus fíormhargadh inmheánach a bhunú. Tá glactha leis mar chuid den Ionstraim Eorpach Aonair go gcuirfear na bearta sin go léir i bhfeidhm faoin 31 Nollaig 1992.

Tá comhoibriú polaitíochta i gceist, leis, faoin Ionstraim[64] Eorpach Aonair. Comhoibríonn na ballstáit le chéile chun comhsheasamh a chothú maidir le polasaithe eachtracha. Samplaí den chomhoibriú sin is ea comhsheasamh na mballstát sna Náisiúin Aontaithe agus i dtaobh fadhbanna ar leith, amhail an Meán-Oirthear.

Jacques Delors, Uachtarán Choimisiún an Chomhphobail, an té a threoraigh an smaoineamh ar aghaidh as ar tháinig an Ionstraim Eorpach Aonair

Maidir le cúrsaí dlí, tá dhá chineál °reachtaíochta Comhphobail ann. Tá an bhun-reachtaíocht (na Conarthaí) ann; agus tá reachtaíocht °thánaisteach (achtanna na n-institiúidí). Tá an dá chineál reachtaíochta ina gceangal ar rialtais náisiúnta, agus tá tosaíocht acu ar °fhorálacha aon dlíthe náisiúnta a bheadh contrártha leo. Is mar gheall air seo gurbh éigean d'Éirinn a bunreacht a leasú de reifreann sula bhféadfadh sí páirt a ghlacadh sa Chomhphobal.

Tagann an reachtaíocht thánaisteach as obair achtúil Choimisiún an Chomhphobail. Tréimhse ceithre bliana i gcumhacht a bhíonn ag baill an Choimisiúin – na Coimisinéirí. Tá seacht nduine dhéag díobh ann, beirt ó gach tír mhór, agus duine amháin ó gach tír bheag. Tugann siad mionn go ndéanfaidh siad an Coimisiún a chumhdach agus nach ngéillfidh siad do dhílseachtaí náisiúnta. Is iadsan a chuireann tús le reachtaíocht an Chomh-

neamhtharaifí: nach mbaineann taraif leis/ non-tariff
comhsheasamh: dearcadh i bpáirt/ common approach
bun-reachtaíocht: dlí bunaidh/ primary law
achtúil: a bhaineann le dlíthe a achtú/ legislative
cumhdach: cosaint/ to uphold
dílseacht: géillsine/ allegiance

phobail. Sin a bpríomhghnó. I gcás mórpholasaithe, cuireann siad dréachtmholtaí faoi bhráid Chomhairle na nAirí. Má ghlacann an Chomhairle leo, fágtar é faoin Choimisiún de ghnáth an reachtaíocht a chur i gcrích agus i bhfeidhm. I gcás reachtaíochta i dtaobh ceisteanna reatha riaracháin, tig leis an Choimisiún dul ina bun gan bacadh le haon institiúid eile. Tá comhchoiste de chuid an Oireachtais ann, an Comhchoiste faoi Reachtaíocht Thánaisteach na gComhphobal Eorpach, atá i mbun fheidhmiú na reachtaíochta seo in Éirinn.

Maidir le Comhairle na nAirí, a luadh anois beag, is airí rialtais a bhíonn mar bhaill di, aire as gach ballstát. Nuair atá ábhar faoi leith á phlé (Gnóthaí Eachtracha, Talmhaíocht, Airgeadas srl) is iad na hionadaithe a thagann le chéile sa Chomhairle ná na hAirí a bhfuil an sainchúram sin orthu ina dtíortha féin. Comhairle atá comhdhéanta de na hAirí Eachtracha an cineál comhairle is tábhachtaí de ghnáth. Bíonn a °seal de shé mhí ag gach tír (beag agus mór), ceann i ndiaidh a chéile, chun dul i gceannas ar uachtaránacht na Comhairle.

ball
tá an-chuid brí ag an fhocal bheag úsáideach seo: áit, rud nó cuid de rud; orgán (cuid den chorp) mar an chroí nó na scámhóga; comhalta de eagraíocht; spota, marc ar an chraiceann amhail ball dobhráin (*mole*) nó ball odhar (*birthmark*); píosa troscáin; balcais éadaigh (ball éadaigh: *garment*); uirlis; am ('ar ball')

Ansin tá Comhairle na hEorpa féin. Cinn stáit nó cinn rialtais a bhíonn sa Chomhairle seo. Tagann siad le chéile dhá uair sa bhliain ar a laghad. Cúrsaí polaitiúla agus bearta °straitéiseacha polasaí a bhíonn á bplé acu.

Tá 518 dteachta i bParlaimint na hEorpa. Vótálaithe na mballstát a thoghann iad. Bíonn tréimhse cúig bliana in oifig acu. Bhí an toghchán deiridh i 1989. Caithfear dul i gcomhairle leo maidir le mórán ceisteanna, agus déantar sin i gcónaí i gcás nithe tábhachtacha. Bíonn °tionchar acu go minic ar dhréachtadh na reachtaíochta. Tá cumhacht áirithe acu freisin chun °buiséad bliantiúil an Chomhphobail

---

reatha: ó lá go lá/ day-to-day
Comhchoiste an Oireachtais faoi Reachtaíocht Thánaisteach na gComhphobal Eorpach: Oireachtas Joint Committee on Secondary Legislation
anois beag: anois díreach/ just now

lámhscríbhinn
píosa atá scríofa de láimh; clóscríbhinn, sin píosa atá scríofa de chlóscríobhán nó de phróiseálaí focal. *Scribere, scriptum* atá sa bhriathar Laidine ar 'scríobh', agus tugann sé dúinn chomh maith 'scrioptúr', sin scríbhinn naofa reiligiúin, faoi mar atá sa Bhíobla

a leasú. Is í an Pharlaimint féin a ghlacann leis an bhuiséad ar deireadh agus a scaoileann an Coimisiún agus institiúidí an Chomhphobail ó fhreagracht tar éis dualgais bhuiséid a chomhlíonadh. Agus is féidir leis an Pharlaimint dearcadh dá cuid féin a nochtadh ar ábhar ar bith.

Tá cumhacht thábhachtach amháin eile ag an Pharlaimint. Is féidir le teachtaí parlaiminte ceisteanna béil nó ceisteanna i scríbhinn a chur síos le freagairt ag an Choimisiún, ag an Chomhairle agus ag na hAirí Eachtracha. Tugann sin °deis dóibh mórán gnéithe de obair an Chomhphobail a thabhairt chun solais. Tá ocht sainchoiste[49] dhéag i mbun obair na Parlaiminte. Pléitear an obair sin i seisiúin pharlaiminte.

Is í an Chúirt Bhreithiúnais a dhéanann °cinntí críochnaitheacha ar cheisteanna reachtaíochta. Tá dháréag breitheamh sa Chúirt, móide breitheamh ceannais. Déanann siad cinneadh i dtaobh aon sáraithe Conartha a líomhnaítear a bheith déanta. I gcásanna áirithe tig leis an Chúirt léiriú cinntitheach ar dhlí an Chomhphobail a thabhairt do institiúidí an Chomhphobail agus do rialtais náisiúnta.

Is é an Coiste Eacnamaíoch agus Sóisialta an coiste is tábhachtaí de na coistí a ghníomhaíonn i gcáil chomhairleach i struchtúr an Chomhphobail. Tá 189 gcomhalta ann, iad as gach ceann den dá stát déag, agus iad ann thar ceann fostóirí, oibrithe agus leasanna éagsúla eile. Nochtann an Coiste tuairimí ar thograí an Choimisiúin, agus tig leis tuairimí a chur ar aghaidh uaidh féin.

Cúirt Bhreithiúnais: Court of Justice
críochnaitheach: cinnteach, deifnideach/ definitive
líomhain: cur i leith/ to allege
Coiste Eacnamaíoch agus Sóisialta: Economic and Social Committee
cáil chomhairleach: ról comhairleach/ advisory role
struchtúr: leagan amach/ structure
leas: páirt thairbheach/ interest
togradh: moladh/ proposal

P. S. Ó hIrghile

Risteard de Búrca

Micheál Ó Cinnéide

Peadar Sutherland

Rae Mac Searraigh

Institiúid thábhachtach eile is ea an Banc Eorpach °Infheistíochta (BEI), institiúid infheistíochta fhadtéarmach an Chomhphobail. Faigheann sé airgead ar iasacht ar na margaí airgeadais, agus tugann airgead ar iasacht ar bhonn neamhbhrabúis le haghaidh °tionscadal infheistíochta a chothaíonn forbairt réigiúnach, nuachóiriú tionsclaíoch, agus tograí trasnáisiúnta[65] Comhphobail. Cuireann an BEI airgeadas forbartha de chuid an CE ar fáil le haghaidh tíortha an tríú domhan.

Comhlíonann Cúirt na nIniúchóirí ról °ard-reachtaire cuntas agus ciste i leith institiúidí an Chomhphobail.

Tá foireann dá chuid féin ag gach ceann de na hinstitiúidí seo. Tá rúnaíocht, sa Bhruiséil den chuid is mó, ag an Choimisiún féin, agus foireann de 11,000 inti; agus iad roinnte ar ardstiúrthóireachtaí éagsúla. Tugtar 'Eorlathaigh' ar oifigigh shinsearacha an CE sa ghnáthchaint, i modh °aithrise ar 'maorlathaigh', focal gonta ar ard-státseirbhísigh i gcoitinne.

Banc Eorpach Infheistíochta: European Investment Bank (EIB)
neamhbhrabúis: neamhbhrabúsmhar/ non-profit
nuachóiriú: oiriúnú do chúrsaí an lae inniu/ modernisation
trasnáisiúnta: a bhaineann le dul ó thír go tír/ transnational
Cúirt na nIniúchóirí: Court of Auditors
Ard-Stiúrthóireacht: Directorate General

Go dtí seo, bhí cúigear Éireannach ina gCoimisinéirí: An Dr Pádraig Ó hIrghile (1973-76), Risteard de Búrca (1977-81), Mícheál Ó Cinnéide (1981-82), Peadar Sutherland (1985-89), Rae Mac Searraigh (1989-).

comhrialtas
aontas sealadach[66] idir páirtithe polaitíochta éagsúla °d'fhonn comhchuspóirí maidir le rialú tíre a bhaint amach

Mura mbíonn móramh iomlán suíochán sa Dáil ag aon pháirtí tar éis olltoghcháin, beidh sé in amhras an féidir le haon dream amháin acu rialtas a chumadh ar a gconlán féin. Bealach as an fhadhb sin ná comhréiteach idir cuid de na páirtithe chun rialtas a bhunú i bpáirt le chéile.

Ó 1932 i leith is é Fianna Fáil an páirtí is mó sa tír. D'fhág sin gan dóthain suíochán ag aon pháirtí eile chun dul i mbun rialtais gan cabhair ó dhream éigin eile. D'éirigh le Fine Gael, an dara páirtí is mó, é sin a dhéanamh ar chúig ócáid: 1948–51 agus arís 1954–57 (agus Seán A. Ó Coisdealá ina Thaoiseach), 1973-77 (agus Liam Mac Cosgair ina Thaoiseach), 1981-82 agus arís 1982-87 (agus Gearóid Mac Gearailt ina Thaoiseach).

Tar éis olltoghchán na bliana 1989, nuair a theip ar Fhianna Fáil móramh glan a bhaint amach, dhein siad comhrialtas leis an Pháirtí Dhaonlathach (agus Cathal Ó hEochaidh ina Thaoiseach).

cros[67]
cumhacht de réir dlí chun rud a chosc nó chun diúltú dó

Riamh anall feicimid ócáidí mar a mbíonn cumhacht ag duine nó ag dream chun cosc a chur ar rud a bheadh incheadaithe murach é. Sa tsean-Róimh bhí an chumhacht sin ag ionadaithe an phobail, na

---

comhrialtas: coalition government
comhchuspóir: cuspóir i bpáirt/ shared purpose
móramh: an chuid is mó de rud/ majority
ar a gconlán féin: as a stuaim féin/ on their own initiative
móramh glan: móramh iomlán/ absolute majority
cros: veto
murach: mura mbeadh/ only for

treabhainn (ón Laidin, *tribunus*), chun breithiúnas[68] a thoirmeasc. Níor ghá do dhuine acu ach *veto* ('coiscim') a rá chun stop a chur le rud. Glacadh le *veto* mar fhocal sa Fhraincis aimsir Réabhlóid na Fraince, nuair a chuir an Comhthionól Náisiúnta in éadan na cumhachta a bhí ag an rí chun a mbearta a chosc.

Idir na blianta 1800 agus 1820 bhí Dónall Ó Conaill ar a dhícheall chun Fuascailt na gCaitliceach (ó fhuíoll na bpéindlíthe) a bhaint amach in Éirinn. Gealladh sin i gcúiteamh Acht an Aontais, ach ní chomhlíonfadh rialtas Shasana an gheallúint gan coinníoll a chur leis. Is éard a theastaigh uathu i gcúiteamh na Fuascailte ná cead crosta a bheith acu nuair a cheapfaí easpag Caitliceach. Bhí cliarlathas na tíre géilliúil go maith don smaoineamh seo, ach chuir Dónall Ó Conaill go tréan ina éadan. Smaoineamh é a bhí coitianta san Eoraip san am, go mbeadh cumhacht crosta ag rialtais shaolta maidir le ceapachán eaglaiseach. Baineadh stad as an Vatacáin, cuir i gcás, nuair a theastaigh ón Phápa an chéad easpag a cheapadh i Nua-Eabhrac um dheireadh an ochtú haois déag. Lorg siad tuairimí rialtas na Stát Aontaithe faoin scéal, agus ba ionadh leo nár spéis leis an rialtas an gnó beag ná mór.

Faoi dheireadh, d'éirigh leis an Chonallach Fuascailt na gCaitliceach a bhaint amach gan ceart crosta a ligean le rialtas Shasana. Chuir sin deireadh leis an cheart sin a éileamh feasta ag rialtais ar fud domhan an Bhéarla, agus bhí tionchar ag bua Uí Chonaill maidir le deireadh a chur leis an chleachtadh in áiteanna eile chomh maith.

Vatacáin
ceann de na seacht gcnoc ar ar tógadh seanchathair na Róimhe. Sa bhliain 1929 dhein an deachtóir Mussolini concordáid leis an Phápa. Dhearbhaigh an socrú seo an Vatacáin mar stát neamhspleách agus an Pápa mar cheann air. Ní raibh an Pápa feasta ina 'phríosúnach sa Vatacáin', faoi mar a thug Pio Nono air féin tar éis do Garibaldi agus do Cavour Stáit an Phápa a ghabháil mar chéim in aontú na hIodáile

---

treabhann: oifigeach a thoghadh cosmhuintir na Róimhe chun a gcearta a chosaint/ tribune
toirmeasc: cosc, stop/ to forbid
fuíoll: fuílleach, iarmhar/ residue, remainder
i gcúiteamh, in éiric: mar aisíoc ar/ in return for
cliarlathas: na heaspaig/ hierarchy
géilliúil: toilteanach, umhal/ compliant
stad a bhaint as: staic a dhéanamh de/ to nonplus, confound

Tá °laincis chrosta ar Chomhairle Shlándála na Náisiún Aontaithe. Is féidir le haon cheann den chúigear buanbhall (an Fhrainc, an Ríocht Aontaithe, an Rúis, an tSín, Stáit Aontaithe Mheiriceá) cosc a chur ar bhearta na Comhairle.

Sa Chomhphobal Eorpach cinntítear ar bheart a dhéanamh má vótálann mórchuid na stát ar a shon. Toisc go bhfuil níos mó vótaí ag na stáit mhóra ná ag na stáit bheaga, ní leor móramh simplí (.i. a leath móide a haon): caithfear móramh, nó tromlach, de mhéid áirithe a bhaint amach. I gcás ceisteanna mórthábhachtacha (agus ceist faoi bhaill nua a ligean isteach sa Chomhphobal), ní mór do na comhstáit go léir bheith ar aon fhocal. Tá cead crosta mar sin, go teoiriciúil, ag gach stát maidir le gnóthaí áirithe. Ach oibríonn an Comhphobal ar bhealach a laghdaíonn an baol go n-úsáidfear an chros. Féachann an Comhphobal le leas a chur ar fáil i gcúiteamh aon bhirt a dhéanfadh aimhleas[69] do thír ar bith.

crosáid
°feachtas dian in aghaidh drochruda, bíodh sé fíor °samhailteach

Tá 'cros' ar cheann den dá fhocal a tháinig isteach sa Ghaeilge ó *crux, crucis* na Laidine ('croch' an focal eile). De réir *Collins English Dictionary 1991* tagann *cross* an Bhéarla ó 'cros' na Sean-Ghaeilge, cé nach féidir é sin a dhearbhú go cinnte.

Sraith de sheacht gcogadh naofa (nó naoi gcinn de réir comhairimh eile) a bhí sna Crosáidí, a °fearadh idir 1096 AD agus 1270 AD. Le linn na tréimhse sin thug ríthe agus uaisle Críostaí Iarthar Eorpa (agus an °chosmhuintir leis – agus páistí fiú) aghaidh ar an Phalaistín d'fhonn cath a chur chun an Talamh Naofa a shaoradh ó smacht na Moslamach. Cuspóir ardintinneach[70] a spreag daoine mar Ghodefroi de

aimhleas: dochar/ harm
fíor samhailteach: fíor nó samhailteach/ true or false
croch: gléas chun daoine a chrochadh/ gallows
comhaireamh: bealach chun rudaí a ríomh/ count, reckoning
ardintinneach: le meon uasal/ highminded

Bouillon, an ceannaire is mó le rá a bhí ar an chéad chrosáid. Eisean a bhunaigh Ríocht Iarúsailéim. Ach níor leomh sé 'rí' a thabhairt air féin. Dar leis, níor chóir do aon duine an gradam sin a éileamh sa tír inar mhair Críost. An teideal a ghlac sé chuige ná 'Cosantóir an Tuama Naofa'.

Ach ní raibh crosáidirí eile chomh huasalaigeanta, agus is ag súil lena leas °ábhartha féin a chuaigh cuid díobh, agus iad ag troid, mar dhea, ar son an chreidimh.

Fearadh crosáidí ina dhiaidh sin in aghaidh dreamanna mar na hAilbísigh agus na Husaigh.

Chaitheadh na chéad Chrosáidirí comhartha na croise[71] ar a léinte.

'Sitheád' (Araibis, *jihad*) an focal Moslamach ar chogadh naofa.

cruinne, an ch-
gach a bhfuil ann sa saol idir ábhar, fhuinneamh, spás, am; an cosmas

Ciallaíonn an focal Gréigise *'cosmos'* an saol iomlán agus é faoi ord agus eagar. Ceann de na rudaí is suntasaí faoin chruinne ná a ordúlacht agus a eagraithe is atá sí. (Chreid na Gréagaigh go raibh anord – *chaos* – ann roimh theacht an chosmais.)

Cromadh ar an chruinne a scrúdú ar bhonn eolaíoch as an nua ('cosmeolaíocht' a thugtar ar an staidéar sin) sna fichidí den aois seo, tar éis do Einstein (1879-1955) Teoiric Ghinearálta na Coibhneasachta a fhoilsiú sa bhliain 1917. Idir 1960 agus 1970 d'éirigh le heolaithe teoiric chomh-

Einstein

leomhadh: bheith dána go leor chun/ to dare
uasalaigeanta: le meon uasal/ highminded
Ailbíseach: duine a bhain le seict Mhainicéasach i ndeisceart na Fraince ón aonú céad déag go dtí an tríú céad déag/ Albigensian ['Mainicéasach', sin aidiacht a chuireann síos ar eiriceacht a bhí bunaithe ar theagasc Mhainí a mhair sa Pheirs sa tríú céad/ Manichaean]
Husach: duine de lucht leanúna Jan Hus sa Bhoihéim sa ceathrú céad déag/ Hussite
an chruinne: the universe
cromadh ar: tosú, tabhairt faoi/ to begin
coibhneasacht: gaolmhaireacht/ relativity

Planck

sheasmhach a chumadh mar chur síos ar gach ar tharla ó aimsir na hOllphléisce go dtí an lá atá inniu ann. De réir na teoirice seo tharla an Ollphléasc timpeall cúig bhilliún déag de bhlianta ó shin.

Tosaíonn na heolaithe ar an scéal a insint ón 100,000ú cuid de shoicind tar éis na pléisce. Ní heol agus ní féidir a shamhlú cad a bhí ann roimh an phointe ama sin murar neamhní[72] glan amach é. Ach ar an ala sin ama ('am Phlanck' a thugtar air, as Max Planck (1885-1947), fear a bhunaigh Teoiric an Chandaim) meall de cháithníní agus de radaighníomhaíocht ba ea an chruinne agus í ag coipeadh agus ag fiuchadh ar theocht de mhilliún milliún céim Celsius. 'Meall' a thugaimid ar an chruinne ag an phointe sin, agus caithfidh sé cúis a dhéanamh mar níl aon fhocal níos fearr ann chuige. Dáiríre níl aon bhrí intuigthe leis mar fhocal. Mar ag an phointe sin bhí an cosmas go léir thar a bheith bídeach, gan de leithead ann mar mheall ach 10^{-33} cm.

Ach bhí sé ag dul i méid go tapa. Um an deichiú cuid de shoicind tar éis na pléisce bhí leithead ceithre °sholasbhliain aige, agus é ag méadú de shíor. Inniu tá an chuid sin den chruinne is infheicthe againn fiche milliún solasbhliain[73] ar leithead, agus í ag dul i méid gan stad. Ní fios go fóill an stopfaidh an chruinne den bhoilsciú lá éigin; nó an leanfaidh sí ag méadú léi de shíor; nó an gcrapfaidh sí inti féin arís faoi dheireadh.

Cumadh an grianchóras timpeall cúig mhíle milliún de bhlianta ó shin. Réalta is ea an ghrian cosúil leis na réaltaí eile sna réaltbhuíonta[74] os ár gcionn

comhsheasmhach: a luíonn le chéile/ consistent
Ollphléasc, an: an teoiric gur thosaigh an chruinne de phléasc tuairim is 15 bhilliún bliain ó shin/ the Big Bang
ala: pointe ama/ point in time
cáithnín: blúirín ábhair, cuid de adamh/ atomic particle
radaighníomhaíocht: astú nó spré nádúrtha radaíochta as núicléas adamhach/ radioactivity
coipeadh: boilgearnach/ to froth, bubble
meall: cnapán/ mass, swelling
leithead: fairsinge/ width
grianchóras, an: an ghrian agus na reanna/ the Solar System

Réaltra an Ghuairneáin. Is é seo an chéad réaltra ar nós bíse nó caisirnín a chonacthas riamh. An Tríú hIarla Rosse a d'aimsigh é leis an teileascóp a thóg sé ag Caisleán Biorra, Contae Uíbh Fhailí sa bhliain 1845. Bhí sé ar an teileascóp ba mhó ar domhan ar feadh seachtó bliain

istoíche. Laistigh de cheithre mhíle milliún bliain ó shin tháinig cruth liathróide ar an domhan (bhí cuma ceirnín nó diosca air ar dtús). Tháinig an chéad °dúil bheo ar an saol 3,500 milliún de bhlianta ó shin.

Baineann an ghrian agus an domhan le réaltra[75] Bhealach na Bó Finne. Tá 100,000 milliún réalta sa réaltra seo amháin. Ní féidir leis an té is géire radharc ach trí mhíle de na réaltaí sin a fheiceáil lena shúile cinn. Le cois an réaltra seo tá breis agus milliún réaltra eile aimsithe go dtí seo, agus isteach is amach leis an líon chéanna réaltaí i ngach ceann acu. Ach iarsma[76] beag (10 faoin gcéad de ábhar iomlán na cruinne) is ea iad. An 90 faoin gcéad eile, réaltaí seanda marbha atá iontu nó ábhar nach bhfuil aimsithe againn go fóill. Na réaltaí is féidir a fheiceáil leis na teileascóip is láidre, agus ár ngrian féin san áireamh, níl iontu ach an dé deiridh de thinte beo na cruinne. Múchfar a spréacharnach, dá ghile í anois, lá éigin.

---

réaltra: líon mór réaltaí a ghabhann lena chéile/ galaxy
Bealach na Bó Finne: an réaltra lena mbainimidne/ the (Milky Way) Galaxy
spréacharnach: glinniúint, glioscarnach/ sparkling

Tá go leor rudaí iontacha ag baint le scéal seo na cruinne. Ceann acu an chaoi ar tháinig ann don chruinne faoi mar is eol dúinn í. Tharla sin de thoradh dhá fhórsa bheith ag oibriú ar a chéile, fórsa na cumhachta a bhí san Ollphléasc féin, agus cumhacht an fhórsa °imtharraingthe.

Dá mba rud é go raibh an phléasc beagáinín níos laige, níorbh fhada nó go dtitfeadh ábhar na cruinne isteach ann féin arís, agus ní chumfaí réaltaí nó °reanna. Dá mbeadh an phléasc beagáinín níos láidre, ní bheadh aon deis ach oiread le réaltaí a dhéanamh as bruscar na pléisce: scaipfí é go róthapa. Bhraith an toradh ar chóimheá fíneálta idir an dá fhórsa. Dá mbeadh difríocht de phointe amháin as 10^{60} i gcumhacht na pléisce, níorbh ann don chruinne faoi mar atá sí againn. Anois, dá mbeadh ort °sprioc aon orlaigh[77] ar leithead a aimsiú le piléar[78], agus an sprioc sin suite ar imeall na cruinne inbhreathnaithe i dtreo amháin, agus tú suite ag pointe díreach os a chomhair amach ar an imeall sa treo eile – is é sin, suas le fiche milliún de sholasbhlianta i gcéin ón sprioc – theastódh cruinneas uait laistigh de aon pháirt as 10^{60} chun an sprioc a aimsiú.

cumannachas
beart nó cnuasach °idéithe a shamhlaigh críoch le húinéireacht phríobháideach; teacht ré úinéireachta comhchoitinne; bunú °sochaí neamhaicmí, gan uasal gan íseal inti, gan tuath gan tiarna

Is sampla é an focal seo den chaoi ar féidir le teanga feidhm a bhaint as focal dúchasach chun coincheap nua a chur in iúl. Focal atá sa Ghaeilge leis na cianta is ea 'cumann'. Ciallaíonn sé 'grá', 'dream daoine atá aontaithe i bpáirt le chéile', 'club'. Cuireadh an foirceann '-achas' leis an fhocal seo chun tagairt do theoiric agus do theagasc Karl Marx[79] (1818-83).

Bhí 'cumannaigh' eile ann roimh Mharx, daoine mar na Críostaithe tosaigh a mbíodh gach rud i bpáirt acu. Ach téarma polaitíochta de chuid ár linne féin is

cóimheá: cothromaíocht/ balance
fíneálta: mín, caol/ fine, delicate
piléar: urchar/ bullet
foirceann: an pointe nó an chuid is faide ón lár de rud fisiceach ar bith/ end, extremity

Marx

ea an cumannachas. Bhain Marx agus Engels[80] (1820-95) úsáid as an fhocal nuair a d'fhoilsigh siad an Forógra Cumannach in 1848. Shamhlaigh siad an cumannachas mar ghluaiseacht lucht oibre, agus an sóisialachas mar ghluaiseacht mheánaicmeach. Tar éis Réabhlóid na Rúise i 1917 ghlac na Boilséivigh (Páirtí Daonlathach Sóisialta Lucht Oibre na Rúise) leis an teideal 'Páirtí Cumannach na Rúise' mar ainm nua orthu féin.

Ansin ceanglaíodh an téarma, 'cumannach', leis an sóisialachas réabhlóideach i gcodarsnacht leis an sóisialachas daonlathach. Tá an méid seo i bpáirt ag an dá theoiric, áfach, go gcuireann siad béim ar an ghrúpa seachas ar an duine. D'fhéadfaí 'forshóisialachas'[5] a thabhairt ar an chumannachas.

Fáidh[81] mór an chumannachais ba ea Marx, deoraí Giúdach Gearmánach a chaith ocht mbliana déag ag obair leis ar a mhórshaothar *Das Kapital* (1867) i Músaem na Breataine i Londain. Dhein seisean an cumannachas a °idirdhealú ón sóisialachas. Ní raibh sa sóisialachas, dar leis, ach an chéim dheiridh i ndul chun cinn an chine dhaonna sula mbainfidís foirfeacht an chumannachais amach. Marxachas a thugtar ar an chóras °smaointeoireachta seo. Chonacthas do Mharx go sroichfí staid ina mbeadh an mhaoin uile i lámha an stáit, agus go roinnfeadh an stát an mhaoin sin go cóir agus go cothrom ar an phobal. Bhainfí saoirse iomlán amach don chine dhaonna agus d'imeodh an stát as, agus smacht an stáit ar dhaoine.

D'fhéadfaí a rá gur cineál útóipe[82] a bhí á chumadh ag Marx. Ar ndóigh, bhí neart smaointeoirí eile ar an saol a chum útóipí dá gcuid féin. Ach ghnóthaigh Marx gradam faoi leith. An aisling a chum sé faoin °tsochaí idéalach a bhainfí amach, bhunaigh sé í ar °anailís ghrinn ghéar ar chúrsaí °geilleagracha, ar chúrsaí sóisialta agus ar chúrsaí polaitíochta i

---

i gcodarsnacht le: i gcontrárthacht le/ in contrast to
fáidh: duine tairngreachta nó fáistine/ prophet, seer
foirfeacht: staid iomlán gan locht/ perfection
grinn: beacht, cruinn/ perceptive, penetrating

domhan
Ba é Dumnorix (mar a thug na Rómhánaigh air) an ceannaire mór ar Cheiltigh na Gaille (an Fhrainc mar atá uirthi anois) a sheas go tréan in aghaidh Iúil Caesar. 'Rí an Domhain' (Domhan-rí) is ciall don ainm sin, nó don teideal. Focal eile sa Ghaeilge ar 'domhan' is ea 'bith' (rud ar bith; sin 'rud ar domhan'). Tá gaol idir 'bith' agus 'bheith' agus acu beirt le *bhu*, fréamh Ind-Eorpach den bhriathar chéanna; agus le *be* an Bhéarla

dteannta a chéile. Ach glacadh lena phrionsabail bhunaidh, ní raibh aon dul as ach glacadh leis an chumannachas mar cheann scríbe °dosheachanta[83] na staire. Ar an ábhar seo shéan Marx go raibh útóipeachas ag baint lena chóras: mhaígh sé gurbh é an t-aon chóras dá leithéid a bhí 'eolaíoch'.

Chuaigh smaointe Mharx i gcion ar chroí agus ar mheon an oiread sin daoine lenár linn féin gur tharla trian de mhuintir an domhain faoi riail an chumannachais um lár na haoise seo. Lena chois sin, bhí daoine ciniciúla in ann gléas na réabhlóide cumannaí a úsáid mar sheift ar mhaithe leo féin chun cumhacht a ghabháil agus a choimeád.

Ceann de na tréithe ba tharraingtí a bhain leis an Mharxachas ná an chaoi arbh fhéidir leis míniú iomlán a thabhairt ar gach gné de iompar na sochaí daonna, trí anailisiú a dhéanamh ar conas a théann fórsaí geilleagracha i bhfeidhm ar chúrsaí sóisialta, reiligiúin, dlí, polaitiúla, cultúrtha, béascna. Athrú sóisialta ar bith, bheadh athruithe eile mar thoradh air, athruithe a rachadh i gcion ar chomhfhios daoine agus ar chúrsaí geilleagair mar aon. Chonaic Marx go raibh °caipitleachas a linne féin tar éis mórathruithe a chur i gcrích i modhanna °táirgthe agus i malartú earraí agus seirbhísí. De bharr obair na monarchana bhí an saol á roinnt ina dhá aicme. Ar thaobh amháin bhí an °phrólatáireacht, an chosmhuintir a bhí faoi sháil na bochtaineachta, agus ar an taobh eile bhí an °bhuirgéiseacht, a bhí ina suí go te, agus ar leo na modhanna táirgthe. Ach de bharr °iomaíocht ghéar

---

ceann scríbe: deireadh aistir/ destination, journey's end
ciniciúil: le beagmheas ar uaisleacht iompair/ cynical
tarraingteach: meallacach, mealltach/ enticing, attractive
béascna: iomlán na ndearcadh, na bhfiúntas agus an eolais a fhaigheann pobal óna sinsir, a théann i bhfeidhm ar a n-iompar mar phobal, agus a gcuireann siad féin leis lena linn féin, mar oidhreacht dá gclann/ culture
dul i gcion: tionchar a imirt/ to influence, have an effect on
comhfhios: meabhraíocht/ consciousness
cosmhuintir: na bochtáin, an aicme is ísle/ proletariat
ina suí go te: go maith as/ well-off, 'sitting pretty'

shaormhargadh an chaipitleachais, d'fhéachfadh na fiontraithe (lucht gnó) le dúshaothar a tharraingt as na hoibrithe, chun go dtiocfaidís féin slán as an choimhlint tráchtála. Nó d'fhéachfaidís le hinnealra a úsáid in ionad oibrithe, rud a d'ísleodh teacht isteach na n-oibrithe, mar go mbeadh níos mó oibrithe ann ná jabanna dóibh.

Agus madraí an chaipitleachais ag alpadh a gcuid ar a chéile mar seo i lár an mhargaidh, tharlódh dhá rud. Sa chéad áit, rachadh líon na bhfiontraithe i laghad toisc iad bheith ag gearradh a scornaí ar a chéile. Sa dara háit, de bharr °meathluithe iomadúla agus trioblóidí tráchtála, bheadh ar an phrólatáireacht éirí amach, agus seilbh a ghlacadh ar mhaoin na buirgéiseachta a d'imir an díshealbhú orthu.

Ach faoin am seo, de bharr bheith ag obair i dteannta a chéile sna monarchana, bheadh an sóisialachas tar éis dul i bhfeidhm ar an phrólatáireacht. (Mhol Marx féin grúpaí staidéir i measc oibrithe i dtreo is go dtuigfidís cad a bhí ag titim amach.) Thiocfaidís ar an tuiscint gur ar scáth a chéile a mhaireann na daoine. Mar sin, nuair a ghlacfaidís seilbh ar na modhanna táirgthe, chuirfidís earraí ar fáil ar mhaithe leis an phobal i gcoitinne agus ní ar mhaithe leis an duine aonair. Shocróidís °dáileadh cothrom earraí trí chóras an stáit. Nuair a d'fheicfeadh daoine na buntáistí a thiocfadh as sin, luífeadh cách isteach lena chéile ar mhaithe le leas an phobail i gcoitinne. Ní bheadh gá a thuilleadh le dlíthe nó le córais chun daoine a rialú. Thiocfadh feo ar an stát, mar ní bheadh gá lena leithéid feasta.

Le ciall cheannaigh agus le hiarghaois is féidir a

fiontraí: duine atá sásta dul i bhfiontar (sa seans) i gcúrsaí gnó nó déantúsaíochta i ndúil go ngnóthóidh sé brabach dá bharr, brabúsaí/ entrepreneur
dúshaothar: róshaothar/ exploitation
díshealbhú: duine a chur as a chuid/ to dispossess
ciall cheannaigh: an chiall a fhoghlaimítear as taithí/ wisdom born of experience
iarghaois: 'tar éis a thuigtear gach beart'/ hindsight

mhaíomh anois go bhfuil cuma saonta go leor ar na hargóintí a d'úsáid Marx. Ach ní bheadh sin ina bhreith chothrom ar a éirimiúlacht. Níl aon amhras ach go raibh ardéirim intleachta aige. D'fhág sé lorg doshéanta ar an tuiscint atá ag daoine don stair, don gheilleagar agus do chúrsaí sochaí óna lá féin i leith.

Giúdach
tagann an focal, trí *Judaicus* na Laidine, ó Iúda, mac le hIosrael

Ach dá mhéad a chumas, níor shaoi gan locht é. Bhí sé faoi anáil a dhúchais agus a aoise féin. Mar Ghiúdach is cosúil go raibh tionchar ag an mheisiasacht air. An Mheisiasacht, sin an dúil i measc Giúdach go raibh an Meisias (an Fuascailteoir a bhí ceaptha ag Dia) le teacht lena bhfuascailt ó ainnise an tsaoil agus le ré órga síochána a bhunú. Tá sé ráite gur leagan saolta den mheisiasacht an Marxachas. Mar dhalta dá aois féin, is léir freisin go raibh Marx faoi dhraíocht ag an °eolaíocht mar ghléas úrnua, faoi mar a bhí a lán dá lucht comhaimsire. Cheap mórán daoine nár ghá ach dóthain ama chuige agus réiteofaí gach mórfhadhb dhaonna le cabhair na heolaíochta. An eochair chun an doras sin a oscailt ná anailís eolaíoch.

Lenin

Dhein Vladimir Ilyich Lenin (1870-1924) roinnt coigeartuithe ar theagasc Mharx. An Marxachas-Lenineachas a thugtar ar an leagan leasaithe seo. Mhaígh Lenin gurbh é an t-impiriúlachas an ghné ab fhoirfe den chaipitleachas. Deineadh athruithe eile ar theoiricí Mharx de bharr réabhlóidí cumannacha i dtíortha eile mar an tSín agus Cúba. Idir an dá linn, tharla athruithe sóisialta nach bhféadfaí a shamhlú aimsir Mharx, leathnú an oideachais, mar shampla, agus cumas an chaipitleachais chun é féin a oiriúnú do chúrsaí difriúla le himeacht aimsire.

---

saonta: boigéiseach, simplí/ naïve, gullible
éirimiúlacht: meabhair cinn, cumas intleachta/ mental ability
ainnise: drochstaid/ miserable condition
dalta: mac léinn, céimí scoile/ pupil, alumnus
coigeartú: athrú ceartucháin/ adjustment
oiriúnú: athchóiriú/ to adapt

---

cumann lucht tráchtála
°comhlachas nó eagras de lucht tráchtála agus de lucht gnó, den chuid is mó, i mbaile nó i gceantar áirithe, chun a ngnóthaí agus a leas a chur chun cinn, a °riar, agus a chosaint

Tá ocht gcumann daichead den chineál seo sa tír, gan na cinn i dTuaisceart Éireann a áireamh. Féachann siad le tráchtáil na tíre a °fhorbairt trí cuidiú le tráchtáil le tíortha eile a chur ar aghaidh, trí °infheistíocht in Éirinn a chothú, agus trí fheidhmiú thar ceann a mball le ranna rialtais, le comhlachtaí °státurraithe, agus le cumainn dá gcineál féin thar lear.

Is beag áit ar domhan nach bhfuil cumainn dá leithéid ann anois. Sa Fhrainc is túisce a bunaíodh a leithéidí. Bhí caidreamh láidir tráchtála idir an tír sin agus Éire san ochtú haois déag. Ní hionadh, mar sin, gur cuireadh an chéad chumann do lucht tráchtála, in Éirinn nó sa Bhreatain, ar bun i mBaile Átha Cliath sa bhliain 1783. Thosaigh an scéal i bhfad roimhe sin, áfach, sa bhliain 1695, nuair a sheol an long trí chrann, *The Ouzel*, faoi stiúir an Chaptaein Eoghan Measaigh, Déiseach[84], ó Rinn Mhuirfean (nó Rinn Abhann) ag béal na Life go dtí Smyrna sa Leiveaint ar fhiontar trádála. Níor chualathas tásc ná tuairisc uirthi as sin amach. Tar éis trí bliana glacadh leis gur cailleadh an long. Lorg na ceannaithe ar leo í airgead an °árachais i °gcúiteamh a caillte. Íocadh an t-airgead. Ach ansin, lá fómhair sa bhliain 1700, gan choinne, nocht an long mar scáil arís i gcalafort Rinn Abhann, í i ndroch-chaoi, ach saibhreas go gunail inti agus scéal le hinsint.

Ar a bealach soir tríd an Mheánmhuir d'ionsaigh foghlaithe mara Ailgéaracha an long, ghabh í agus chuir a foireann agus a captaen i gcarcair[85]. D'úsáid na foghlaithe an long le haghaidh ruathar ar longa trádála eile, fad a choinnigh siad na hÉireannaigh ina

cumann lucht tráchtála: chamber of commerce
ouzel: lon dubh/ blackbird
Déiseach: duine as Co Phort Láirge/ native of Co Waterford
fiontar: gníomh nó plean a bhféadfadh sochar nó dochar teacht as/ enterprise
scáil: samhail, taibhse/ ghost, spectre
gunail: uachtar sleasa loinge/ gunwhale
foghlaí mara: píoráid/ pirate
carcair: príosún/ prison

The Ouzel sa phictiúr le Cumann Lucht Tráchtála Bhaile Átha Cliath

bpríosúnaigh. Ach faoi dheireadh thiar d'éirigh le Measaigh agus an chuid a bhí fágtha dá fhoireann éalú °faoi choim na hoíche, an long a athghabháil, agus aghaidh a thabhairt ar Éirinn arís, leis an chreach luachmhar a bhí ar bord nuair a fuair siad greim ar an long arís.

Bhí fadhb le réiteach ansin. Cér leis an chreach? Níor le húinéirí na loinge í, mar aisíocadh iad as a gcaillteanas leis an airgead árachais. Níor leis na hárachóirí í ach oiread, óir níor bhain an t-árachas ach leis an long agus leis an lasta a bhí ar bord agus í ag imeacht ó Éirinn. Rud eile ar fad ba ea an chreach. Bhí ina spairn[86] dlí ar feadh na mblianta, go dtí gur cinneadh an cás a chur faoi bhráid cúirt eadrána sa

creach: éadáil/ booty
fadhb: deacracht/ problem
árachóir: duine a chuireann árachas ar fáil/ insurer
lasta: lucht/ cargo
eadráin: idirghabháil/ arbitration

bhliain 1705. An bhreith a thug an chúirt ar an argóint ná go n-úsáidfí an chreach mar chiste chun cabhrú le ceannaithe agus lucht tráchtála na cathrach a bhí i mbochtaineacht. Bhí an réiteach sin chun sástachta cách. Agus bhunaigh lucht gnó na cathrach an *Ouzel Galley Society* chun bheith ina chumann bhuan le hargóintí tráchtála a fhuascailt, le cabhair carthanachta a riar, agus le caidreamh a chothú idir lucht tráchtála Bhaile Átha Cliath. Amach ansin, le spreagadh agus le cabhair an Chumainn *Ouzel*, bunaíodh Cumann Lucht Tráchtála Bhaile Átha Cliath go foirmiúil sa bhliain 1783. D'imigh an cumann bunaidh as le himeacht aimsire, i lár an naoú céad déag. Ach is breá an rud le rá é gur athbhunaíodh é sa bhliain 1988.

Baile Átha Cliath
áth trasna na Life a bhí i gceist anseo, tuairim leath mhíle slí ón dubhlinn, an calafort beag a bhíodh mar a bhfuil Sráid an Dáma inniu. Thagadh na chéad trádálaithe i dtír anseo (mar a dhein na Lochlannaigh níos déanaí) agus is dócha gur uathu a fuair Tolaime, an geografaí Éigipteach sa dara chéad AD, a chuid eolais ar Éirinn. 'Eblana' átá aige ar an chathair chois Life (truailliú ar 'Dublinn' b'fhéidir). 'Edros' a thugann sé ar áit a bhí ar an taobh ó thuaidh; sin Binn Éadair is dócha

bunaidh: tosaigh, ó thús/ original

D

Dáil Éireann
teach na n-ionadaithe in Oireachtas na hÉireann

Nuair a bhíothas ag lorg ainm a d'oirfeadh mar theideal ar an chomhthionól parlaiminte a tháinig le chéile i dTeach an Ard-Mhéara i mBaile Átha Cliath go luath i 1919 chun rialtas náisiúnta a bhunú, ní raibh easpa téarmaíochta ag cur as do na teachtaí dála. Glacadh le 'Dáil Éireann'. Maidir le téarmaí dúchasacha riaracháin, dlí agus fealsúnachta, tá neart díobh ar fáil ón tseanaois. Is túisce a bhíonn ar an Ghaeilge dul i muinín na hiasachta[87] chun gréithe nua cistineach a ainmniú ná chun téarmaí rialtais agus dlí a aimsiú. Níl tábhacht le hiasachtaí focal ó thaobh cumais teanga de: níl aon chóipcheart ar fhocail, agus goideann gach teanga ó stór na gcomharsan.

Glactar leis anois nach bhfuil aon teanga den chúig mhíle nó mar sin atá in úsáid ar domhan 'níos fearr' ná a chéile mar mheán labhartha agus mar ghléas caidrimh. Ach tá tábhacht le stór focal agus le hiasachtaí teanga mar fhianaise ar shlí bheatha daoine i dtréimhsí áirithe agus mar gheall ar an léargas a thugann siad dúinn ar a n-eagar sóisialta fadó. Is léir ón stór de théarmaí dúchasacha sa Ghaeilge go raibh córas sóisialta sofaisticiúil ag lucht labhartha na teanga sin na cianta ó shin. Fianaise eile air sin ná go bhfuil na téarmaí a bhíodh acu ar eolas againn fós inniu. Ní bheidís againn ar chor ar bith, murach gurbh fhiú do dhaoine, agus gurbh fhéidir leo, iad a bhreacadh síos i gcáipéisí, agus gur °caomhnaíodh iad ar feadh na n-aoiseanna. Léiriú ar mheon sofaisticiúil agus ar chumas liteartha atá sa mhéid sin.

Teach Laighean i Sráid Chill Dara. Nuair a tógadh Teach Laighean bhí sé ar fhíorimeall na cathrach. Dearadh an foirgneamh dá bharr le dhá éadan agus gan cúl ar bith. Tá éadan tí cathrach ar an fhoirgneamh taobh Shráid Chill Dara, agus éadan tí tuaithe air taobh Chearnóg Mhuirfean

comhthionól: teacht le chéile go foirmiúil/ assembly
is túisce: is luaithe/ earlier, sooner
i muinín na hiasachta: ar iontaoibh na hiasachta/ having recourse to borrowing
gréithe: potaí agus eile/ utensils
léargas: léiriúchán/ insight
sofaisticiúil: le tréithe míne cultúrtha/ sophisticated
cáipéis: doiciméad/ document

An Chéad Dáil

Is í Dáil Éireann an teach is tábhachtaí den dá theach i dTithe an Oireachtais. Tá 166 Theachta Dála ann faoi láthair, an méid is mó is ceadmhach de réir dlí. Leagtar síos sa bhunreacht go mbeidh teachta amháin ar a laghad in aghaidh gach tríocha míle duine de dhaonra na tíre, agus nach mbeidh níos mó ná teachta amháin in aghaidh gach fiche míle. Tá 41 dáilcheantar sa tír i láthair na huaire. Tá cuid acu níos mó ná a chéile ó thaobh daonra de. Fágann sin go bhfuil trí dháilcheantar déag ann a bhfuil triúr Teachta Dála an ceann acu; an méid céanna dáilcheantar le ceathrar an ceann; agus cúig cinn déag le cúigear.

Is féidir beagnach gach saoránach atá bliain is fiche d'aois a thoghadh ina Theachta Dála nó ina bhall de Sheanad Éireann. Is iad na daoine nach féidir a thoghadh ná (1) Uachtarán na hÉireann, (2) an tArd-Reachtaire Cuntas agus °Ciste, (3) na breithiúna, (3) ball den Arm nó den Gharda Síochána atá ar lánphá, (4) státseirbhísigh, (5) ball de bhord °comhlachta státurraithe.

Tá cead vótála i dtoghchán Dála (olltoghchán nó fothoghchán) ag gach saoránach a bhfuil ocht mbliana déag slánaithe aige nó aici, fad agus nach bhfuil sé nó

Ard-Reachtaire Cuntas agus Ciste: oifigeach atá freagrach as sainfheidhmeanna reachtúla, go háirithe maidir le hairgead an státchiste/ Comptroller and Auditor General

sí dícháilithe de réir dlí. Chun vótála ní mór do dhuine a bheith cláraithe ar rolla na vótálaithe i ndáilcheantar éigin. Déanann na húdaráis áitiúla na rollaí a athnuachan gach bliain i Mí Mheán Fómhair, agus foilsíonn siad na rollaí le cibé leasuithe is gá iontu. Má fhágtar duine as de thaisme éigin, tig leis °achomharc a dhéanamh laistigh de thréimhse áirithe chun go gcuirfear é ar an rolla. Tá na cearta céanna vótála anseo ag saoránaigh Bhriotanacha a bhfuil cónaí orthu in Éirinn, faoi mar atá ag saoránaigh Éireannacha thall sa Bhreatain. Is féidir réiteach mar an gcéanna a dhéanamh i dtaobh saoránach aon tíre eile sa Chomhphobal Eorpach, ach níl a leithéid curtha i bhfeidhm go fóill. Thoiligh na vótálaithe, i reifreann sa bhliain 1984, don bhunreacht a leasú chun na socruithe seo a cheadú.

Ar ndóigh, is vótáil faoi rún a dhéantar i dtoghchán agus i reifreann. Tá an córas vótála, an ionadaíocht chionmhar, leagtha síos sa bhunreacht. Féachadh cúpla uair leis an chóras seo a athrú (trí reifreann, mar is gá), ach dhiúltaigh na toghthóirí do na hiarrachtaí sin.

De réir dlí is téarma cúig bliana ar a mhéad a bhíonn ag gach Dáil (is lú sin ná an teorainn ama is incheadaithe faoin bhunreacht – seacht mbliana). Ní mhaireann an Dáil, áfach, ach faoi bhun trí bliana ar a mheán.

Tagann an Dáil le chéile timpeall 100 lá in aghaidh na bliana. Faoi réir an bhunreachta is ag an Oireachtas amháin atá cearta déanta dlíthe don stát. Ach anois, faoin Acht um an Tríú Leasú ar an mBunreacht, 1972, tá feidhm chun dlíthe a dhéanamh tugtha don Chomhphobal Eorpach maidir leis na nithe sin a chlúdaítear sna conarthaí a bhunaigh an CE.

Is féidir polasaithe an rialtais agus gníomhartha riaracháin a scrúdú agus beachtú a dhéanamh orthu sa Dáil agus sa Seanad mar aon. Tá an rialtas

de thaisme: de thimpist/ accidentally
ar a mheán: den ghnáthmhéid/ on average
beachtú ar: léirmheas criticiúil a dhéanamh/ to criticise

freagrach don Dáil (ní don Seanad), faoin bhunreacht. Tá ceannasaíocht ag an Dáil sa °phróiseas reachtaíochta. Tig leis an Dáil aon leasuithe a dhéanann an Seanad ar bhillí a chur ar ceal. I dtaca le billí airgid, is féidir leis an Seanad moltaí (seachas leasuithe) a dhéanamh, ach caithfear iad a dhéanamh laistigh de aon lá is fiche. Arís, is féidir leis an Dáil diúltú dóibh.

Tugtar an 'Ceann Comhairle'[88] ar chathaoirleach na Dála. Is iad na Teachtaí Dála a thoghann é nó í, as measc a mball féin. Téann an Ceann Comhairle i gceannas ar imeachtaí na Dála, ach ní ghlacann sé nó sí aon pháirt sna díospóireachtaí Dála. Ní chaitheann an Ceann Comhairle vóta sa Dáil, ach amháin nuair a bhíonn vótaí na dTeachtaí meá ar mheá. Sa chás sin, caitheann an Ceann Comhairle vóta, agus de réir gnáis tacaíonn sé nó sí leis an °stádas reatha.

Nuair a °scoirtear Dáil, athcheaptar an Ceann Comhairle ina Theachta Dála gan °iomaíocht sa toghchán – ach amháin go bhfuil ar intinn aige nó aici éirí as an Dáil. Tugann an réiteach seo neamhspleáchas don Cheann Comhairle mar chathaoirleach cothrom ar imeachtaí na Dála.

daonlathas
'rialú an phobail, trí mheán an phobail, ar son an phobail', mar a dúirt Abraham Lincoln

Sa tír seo is ón daonlathas a fhaigheann an rialtas a údarás chun an stát a rialú. Nuair a thugann an rialtas – an Taoiseach agus a chomh-airí – treoir chun rud a chur i gcrích, comhlíontar na treoracha mar go bhfuil ceart dlisteanach[48] acu é sin a dhéanamh. Cá bhfaigheann siad an ceart seo? Tagann sé ón phobal. Sa chéad áit, is é an pobal a thoghann iad mar Theachtaí Dála de réir an °chórais atá leagtha síos sa bhunreacht. Is iad na Teachtaí Dála a thoghann an

ceannasaíocht: ceannas/ primacy, command
meá ar mheá: cothrom lena chéile/ in equilibrium, equal to each other
neamhspleáchas: saoirse/ independence, freedom
dlisteanach: dleathach, ceart de réir dlí/ legitimate

Taoiseach, de réir an bhunreachta, chun dul i mbun rialtais. Ansin roghnaíonn seisean a chuid comh-airí agus cuireann a n-ainmneacha i láthair na Dála chun go nglacfar leo. Tógtar gach céim den obair seo de réir córais bhunreachtúil. Fad agus a fheidhmíonn an rialtas de réir an bhunreachta tá údarás dleathach acu.

Dónall Ó Conaill ag labhairt le holl-chruinniú. Bhí an Fuascailteoir ar na daoine a bhunaigh daonlathas leathan comhchoiteann an lae inniu

Tagann an focal 'daonlathas' ó °'daon' (duine) agus ó 'flaitheas' (an chumhacht a bhíodh ag flaith, is é sin, ag tiarna tíre nó ag prionsa). Is ar an dul chéanna a cumadh an focal *democracy* sa Bhéarla: tagann sé ó dhá fhocal Gréigise, *demos* 'pobal' agus *kratein* 'rialú'.

Ba bheag rialtas daonlathach a bhíodh ann fadó. D'fhaigheadh rialtóir tíre a chuid cumhachta ar bhonn na °nósmhaireachta a bhíodh ann 'i gcónaí', nó as láidreacht a láimhe féin, nó as an saibhreas a bhí aige chun cumhacht a 'cheannach'; nó b'fhéidir go mbeadh rialtas ann agus é bunaithe ar dhlíthe reiligiúnacha. Is iad na cineálacha rialtais ba choitianta ná (a) rílathas (a bheadh bunaithe ar rítheaghlach), (b) uathlathas (agus an chumhacht iomlán ag duine amháin,

uathlathas: córas polaitiúil faoina rialaíonn duine aonair ar a shon féin/ autocracy tíoránach, e.g. Cromail, Hitler, Sabhdán na Tuirce, Stalin); (c) olagarcacht (an chumhacht ag scata beag oidhreachtúil, e.g. an Veinéis faoi na dóig); (d) dialathas (córas a thugann an chumhacht pholaitiúil do chóras reiligiúin áirithe, e.g. an Éigipt aimsir na bhFárónna, an Ghinéiv faoi Chailvín, cuid de stáit Ioslaim). Ar feadh an chuid is mó den stair eisceacht ba ea an córas daonlathach. Bhí sé le fáil in Aithin na sean-Ghréige, ach fiú ansin bhí an cead vótála go han-teoranta.

Tharla athrú le linn na saolta deireanacha, le °Réabhlóid Mheiriceá agus le Réabhlóid na Fraince. Chuir na réabhlóidí seo rogha breise ar fáil dúinn i dtaca le °foinse na cumhachta poiblí – an pobal féin. Maidir le Réabhlóid na Fraince, bhain an eachtra sin den reiligiún mar fhoinse údaráis rialtais. B'in deireadh le 'cearta diaga ríthe', nóisean[89] a bhí an-choitianta san Eoraip agus i Sasana go dtí sin. Ní raibh an teoiric sin riamh ag na Gaeil. In Éirinn, ba chóir – de réir dlí – an rí a thoghadh, ní raibh de cheart aige an Féineachas (Dlíthe na mBreithiúna) a shárú, agus d'fhéadfaí é a chur as oifig. Níorbh ionadh é go raibh an oiread sin luí ag muintir na hÉireann le teagasc Réabhlóid na Fraince aimsir na nÉireannach Aontaithe: °luigh sé lena ndúchas.

Eoraip
ainm a thagann ón Ghréigis, a chiallaíonn, b'fhéidir, 'aghaidh-leathan' (*eur-opē*). Thugtaí sin ar an gealach lán, agus uaidh sin ar Dheimitir, bandia na gealaí. Nó b'fhéidir gur 'oireann do shaileacha' (*eu-ropē*) is ciall leis, is é sin, le °raidhse uisce (saileach: crann a fhásann cois uisce/ willow)

Ní téarma beacht é 'an daonlathas'[90], áfach, mar is iomaí ciall is féidir a bhaint as. Sa tsean-Ghréig thagadh an pobal le chéile ar aon láthair agus vótálaidís ar cheisteanna poiblí. San Eilvéis, inniu féin, bíonn deis ag an phobal guth a chaitheamh go rialta ar ábhar reachtaíochta sula gcuirtear ina dhlí é. An *daonlathas díreach* a thugtar ar chórais mar seo. Is fearr a oireann siad do phobail bheaga. Ach tá stáit an lae inniu rómhór agus róchoimpléascach[91] de ghnáth. Nó

---

sabhdán: rialtóir na sean-Tuirce/ sultan
olagarcacht: rialtas ina lámha féin ag dream beag/ oligarchy
dóg: rialtóir phoblacht na Veinéise/ doge
dialathas: rialtas i lámha lucht reiligiúin/ theocracy
Fáró: duine de dhia-ríthe na sean-Éigipte/ Pharaoh
coimpléascach: casta/ complex

sin a deirtear. Ar ndóigh d'eascódh ríomhairí an deis chun dul i gcomhairle leis an phobal go rialta, ach sin scéal eile.

Ós deacair le daoine gnóthaí poiblí a phlé go díreach mar a dhéanadh na Gréagaigh, toghann siad teachtaí chun feidhmiú thar a gceann. Seo an *daonlathas indíreach*, an sórt is coitianta inniu agus an sórt atá againn in Éirinn.

An tsaoirse agus an cothrom, aithnítear iad mar bhuanna bunúsacha de chuid an daonlathais. Ach caithfear iad a chosaint i gcónaí. Is iomaí éagóir a deineadh ar chearta °mionlaigh de thoradh bladhmainn sráide agus dlí an tslua. Mar gheall ar an dainséar seo is nós coitianta é ag stáit dhaonlathacha anois cearta daonna bunúsacha a gheallúint do chách sa bhunreacht. *Daonlathais bhunreachtúla* a thugtar ar a leithéid. Ar ndóigh, fiú sa chás sin, is minic a bhíonn gá le brú poiblí chun go gcomhlíonfaidh an rialtas a ndualgais: ní bhíonn saoi gan locht, ná rialtas.

Creideann go leor daoine, na sóisialaithe mar shampla, gur ar leibhéal ioncaim agus ar leibhéal oideachais an duine a bhraitheann an tsaoirse agus an cothrom is féidir leis a ghnóthú dó féin. Dar leo, ba chóir don daonlathas féachaint le °sochaí a bhaint amach mar a mbeadh ionannas réasúnta ag cách, ó thaobh ioncaim agus °stádais shóisialta de. Stáit a bhfuil dlíthe acu chun saoirse pholaitiúil, saoirse eacnamaíoch agus saoirse shóisialta a chur ar fáil, tugtar *daonlathais shóisialta* orthu. Féachann na stáit seo, a bheag nó a mhór, le leas an phobail i gcoitinne a chur chun cinn trí chórais agus trí scéimeanna leasa shóisialta.

scéim
beart nó plean oibre, ó *skhēma* na Gréigise, focal a chiallaíonn 'cruth', 'cuma'. Ach 'scéiméir', sin rud eile ar fad: 'cleasaí' nó °'caimiléir' is ciall leis siúd

Mhaíodh na cumannaithe gur ar lorg an 'fhíordhaonlathais' a bhí siad féin. Ach dar le lucht a gcáinte, ba ionann 'deachtóireacht na °prólatáireachta' agus deachtóireacht cheannairí an Pháirtí

éascú: rud a dhéanamh éasca/ to facilitate
ríomhaire: gléas leictreonach ríomhaireachta/ computer
bladhmann: caint chorraitheach lasta/ ranting rhetoric
ionannas: céannacht, féiniúlacht/ equality, identity

Chumannaigh. Ní fhéadfadh an daonlathas fás ina leithéid de stát mar bhain sé de na saoránaigh a gcearta chun gníomhaíochta daonlathaí. An laige is mó a bhain leis an chumannachas, b'fhéidir, ná gur chruinnigh sé an chumhacht go léir i lámha baicle amháin, baicle nach bhféadfaí a bhogadh as oifig; agus baicle freisin nach ngéillfeadh don fhírinne a nocht an Tiarna Acton (1834-1902), 'Tá claonadh sa chumhacht chun truaillithe, agus truailliú gan teorainn is ea cumhacht gan teorainn.'

Acton
staraí clúiteach a sheas ar son na heitice liobrálaí Críostaí (Caitliceach ba ea é), agus cara mór le Gladstone

Tír dhaonlathach ionadaíoch bhunreachtúil is ea Éire. Tá dlíthe aici chun cuid dá maoin a bhaint de lucht an tsaibhris le °riar a dhéanamh orthu siúd nach bhfuil go maith as. Tá daoine in Éirinn a thugann daonlathaigh shóisialta orthu féin. Agus tá tuilleadh a chreideann gur ceart go mbeadh oiread saoirse agus is féidir ag cách, laistigh de scóip an bhunreachta, ionas go dtig leo séan agus sonas a shaothrú dóibh féin trí obair a lámh agus trí éirim a n-intinne. Daoine mar siúd, is °leasc leo °ladar leathan rialtais i gcúrsaí sóisialta agus geilleagair. Ach airíonn na daoine seo go léir gur daonlathaigh iad.

scóip
cé gur 'réimse leathan' is ciall don fhocal seo, is 'cuspóir' nó 'aidhm' a chiallaigh sé mar *scopo* san Iodáilis, a fuair an focal ó *skopos* na Gréigise ('sprioc' nó 'targaid') ar dtús

Toisc go bhfuil an oiread sin bríonna leis an fhocal 'daonlathas', ardaítear an cheist go minic an bhfuil tíortha áirithe daonlathach nó a mhalairt. Ar ndóigh, is mian le gach rialtas, beagnach, a mhaíomh go bhfuil sé daonlathach. Ach le hais na rialtas a bhunaítear leis an lámh láidir, is féidir le rialtais eile, a toghadh go daonlathach le °móramh an phobail, dul i mbun na láimhe láidre freisin.

Is fearr go mór é mar sin an daonlathas a mheas mar cháilíocht a mbíonn a bheag nó a mhór de ar fáil i dtíortha éagsúla ó am go chéile. Má dhéanaimid sin, is fearr a thuigfimíd conas is féidir le daoine géilleadh don údarásúlacht in am cogaidh nó

baicle: dream beag teoranta/ clique
ionadaíoch: thar ceann duine no dreama eile/ representative
scóip: réim/ scope
údarásúlacht: an tsaoirse faoi chois ag lucht an údaráis/ authoritarianism

géarchéime geilleagraí. Is é sin, is túisce a ghéillfidh daoine do údarásúlacht rialtais nuair is gá sin chun teacht slán as contúirt mhór éigin.

A mhalairt de scéal é nuair a bhíonn caoi agus am chun machnaimh ag daoine, gan baol ná bagairt orthu. Ansin is gnáthaí comhphlé agus comhpháirteachas i gcúrsaí rialtais. Ach go bunúsach braitheann neart agus sláinte an daonlathais ar dhíograis an phobail chun saoirse agus cothrom a dhaingniú do chách.

Baol eile a bhagraíonn ar an daonlathas, is tréith é a bhaineann le nádúr an duine féin. Uaireanta ní maith le té na cumhachta laincisí a bheith air, nó go mbeadh air bheith freagrach as cuid de na rudaí a dhéanann sé. B'fhéidir go léireofaí, dá ndéanfaí scrúdú air, go raibh sé mí-éifeachtach, nó míchiallmhar, nó mí-ionraic. Is féidir lena leithéid seo de dhuine a mhaíomh go bhfuil sé ar son an daonlathais – sula dtoghtar é. Ach má thagann sé i gcumhacht, b'fhéidir go bhféachfaidh sé le cosc a chur ar an daonlathas, trí cúinsí géarchéime a chothú, trí bacainní a chur ar an fhírinne, agus trí bréageolas a chraobhscaoileadh. Tig leis freisin tacaíocht saindreamanna cumhachtacha a mhealladh trí pribhléidí a bhronnadh orthu.

Ó Corráin

Dá fheabhas lucht rialaithe, dá uaisle meon iad, is deacair dóibh °barrshamhail an daonlathais a bhaint amach. Caithfidh an pobal féin aird a thabhairt ar conas mar a rialaítear iad. Seán Philpot Ó Corráin[92] (1755-1817), a bhí ina pholaiteoir Éireannach agus ina dhlíodóir, a dúirt: *'The condition upon which God hath given liberty to man is eternal vigilance'*.

Nó lena rá ina theanga dhúchais féin, 'Ní saoirse go síorfhaire'.

géarchéim: aimsir phráinne/ emergency
laincis: ceangal, srian/ fetter, restraint
ionraic: macánta, onórach/ upright, honest
cúinsí: tosca/ conditions, circumstances
bacainn: constaic, deacracht/ obstacle, difficulty

daonlathas sóisialta °fealsúnacht i dtaobh an stáit, i dtaobh na sochaí agus i dtaobh an duine i dteannta a chéile; agus a mholann daonlathú °radacach chun cuspóir an tsóisialachais – is é sin, sochaí shaor shoilíosach – a bhaint amach

Theagasc Marx go gcuirfeadh na caipitlithe, le lámh láidir, i gcoinne iarrachtaí na prólatáireachta chun an sóisialachas a bhunú. Bheadh gá le réabhlóid, mar sin. Shéan an Páirtí Daonlathach Sóisialta, a bunaíodh sa Ghearmáin in 1875, an teagasc seo. Níor shóisialaithe réabhlóideacha iad, ach sóisialaithe daonlathacha. Theastaigh uathu clár leasuithe sóisialta a chur i bhfeidhm de réir a chéile, ar bhonn bunreachtúil. Theip ar shóisialachas 'eolaíoch' Mharx sa mhéid nár thuar sé, agus nach n-admhódh sé, an éabhlóid shóisialta gheilleagrach atá tar éis titim amach i saol an lae inniu. Mar gheall air sin bhain an daonlathas sóisialta tús áite amach maidir leis an sóisialachas a chur chun cinn sa Domhan Thiar.

Creideann na daonlathaithe sóisialta gur cóir go mbeadh páirt ag an duine oiread agus is féidir i réiteach na gceisteanna sin a bhaineann leis féin agus lena leas. Ba bhreá leo dá ndéanfadh °forais agus institiúidí a gcuid °cinntí agus a gcuid socruithe de réir an daonlathais. An daonlathas °rannpháirtíoch seo, téann sé i bhfad níos faide ná an daonlathas ionadaíoch, nach dtugann de chumhacht don phobal ach daoine a thoghadh chun rialtais, nó daoine eile a chur ina n-áit, ó am go chéile.

Leagann na daonlathaithe sóisialta béim ar nádúr sóisialta an duine, ar an phrionsabal gur ar scáth a chéile a mhaireann an pobal, agus ar an dualgas atá ar chách (ina n-aonaránaigh, ina ngrúpaí, agus ina bpobal mór) an deis a thabhairt do gach uile dhuine °forbairt phearsanta a bhaint amach dó féin. Cuireann na daonlathaithe sóisialta béim mhór ar chomh-dheiseanna oideachais le haghaidh gach aon duine. Is ríthábhachtach leo an chomhthuiscint a chothú,

---

daonlathas sóisialta: social democracy
sochaí: an chaoi a n-eagraíonn daoine iad féin mar phobal chun córais a chur ar fáil le freastal ar riachtanais shóisialta a saoil/ society
soilíosach: aireach, cásmhar/ caring
tuar: fáistiniú/ to foretell
deis: caoi, faill/ opportunity

comhphlé a chur ar siúl, agus a chuid agus a chomhroinnt a chur ar fáil do chách in áit na sainte[93] agus iomaíocht °leithleach an duine aonair.

Feictear dóibh gurb é gnó an stáit feidhmiú chun °tosca déanta °maoine a chur chun cinn, chun féachaint chuige go ndéantar an mhaoin sin a °dháileadh go cothrom, agus chun an chothroime a chothú i gcúrsaí sóisialta agus cultúrtha. Murab ionann is na Marxaigh agus go leor de na sóisialaithe daonlathacha, ní éilíonn na daonlathaithe sóisialta go mbeadh na °hacmhainní °táirgthe go léir i seilbh an stáit. Tá siad i bhfabhar an gheilleagair mheasctha mar go gcothaíonn a leithéid raidhse fo-ghrúpaí, a bhfuil a sainionannas[49] agus a sainchultúr féin ag gach ceann acu, agus saoirse acu a rogha cineál saoil a chaitheamh.

Is féidir an daonlathas sóisialta a chur i gcontrárthacht leis an daonlathas liobrálach, a chuireann an bhéim ar chearta agus ar shaoirse an duine aonair, seachas ar an tsochaí go ginearálta, agus a thugann tacaíocht do bhrúghrúpaí a bhíonn ag lorg a leasa féin (trí ghníomhaíocht gheilleagrach ach go háirithe).

daonnachtaí
duine a chuireann spéis i gcúrsaí daonna de neamhaird ar aon ghné ósnádúrtha

Thosaigh an Athbheochan Léinn san Iodáil um an ceathrú haois déag. Le cúlú na Meánaoiseanna thug na scoláirí aghaidh arís ar an léann °chlasaiceach, ar shaothar na sean-Róimhe agus na Gréige, a bhí tar éis titim i °leimhe agus dul ar gcúl ó scriosadh an Róimh sa cúigiú haois. Litríocht réamh-Críostaí a bhí sa saothar seo go léir. Págánaigh[94] a scríobh í. Mar sin

---

saint: cíocras/ greed
murab ionann is: neamhchosúil le/ unlike
raidhse: neart, líon mór/ plenitude, large number
brúghrúpa: aicme a dhéanann sainiarracht ar a son féin/ pressure group
daonnachtaí: humanist
Athbheochan (Léinn): tréimhse i stair na hEorpa (ón ceathrú céad déag go dtí an cúigiú céad déag nó mar sin)/ Renaissance

measadh an spéis a cuireadh ina saothar mar ábhar saolta, mar ábhar daonna amháin. Daonnachtaí a tugadh ar dhuine a dhein staidéar ar a leithéid.

De réir mar a leathnaigh na °réimsí eolais ina dhiaidh sin – na heolaíochtaí agus na °fionnachtana geografacha ach go háirithe – tugadh daonnachtaí ar aon duine a chuir a phríomhspéis sna cúrsaí seo agus in imeachtaí mheon an duine.

diachaí
duine a chreideann i nDia

Theos an focal Gréigise ar 'dia'. *Deus* an focal Laidine. Léiríonn an chosúlacht atá idir *theos, deus* agus 'dia'[95] go bhfuil gaol i bhfad siar idir na trí theanga seo, an Ghréigis, an Laidin agus an Ghaeilge. Tá, agus leis an tSanscrait[96] freisin, an teanga scríofa is sine ('sine': féach *senior* na Laidine) san India. *Deva* an focal ar 'diaga' sa teanga sin, agus *dyó* an focal ar an spéir, toisc gur pearsanaíodh an spéir mar dhia i measc na nInd-Eorpach. Tá gaol ag *day* an Bhéarla agus *dies* na Laidine (*dies irae*: Lá na Feirge, lá deiridh an tsaoil) le *dyó*, agus le *dé* na Gaeilge, faoi mar atá i dtéarma mar 'Dé Luain'. (Tá an focal le sonrú sa Fhraincis freisin, mar *lundi* agus a leithéidí.)

Dé Luain
ainmnítear an lá seo as an ghealach (*luna* sa Laidin, *Mo(o)nday* sa Bhéarla). Tagann Dé Máirt (*mardi* sa Fhraincis) ó dhia na cogaíochta, Mars. Fadó dhéanadh na Gaeil troscadh (nó 'aoine', ó *jejunium* sa Laidin) faoi dhó sa tseachtain. Uaidh sin tháinig Dé hAoine, agus Dé Céadaoin ('an chéad aoine'). Déardaoin, sin 'Dé idir dhá aoine'. Ainmnítear an Satharn as Satarn, dia talmhaíochta na Rómhánach. Is ionann Dé Domhnaigh agus 'Lá an Tiarna' (*dominicus* sa Laidin)

Tugtar 'diachaí' ar dhuine a chreideann i nDia Dúileach, is é sin, i nDia mar chruthaitheoir agus mar rialtóir na cruinne. Is féidir le duine creideamh den chineál seo a bheith aige, gan creideamh i °bhFoilsiú an Bhriathair faoi mar atá ag Críostaithe.

'Diasaí' (a shíolraíonn ó *deisme* na Fraincise), sin duine a ghlacann leis go hintleachtúil go bhfuil Dia ann, ach a thagann ar an dearcadh sin ar bhonn meabhrach amháin, gan baint dubh nó bán le foilsiú.

'Aindiachaí' a thugtar ar dhuine a chreideann nach bhfuil Dia ann. °Réimír dhiúltach is ea 'ain' (féach freisin ainbhios, aineolas, aindlí, ainriail, ainriocht).

---

diachaí: theist
Dia Dúileach: teideal ar Dhia mar Chruthaitheoir/ God the Creator
diasaí: deist

'Agnóisí' an focal ar dhuine atá in amhras faoi scéal éigin, an fíor é nó nach ea. I gcúrsaí creidimh is agnóisí duine a deir nach léir dó Dia a bheith ann nó a mhalairt. T.H. Huxley (1825-95) a chum téarma don choincheap in 1869; thóg sé é ón Ghréigis ('gan fios' is ciall leis go bunúsach).

diagacht
staidéar agus dioscúrsa ar bhonn na °réasúnaíochta i dtaobh eiseadh Dé agus an bhaint atá ag an duine leis

Baineann an diagacht le staidéar i dtaobh gach °foinse eolais ar Dhia, agus le staidéar ach go háirithe ar an fhoilsiú, is é sin ar an fhios a dheonaigh Dia a ligean leis an chine dhaonna trí na scríbhinní naofa, trí na cleachtais agus trí na traidisiúin atá ag comhluadar creidmheach faoi leith. Is é is cuspóir leis an staidéar seo saol an chomhluadair sin agus saol a mball a mhaisiú, trí tuiscint níos fearr a thabhairt dóibh ar chuspóir na beatha, agus trí cabhair a thabhairt dóibh, mar aonaránaigh agus mar phobal creidmheach, chun toil Dé a dhéanamh, aontacht leis a bhaint amach, agus fianaise ina leith a léiriú don saol.

Glacann an diagacht Chríostaí leis gur léirigh Dia é féin don chine dhaonna sa Sean-Tiomna agus sa Tiomna Nua, agus i mbeatha agus i dteagasc Chríost. Féachann an diagacht Chríostaí le tuiscint agus le ciall an léirithe sin a fhorbairt i measc gach glúine daoine. Dúirt San Agaistín (354-430) gurbh ionann an diagacht agus 'creideamh ag lorg tuisceana'.

An *diagacht dhogmach*, sin an síordhícheall chun na bun-fhírinní i dtaobh Dé a athchur in alt a chéile le haghaidh na gcreidmheach ar bhealach atá oiriúnach dóibh, agus ar bhealach a aontaíonn tuiscintí

---

diagacht: theology
dioscúrsa: plé foirmiúil ar cheist/ discourse
eiseadh: an staid a bhaineann le bheith ann/ existence
Foilsiú (an Bhriathair): an chaoi chinnte ar labhair Dia leis an chine dhaonna (rud a chreideann na Giúdaigh, na Críostaithe agus na Moslamaigh)/ Revelation
cleachtas: nós imeachta/ custom, practice
cur in alt a chéile: rud a mhíniú ar bhealach soiléir/ to articulate

forásacha le fírinní traidisiúnta. (*Dogma*: focal Gréigise a chiallaíonn 'tuairim' atá againn anseo. Le himeacht aimsire, glacadh leis gur thuairim mheáite, nó tuairim dhearfa a bhí ann: mar sin, is ionann dogma anois agus alt creidimh nó teagasc a bhfuil údarás leis.) Tugtar diagacht thuairimeach ar an diagacht dhogmach °i gcodarsnacht leis an diagacht phraiticiúil nó an diagacht mhorálta.

Is éard atá sa *diagacht mhorálta* ná an creideamh ag lorg tuisceana ar impleachtaí fhírinní an chreidimh maidir le conas is cóir don duine agus don chomhluadar a saol a chaitheamh ó lá go lá ar bhealach a bheidh ag réiteach lena gcreideamh i nDia, agus a léireoidh an creideamh sin. Féachann an diagacht mhorálta le cuntas a thabhairt, ar bhonn teoirice, ar na cleachtais sin a dhoimhneoidh agus a dhaingneoidh an duine agus an comhluadar in aontacht le Dia.

morálta
a bhaineann le hiompar daonna, ach go háirithe maidir le dea- nó ceart-iompar ar thaobh amháin agus le droch- nó mí-iompar ar an taobh eile. Tagann an focal ó *mos, moris* na Laidine, a chiallaíonn 'nós'

Is cuma cé acu dogmach nó morálta í mar dhiagacht, is é is cuspóir na diagachta i gcónaí tuiscint níos fearr a bhaint amach ar chúrsaí an chreidimh, d'fhonn maireachtáil in aontacht le Dia ar an saol seo agus ar an saol atá le teacht. Tá cineálacha éagsúla diagachta ag reiligiúin dhifriúla, mar ní hionann na foinsí eolais atá acu ar Dhia. Mar sin féin, tá an méid seo i bpáirt acu go léir: gur mian leo an duine a threorú chun Dé.

Lenár linn féin tháinig *diagacht na fuascailte* chun cinn i Meiriceá Theas, mar a bhfuil contrárthachtaí móra idir saol sóch saibhir na ndrong atá i gceannas agus saol gránna ainnis na sluaite atá faoi chois. Féachann an diagacht seo le ceisteanna mar seo a

---

forásach: ag fás, ag forbairt/ developing, progressing
tuairim mheáite: tuairim le bunús maith/ considered opinion
tuairimeach: ag meas ruda agus gan iomlán an eolais chuige ar fáil/ speculative
sóch: sóúl/ affluent, luxurious
drong: dream/ group
ainnis: dearóil/ wretched

leanas a fhreagairt: Cad is gnó don chreideamh Chríostaí ar mhaithe le comhluadar Críostaí faoi leith i dtimpeallacht mar a bhfuil cách á gcoscairt agus á mbrú go tréan leis an lámh láidir agus leis an éagóir? Nó ar chóir do Chríostaithe páirt a ghlacadh in iarrachtaí °radacacha, nó fiú in iarrachtaí réabhlóideacha, chun iad féin agus a gcomhshaoránaigh a fhuascailt ón sclábhaíocht shíoraí, idir pholaitiúil, gheilleagrach agus shóisialta? Ní nach ionadh, is cúis teannais diagacht na fuascailte san Eaglais Chaitliceach agus i gcomhluadair Chríostaí i Meiriceá Theas.

Meiriceá
'An tOileán Úr', sin téarma traidisiúnta ar Mheiriceá. Cé gurbh é Críostóir Colón a d'aimsigh an domhan nua sa bhliain 1492, ainmníodh é as Amerigo Vespucci, loingseoir Iodálach nár bhain na críocha sin amach go dtí 1499-1500. Tagann 'Meiriceá' ón leagan Laidine dá ainm, 'Americus Vespuccius'. Ainmneacha traidisiúnta eile ar áiteanna ar an taobh sin den domhan is ea Sasana Nua (New England, na Stáit Aontaithe) agus Talamh an Éisc (Newfoundland)

Taobhaíonn cuid de lucht dhiagacht na fuascailte leis an lámh láidir ar mhaithe le cothrom na féinne a bhaint amach. Tá cuid eile a ghlacann le hanailís Mharxach, ar an bhonn gur cóir fadhbanna diagachta a chur i dtéarmaí °geilleagracha agus polaitiúla. Tagann an dá dhream seo salach ar threoir na Vatacáine, atá in éadan an fhornirt agus nach nglacann le córas réaduchtaithe anailíse an Mharxachais. Ní ceart a shamhlú, áfach, go bhfuil diagairí uile na saoirse ar son na troda nó i muinín an Mharxachais.

dífhostaíocht, an
bheith gan phost gan phá

Ceann de na mórfhadhbanna sóisialta is ea an dífhostaíocht. An ceann is mó, b'fhéidir, mar °eascraíonn go leor fadhbanna eile as nuair a bhíonn daoine gan obair nó díomhaoin. Réimír dhiúltach is ea an 'dí' sa dá fhocal seo 'dífhostaíocht' agus 'díomhaoin' (ar nós 'díchiall' agus 'dímheas'). Is

---

coscairt: leatrom nó éagóir a imirt ar/ to oppress
teannas: strus/ tension, stress
taobhú le: tacú le/ to side with
teacht salach ar: dul i ngleic le/ to conflict with
réaduchtú (sa chiall Mharxach): féachaint le ceisteanna casta a bhriseadh síos ina mionchodanna, ar an bhonn gur féidir míniú iomlán ar na ceisteanna sin a fháil ach na mionchodanna a mhíniú/ reductionism
dífhostaíocht: unemployment

ionann 'dí-mhaoin' agus bheith gan saibhreas gan sealúchas, faoi mar is ionann an 'dífhostaíocht' agus bheith gan phost gan phá. Tá gaol ag 'dí' na Gaeilge le *de* na Laidine, a chiallaíonn 'baint de rud' nó 'laghdú ar rud'. Ghlac an Béarla leis an téarma Laidineach mar réimír úsáideach, i bhfocail mar *defrost, desalinate, dethrone*.

Nuair a bhíonn duine 'i bhfostú', bíonn sé in aimhréidh, nó i snaidhm ag rud éigin nach éasca éalú uaidh. Bíonn sé 'gafa' ag an rud. Tá brí eile le 'gafa', leis: 'gnóthach'. Is léir conas mar a tharla an dara brí seo a bheith ag an fhocal, mar an té a mbíonn post oibre aige, bíonn sé i bhfostú ag cúraimí an jab. Bíonn sé gnóthach toisc go bhfuil sé faoi cheangal ag dualgais na hoibre atá le déanamh aige: bíonn sé 'gafa'. Nuair a bhíonn líne theileafóin gnóthach, bíonn sí 'gafa' leis.

Ár bhformhór, bainimid ár slí bheatha amach tríd an fhostaíocht. Tugann an fhostaíocht airgead dúinn chun ár °sciar féin de na hearraí, de na háiseanna agus de na seirbhísí atá le fáil i gcoitinne a cheannach dúinn féin. Cuireann an t-airgead a thuillimid mar fhostaithe ar ár gcumas na rudaí inmhianaithe seo a bhaint amach.

Maidir leis an °mhionlach nach bhfuil fostaíocht acu, tá scata fíorbheag díobh ar féidir leo teacht gan jab, toisc go bhfuil siad °ina suí go te cheana féin. Tá maoin, nó saibhreas príobháideach, acu.

Tá cuid eile den phobal nach bhfuil ar a gcumas obair a dhéanamh, mar gheall ar an easláinte. Titeann cúram a gcothaithe ar an stát. Faigheann an stát an t-airgead chuige sin i bhfoirm na gcánacha a leagann sé ar an phobal fhostaithe agus ar lucht an tsaibhris.

Fágann sin dream eile fós atá gan jab – na daoine dífhostaithe. Is iad seo na daoine a bhfuil cumas oibre

tuilleamh
Tá ceangal idir 'tuilleamh' (pá, airgead saothair) agus 'tuilleadh' (breis, méadú). Nuair a dhíoltaí bainne i mBaile Átha Cliath le miosúr pionta a dhoirteadh fear an bhainne isteach i gcrúscaí na mban tí, ní hamháin nach raibh an nós róshláinteach, ní raibh sé róchruinn ach oiread. I °gcúiteamh aon easnaimh ar an mhéid bainne ba chóir a thabhairt, thugadh fear an bhainne breisín eile i gcónaí. *Tilly* a thugtaí air sin, ó 'tuilleadh' na Gaeilge

---

sealúchas: maoin/ property
i bhfostú: in aimhréidh/ entangled
éasca: furasta/ easy
ár bhformhór: an chuid is mó dínn/ the most of us
inmhianaithe: meallacach/ desirable

acu agus fonn chun oibre orthu, ach nach féidir leo jab a fháil. Tugann an stát cabhair dóibhsean chomh maith, i bhfoirm leasa shóisialaigh.

Tugtar an *líon*[139] *saothair* ar (a) an méid daoine a bhfuil jab acu, móide (b) an méid daoine atá cláraithe i malartán saothair mar dhaoine atá ar fáil chun obair a dhéanamh, dá mbeadh a leithéid ann dóibh. An °céatadán[97] den líon saothair atá gan jab, is é sin an *ráta dífhostaíochta*.

Is tábhachtaí agus is cruinne de shlat tomhais é an ráta dífhostaíochta ná an méid duine atá dífhostaithe. Ní róléir é an beag mór í an dífhostaíocht mar fhadhb má thuairiscítear go bhfuil 250,000 duine ar dífhostaíocht in Éirinn. Bheadh cuma mionfhaidhbe air, b'fhéidir, i gcomparáid le 2.6 milliún ar dífhostaíocht sa Ríocht Aontaithe. Ach má chuirtear na rátaí dífhostaíochta i gcóimheas lena chéile, feicfear gurb ionann an figiúr sin de 250,000 agus ráta dífhostaíochta de 19 faoin gcéad in Éirinn le hais ráta timpeall 9 faoin gcéad sa Bhreatain. Is léir mar sin ó na rátaí cé acu den dá fhadhb is déine.

dlí
rialacha atá leagtha síos le húdarás an tseanghnáis, nó leis an Oireachtas; agus a fhógraítear agus a chuirtear i bhfeidhm ag an stát ar son leas an phobail

Tá trí chumhacht rialtais ann, cumhacht °reachtaíochta, cumhacht °fheidhmitheach, agus cumhacht dhlíthiúil. Maidir leis an chumhacht dhlíthiúil, feidhmítear í i leith trí chineál dlí[48] – an dlí bunreachtúil, an dlí coiriúil agus an dlí sibhialta. Nuair is gá breithiúnas a fháil i dtaobh ciall a bhaint as an bhunreacht, cuirtear an cheist faoi bhráid na Cúirte[98] Uachtaraí. Ag an chúirt sin amháin atá an t-údarás, faoin bhunreacht, míniú dlíthiúil a thabhairt i dtaobh an bhunreachta féin.

---

líon saothair: labour force
malartán saothair: oifig áitiúil de chuid na Roinne Leasa Shóisialaigh le riar ar dhaoine dífhostaithe/ employment exchange
cóimheas: comparáid/ comparison
le hais: i gcomparáid le/ compared with
seanghnás: nós atá ann leis na cianta/ custom
Cúirt Uachtarach: Supreme Court

Ansin tá cúiseanna faoin dlí choiriúil. Is ionann °coir agus gníomh a dhéanamh a bhfuil cosc dlí air agus píonós ag gabháil leis dá bharr. Nó is féidir coir a dhéanamh mura gcomhlíontar dualgas atá ann de réir dlí. Baineann dhá ghné le coir de ghnáth: an gníomh féin (*actus reus*), agus an intinn nó an rún (*mens rea*) atá taobh thiar de.

Na Ceithre Chúirt, lárionad an chórais dlí in Éirinn

Ach ní dhéantar coir gach uair a bhriseann duine an dlí, bíodh is go bhfuil sé inphíonóis dá dheasca sin. Ní bhaineann intinn choiriúil, mar shampla, le mórán de na coireanna tráchta[99]. Nuair a bhriseann duine an dlí, nó nuair a cheaptar amhlaidh, cuireann Garda Síochána an fhianaise ina thaobh faoi bhráid Stiúrthóir na nIonchúiseamh Poiblí. Má mheasann seisean go bhfuil cúis le freagairt ag an duine sin,

---

de dheasca: de bharr, de bhíthin/ as a result of
trácht: taisteal feithiclí srl ar na bóithre/ traffic
Stiúrthóir na nIonchúiseamh Poiblí: Director of Public Prosecutions

cuirtear an dlí air. De réir nádúr na coire cuirfear an duine faoi thriail sa Chúirt Dúiche, nó sa Chúirt Chuarda Choiriúil, nó sa Phríomhchúirt Choiriúil, nó sa Chúirt Choiriúil Speisialta. De réir mar a théann an chúis, scaoilfear saor an cosantóir, nó gearrfar fíneáil nó príosún air, nó b'fhéidir go gcuirfear an dá rud air mar phíonós. Tá córas °achomhairc ann in aghaidh breithe cúirte.

An tríú cineál cúise dlí atá ann ná cás ina gcuireann duine príobháideach (an gearánaí) an dlí ar dhuine eile nó ar chomhlacht (an cosantóir) chun a cheart féin a éileamh. B'fhéidir go mbeidh sé ag lorg damáistí as dochar a deineadh dó, nó ag lorg ordaithe cúirte chun cosc a chur ar an chosantóir gníomh éigin a dhéanamh a sháródh leas an ghearánaí go mídhleathach. Agus arís, ag brath ar nádúr na cúise, éistear í sa Chúirt Dúiche, sa Chúirt Chuarda nó san Ard-Chúirt. Tá córas achomhairc ann.

Cuireann an Roinn Dlí agus Cirt na seirbhísí riaracháin is gá ar fáil do na cúirteanna, agus cabhair dhlíthiúil in aisce i gcásanna áirithe. Is é an rialtas a cheapann na breithiúna. Tugann aturnaetha (ón tSean-Fhraincis, *atourné*) agus abhcóidí (ón Laidin, *advocatus*) cúnamh do na páirtithe sa chúis.

Tugtar 'dlí-eolaíocht' ar eolaíocht agus ar staidéar criticiúil an dlí.

Cúirt Dúiche: District Court
Cúirt Chuarda Choiriúil: Circuit Criminal Court
Príomhchúirt Choiriúil: Central Criminal Court
Cúirt Choiriúil Speisialta: Special Criminal Court
criticiúil: breithiúnach, beachtaíoch/ evaluatory

E

eacnamaíocht, an
an brainse den eolaíocht shóisialta a bhaineann le cúrsaí geilleagair, idir °tháirgeadh earraí agus seirbhísí agus a °ndáileadh i measc °tomhaltóirí

Tá an focal seo le fáil i mórán teangacha Eorpacha. Tagann sé ón Ghréigis (*oikos*, 'teach' agus *nomos*, 'dlí'). Is é ba chiall leis an bhunfocal Ghréagach *oikonomia* ná °riar agus bainistíocht teaghlaigh. (Is ionann an focal 'teaghlach' agus 'teach' móide an iarmhír '-lach'. Ciallaíonn '-lach' 'líon duine': féach 'tromlach', 'mionlach', 'toghlach'.)

Thóg an Béarla an focal Gréigise ar iasacht[100] faoi dhá ghné, *economy* agus *economics*. De bharr na cosúlachta atá eatarthu tarlaíonn ar uaire go ndéantar an dá fhocal a úsáid in áit a chéile sa teanga sin. Is trua sin mar tá bríonna éagsúla acu. Seachnaíonn an Ghaeilge an fhadhb seo cuid mhaith. Is ionann *economy* an Bhéarla agus *geilleagar* sa Ghaeilge: is é sin an ghníomhaíocht phraiticiúil a bhíonn ar siúl chun earraí agus seirbhísí a tháirgeadh, a scaipeadh agus a dhíol. Eacnamaíocht (*economics* sa Bhéarla) an focal a úsáidtear chun staidéar °anailíseach a dhéanamh ar an ghníomhaíocht sin agus chun teoiricí a chumadh ina leith.

Ba iad na Gréagaigh, Platón agus Araṣtotail ach go háirithe, a d'fhéach ar dtús le cúrsaí geilleagair a anailísiú. Níor deineadh mórán eile ansin go dtí an t-ochtú céad déag, nuair a thosaigh buíon Francach, faoi threoir François Quesnay[101] (1694-1774), ar scéal an gheilleagair a scrúdú arís ar bhonn ordúil. Mheas siad nár chóir don stát a ladar a chur isteach sna cúrsaí seo, ach ligean dóibh oibriú gan srian. Sin is brí le *laissez-faire*.

Ricardo

D'fhorbair eacnamaithe Briotanacha (Adam Smith (1723-90) ina leabhar *The Wealth of Nations* (1776), John Stuart Mill (1806-73) agus David Ricardo (1772-1823)) an teoiric seo san ochtú agus sa naoú haois déag. Thug na sóisialaithe, ar a raibh Karl Marx (1818-83)

---

an eacnamaíocht: economics
ladar: cur isteach/ interference

lena leabhar *Das Kapital* (1867), a ndúshlán. Dúirt siad gur chóir athruithe sóisialta a mheas ar bhonn na moráltachta agus ar chúiseanna sóisialta le cois cúiseanna eacnamaíocha. Ansin dhein Alfred Marshall (1842-1924) athchóiriú ar theagasc na n-eacnamaithe °clasaiceacha (Smith, Mill agus eile), agus nocht sé coincheap nua, teoiric na háirgiúlachta teorannaí. Ba é J. M. Keynes (féach 'Céinseachas') a thug an chéad chéim eile sa fichiú céad. Sna seachtóidí agus sna hochtóidí den aois seo tháinig teoiric eile chun solais, an t-airgeadaíochas. Molann lucht na teoirice seo gur cóir geilleagar náisiúnta a stiúradh trí smacht a choinneáil ar an soláthar airgid.

An 'eolaíocht ghruama' a thug Thomas Carlyle (1795-1881) ar an eacnamaíocht mar go raibh sí ag iarraidh °déileáil ag an am sin le teoiric Mhalthus. Dar le Malthus (1766-1834), bhí an cine daonna idir dhá thine Bhealtaine: an daonra ag dul i méid de shíor, ar thaobh amháin; agus teorainn le méid na n-acmhainní a bhí ann chun a riachtanais a shásamh, ar an taobh eile.

Malthus

Roinntear an eacnamaíocht ina dhá chuid, an mhaicreacnamaíocht (eacnamaíocht ar an mhórchóir náisiúnta), agus an mhicreacnamaíocht (eacnamaíocht ar an mhionleibhéal, a bhaineann le hearraí faoi leith nó le comhlachtaí faoi leith nó le daoine aonair).

Deirtear gur féidir leis na heacnamaithe a rá cad a tharlóidh i gcúrsaí geilleagair, tar éis dó titim amach.

Éire

'Éire is ainm don Stát nó, sa Sacs-Bhéarla, *Ireland*' (Bunreacht na hÉireann, airteagal 4)

Nuair a tháinig na Gaeil (na Q-Cheiltigh) go hÉirinn, fuair siad treibheanna eile ann rompu (P-Cheiltigh ar nós mhuintir na Breataine Bige). Ar na treibheanna seo bhí dreamanna de na Fir Bholg, arbh ionann iad,

áirgiúlacht: áisiúlacht/ utility
teorannach: imeallach/ marginal
airgeadaíochas: teoiric eacnamaíoch a bhaineann le srian a choimeád ar sholáthar an airgid/ monetarism
gruama: duairc/ dismal
mórchóir: scála leathan/ large scale, grand scale

deirtear, agus na hÉrainn. Is dócha gur uathu siúd a ainmníodh an tír, agus gur ghlac na Gaeil leis an ainm, tar éis roinnt bheag finscéalaíochta a chumadh faoi. Mar de réir an tseanchais, tugadh na hainmneacha Éire[102], Banba agus Fódla[103] ar an tír i gcuimhne triúir bhanríonacha, nó bhandéithe, de chuid Thuatha Dé Danann. Ach níl fianaise ar bith go raibh a leithéid de threibh agus na Tuatha Dé Danann ann ar chor ar bith.

Sa bhunreacht a ritheadh i 1922 glacadh le Saorstát Éireann mar ainm ar an stát. Níos déanaí, faoi fhorálacha Acht Phoblacht na hÉireann, 1948, is téarma é 'Poblacht na hÉireann' chun cur síos ar an stát. Tá difríocht áfach idir 'ainm' agus 'cur síos'. An gnás is fearr leis an rialtas ná an t-ainm bunreachtúil a úsáid. Uachtarán na hÉireann agus Rialtas na hÉireann a úsáidtear. Óglaigh na hÉireann an teideal ceart ar an Arm.

Tugadh *Scotti* ar mhuintir na hÉireann i scríbhinní Laidine chomh fada siar le 369 AD. 'Clann mhac na Scot[104] agus clann iníonacha na ríthe' a thugann Pádraig Naofa ar phobal na tíre seo san *Fhaoistin* a scríobh sé san aois dár gcionn. Agus *Imperator Scottorum* a thug Brian Bóramha[105] air féin nuair a bhain sé an t-ardríochas amach.

Eoin Scottus Eriugena

Faightear na focail 'Éire' agus 'Scottus' i dteannta a chéile in ainm Eoin Scottus Eriugena (c.800-877). 'Eoin an t-Éireannach a rugadh (gineadh) in Éirinn' is ciall leis an ainm a thugtaí air. (Um an taca sin bhí *Scotti* eile ann, Gaeil Alban.) Deirtear gurbh é Eoin an scoláire ba mhó agus ba bhunúsaí dár bhronn Éire ar an mhór-roinn sna meánaoiseanna. Bhí sé i gceannas na scoile i gcúirt an Impire Séarlas Maol (823-877). Mar °fhealsamh agus mar scoláire Gréigise sháraigh sé muintir eile a linne. 'Is iontach an rud é,' a scríobh leabharlannaí an Phápa in 860, agus é tar éis aistriúchán ón Ghréigis a dhein Eriugena a scrúdú, 'gurbh fhéidir leis an bharbarach seo a bhíodh ina

forái1: cuntar, coinníoll/ proviso, condition
gnás: nós/ practice

chónaí ar imeall an domhain – agus a bheadh, dar leat, chomh fada ó eolas ar an teanga sin is atá sé óna cleachtadh go coitianta – is iontach go deo é, a deirim, gurbh fhéidir leis °idéithe den chineál seo a thuiscint agus a aistriú go teanga eile. Eoin Scottus Eriugena atá i gceist agam. Fear cráifeach é san uile ní, de réir mar a chluinim.'

Bhí greann agus gastacht intinne aige chomh maith. Lá, agus é féin agus an t-impire ina suí chun boird ag ól, d'fhiafraigh Séarlas de, *'quid distat inter sottum et Scottum?'* (cad é an difríocht idir meisceoir (*sottus*) agus Éireannach (*Scottus*)). Fuair sé freagra prap. *'Tabula tantum'* (oiread an bhoird), arsa Eoin.

eitneach
aidiacht a chuireann in iúl rud nó tréithe a bhaineann le grúpa daonna a airíonn go bhfuil ceangal áirithe ar leith eatarthu ar bhonn staire, traidisiúin, °reiligiúin, cultúir, modhanna maireachtála nó eile

Focal Gréigise ar 'chine daoine' is ea *ethnos*. Tá 'eitneach' san fhaisean anois (sa Bhéarla ach go háirithe) chun teacht slán ón tionchar a imríonn *race* agus *racism* ar mheon daoine. Is sláintiúla an focal é chomh maith mar níl aon bhonn eolaíoch ag teoiricí ciníochais a thugann le fios gur fearr ó nádúr daoine a bhaineann le cine amháin ná le ciníocha eile.

Tugann eitneolaí Rúiseach, Dragadze, °sainmhíniú cumasach ar cad is grúpa eitneach ann: 'dream °comhiomlán[177] daoine, a bhfuil seancheangal stairiúil acu le limistéar áirithe; a bhfuil leithleachais réasúnta buan i bpáirt acu i gcúrsaí cainte agus urlabhra agus i gcúrsaí °béascna; a aithníonn go bhfuil siad difriúil ó aicmí eitneacha eile mar gheall ar a ndúchas agus ar a n-oidhreacht; agus a thugann aitheantas don difriúlacht seo trí ainm faoi leith (eitne-ainm) a thabhairt orthu féin'.

---

gastacht: luas intinne/ quickness of mind
prap: pras, gasta/ prompt, quick
eitneach: ethnic
tréith: saintréith, airí/ feature, characteristic
cumasach: ábalta/ able, effective
leithleachas: féiniúlacht/ distinctiveness, particularity
urlabhra: modh nó cumas cainte/ speech, utterance

Sainmhíniú úsáideach is ea é seo. Déanann sé tagairt do nithe réalta mar ghaolmhaireacht agus oidhreacht, don ghné spásúil, don chomhoidhreacht teanga, agus do ghnéithe eile atá tábhachtach i saol an duine.

Ní hionann sainteanga[106] agus eitneachas i gcónaí, cé gur gné thábhachtach den eitneachas í go minic. Tig le dreamanna eitneacha difriúla an teanga chéanna a labhairt, agus tá dreamanna eitneacha a bhfuil breis agus teanga amháin in úsáid acu. Is éard a theastaíonn ná go mbeidh a dhóthain de na saintréithe i bpáirt agus in úsáid i measc pobail le go n-aithneoidís iad féin mar ghrúpa ar leith.

Uaireanta cuirtear an cheist, ar náisiún dáiríre iad na Gaeil fadó, agus iad ag troid lena chéile go minic, agus easpa lárionaid rialtais orthu? Tá go leor samplaí den rud chéanna i dtíortha eile. An sampla is fearr, b'fhéidir, ná an tSean-Ghréig. D'aithin na Gréagaigh go léir gur Heilléanaigh iad uile, d'ainneoin gur bhain siad le cathairstáit éagsúla neamhspleácha, agus d'ainneoin nár baineadh amach coincheap polaitiúil °uileghabhálach[147] go ceann tréimhse i bhfad níos déanaí. Bhí saoránaigh na gcathairstát dílis dá stát féin, agus ba mhinic iad ag spairn lena chéile go fíochmhar. Ach ar leibhéal níos doimhne d'airigh siad a bhféiniúlacht Ghréagach chomh maith. Bhí siad sásta seasamh le chéile agus troid ar a son nuair a dhein na Peirsigh ionradh ar an tír.

Heilléanach
an t-ainm a thug na Gréagaigh orthu féin. Fuair siad seilbh ar an Ghréig ina n-aicmí éagsúla idir 1800 agus 1100 RCh, agus canúintí dirfiúla á labhairt acu: Aeólais, Arcáidis, Doiris agus Iónais. Ba ar an Iónais a bunaíodh an Ghréigis Aiticeach, teanga chlasaiceach na sean-Ghréige. San aois seo féachadh le leagan den tseanteanga sin a athbhúnú mar mheán liteartha nua-aoiseach (an Cataravúsa a thugtar air). Ach is mó atá leagan eile, an Deamatach, atá bunaithe ar chaint na ndaoine (*dēmos* sa Gréigis) á chleachtadh mar theanga scríofa an lae inniu

Mar an gcéanna in Éirinn. D'ainneoin nach raibh aon rialtas éifeachtach lárnach ag na Gaeil, d'aithin siad gur chine leithleach amháin iad. Go fiú chuaigh siad i mbun na cumadóireachta chun a 'chruthú' gur ón sinsear amháin a shíolraigh siad. i. Gaedheal Glas mac Niuil mic Féiniusa Farsaidh!

Feidhmíonn an t-eitneachas ar leibhéil éagsúla. Laistigh den ghrúpa eitneach Éireannach tá grúpa amháin eile ar a laghad a mhothaíonn go bhfuil féiniúlacht eitneach acu. Is iadsan an Lucht Taistil. Ní rófhada ó bhí a sainteanga féin, 'Seilte', i ngnáthúsáid

réalta: réadach, atá ann dáiríre sa saol ábhartha/ real

acu. °Maítear go bhfuil an teanga seo bunaithe cuid mhaith ar an tSean-Ghaeilge, ach ba dheacair é sin a thabhairt faoi deara anois. Tá meascán Béarla ann chomh maith, ach is deacair é sin a aithint fosta.

Ceann de shaintréithe Seilte ná litreacha focail (sa Ghaeilge) a aistriú timpeall chun focail dá gcuid féin a dhéanamh. Samplaí de seo is ea: *laicín* (cailín), *nuga* (gunna), *rospán* (sparán), *rodas* (doras), *achuim* (amuigh), *nuspóg* (spúnóg), *riospún* (príosún), *gorad* (airgead). Leagan nach bhfuil chomh soiléir is ea *Avari l'irc*[107] (Baile Átha Cliath). Agus ba dheacair *tarin Rilantu* a dhéanamh amach: sin 'ag labhairt Gaeilge'.

eolaíocht
staidéar ar nádúr agus ar iompar na °cruinne ábhartha, de réir córais eagraithe atá bunaithe ar an °sonrú, ar an turgnamh agus ar an tomhas; agus ansin féachaint le dlíthe a fhoirmiú (ar bhonn an eolais a aimsítear) a chuireann síos ar an nádúr sin agus ar an iompar sin

Cé go bhfuil cosúlacht eatarthu, níl aon bhaint ag 'eolaíocht' na Gaeilge le *-ologie* na Fraincise agus na Gearmáinise, nó le *-ology* an Bhéarla. Is ón Ghréigis (*logos*, focal, réasún) a fuair na teangacha eile siúd an téarma. Ach tagann an focal Gaeilge ó 'eol', agus an stair a bhaineann leis an fhocal seo, is sampla suimiúil é den chaoi a n-athraíonn agus a bhfásann teanga. I dtús ama 'baile' nó 'áit chónaithe' ba chiall do 'eol' sa Ghaeilge. Le himeacht aimsire chiallaigh sé an tslí abhaile; agus ansin fios ar an tslí abhaile; ansin leathnaigh brí an fhocail gur chiallaigh sé fios nó tuiscint ar rud ar bith. Is mar sin a fuaireamar an focal 'eolas'. Agus nuair a chuireann tú ábhar 'in iúl' do dhuine inniu, níl tú ag tabhairt eolas na slí abhaile dó, ach eolas i dtaobh rud ar bith. (Is ionann 'iúl' agus seantuiseal tabharthach an fhocail 'eol'.)

Tá an eolaíocht ar cheann de na gníomhaíochtaí daonna is mó tairbhe don duine. Tá sí tar éis smacht leathan a thabhairt dúinn ar an °timpeallacht, biseach

---

eolaíocht: science
sonrú: breathnú/ observation
turgnamh: tástáil, triail/ experiment
tomhas: méid, oiread nó cáilíocht ruda a aimsiú go cruinn/ to measure
foirmiú: cur i bhfocail/ to formulate

a chur ar chúrsaí sláinte, an caighdeán maireachtála a fheabhsú as cuimse i dtíortha an Iarthair, agus – cá bhfios? – geallúint a thabhairt go mbeidh an °chruinne féin faoi láimh ag an chine dhaonna lá éigin amach anseo.

Na chéad eolaithe[108] is eol dúinn, ba iad na *physici* iad, dream a chónaigh i mbaile Gréagach, Miléatas, sa seachtú agus sa séú haois roimh Chríost. Bhí Tailéas (636-546 RCh) ar dhuine den °bhuíon seo. Mheas sé gurbh é an t-uisce an t-ábhar as ar deineadh gach rud ar domhan. Duine eile acu ba ea Anacsamandar (610-546 RCh). Mheas seisean go raibh ábhar éigin gan teorainn ina chúis don chruinne bheith ann; chreid sé go raibh an domhan i lár na cruinne, gan taca faoi; gur thosaigh an bheatha san fharraige; agus gur shíolraigh an duine ó chineálacha beatha níos bunúsaí ná é féin. Thóg duine eile de na fisiceoirí, Anacsaiméineas, céim mhór ar aghaidh nuair a d'fhéach sé leis an mhatamaitic a úsáid chun °feiniméin nádúrtha a thomhas.

uisce
bhí neart focal ar 'uisce' sa Ghaeilge fadó, agus maireann cuid acu fós i dtéarmaí faoi leith: án (anraith: soup; anglais: milk-and-water), bior (bior-rós: water-lily); bual (bualghlas: loc canála/ canal lock); dobhar (dobharchú). Tá an focal abha(inn) againn a chiallaíonn 'sruth'. Ach 'uisce' is ciall do *ab* sa tSanscrait (Punjab: tír na gcúig uisce)

Mheas go leor daoine san aois seo caite go réiteodh an eolaíocht gach fadhb dhaonna le himeacht aimsire. D'ainneoin na dtairbhí atá faighte ón eolaíocht ó shin, níl an oiread sin daoine ann anois atá chomh cinnte faoin °dealramh sin. Tá cúiseanna maithe leis an athrú meoin sin. Sa chéad áit, dá mhéad eolas a fhaightear i dtaobh na cruinne is ea is léir gur fearas thar a bheith mistéireach í. Tá sí i bhfad níos °coimpléascaí ná mar a samhlaíodh céad bliain ó shin.

Mar shampla, ceapadh ar dtús nach raibh san adamh ach daba bídeach °damhna. Ansin fuarthas amach go raibh núicléas ann a raibh °prótóin agus neodróin ann, agus lasmuigh díobh go raibh na

as cuimse: go hiontach, rí-/ extremely, excessively
bunúsach: fuaimintiúil/ fundamental
fearas: gléas/ apparatus
mistéireach: rúndiamhrach/ mysterious
daba: blúirín/ blob
núicléas: croílár adaimh/ nucleus
neodrón: cáithnín bunúsach neodrach/ neutron

páirteagal
'páirt bheag' is ciall dó seo. Iarmhír sa Laidin is ea *-culus* ar ionann í agus '–ín' sa Ghaeilge. *Pars, partis* atá sa Laidin ar 'cuid'

°leictreoin. Anois, faoi thosca áirithe, is féidir líon mór – breis agus dhá chéad – de °cháithníní (nó de pháirteagail) fo-adamhacha a aimsiú nach maireann, cuid acu, ach micreasoicind. Ach an bhfuil an scuaine seo de cháithníní ann dáiríre? Nó an dtagann siad ann toisc go mbítear ag súil leo? Ceisteanna corraitheacha iad seo a bhaineann le domhan 'intinnséidte' na °candam-mheicnice.

Baineann na ceisteanna seo leis an leibhéal is lú agus is mine den nádúr. Ach ar an leibhéal is mó agus is fairsinge tá mistéirí atá lán chomh haduain. Más amhlaidh a thosaigh an chruinne leis an °Ollphléasc a cúig nó a sé de bhilliúin déag de bhlianta ó shin, ní féidir le haon duine a shamhlú cad a bhí ann díreach roimh an phointe ama sin, nó cad ba chúis leis mar phléasc. Tá teoiricí éagsúla faoi, ach níl aon chinnteacht, ná dóigh le cinnteacht. An chaoi a bhfuil cúrsaí eolaíochta ag leathnú an t-am ar fad, spreag sí scríbhneoir Francach, Jules Renard, chun sainmhíniú nua a chumadh: 'eolaí, sin duine atá beagnach cinnte de rud éigin.'

An méid eolais atá bailithe cheana féin, le scór bliain, i dtaobh an °chosmais, tá sé chomh fairsing sin go dtógfaidh sé na blianta fada chun é go léir a phróiseáil agus a mheas. Idir an dá linn tá sruth de eolas breise ag teacht ar aghaidh an t-am ar fad, lena phróiseáil chomh maith amach anseo. Ní féidir le haon duine anois °réimse iomlán an eolais atá ar fáil a bhreith leis ina intinn nó ina thuiscint. Tá ré na speisialtóirí buailte linn, daoine a bhfuil an-eolas acu i dtaobh réimse chúing éigin, ach a bhíonn dall go leor

---

micreasoicind: an milliúnú cuid de shoicind/ microsecond
scuaine: scata, tréad/ flock
corraitheach: suaiteach/ disturbing
'intinnséidte': 'alltach', uafásach/ mindblowing
mion: bídeach/ tiny
aduain: aisteach, ait, diamhair/ strange, eerie, unfamiliar
dóigh: dóchas/ expectation
próiseáil: rud a dhéanamh de réir céimeanna áirithe/ to process

ar réimsí eile, go háirithe ar réimsí den eispéireas atá lasmuigh den eolaíocht.

Is léir freisin gur dia le cosa cré a bhíonn san eolaíocht go minic. Sa Rúis, faoin Mharxachas-Lenineachas, níorbh fholáir do phrionsabail áirithe na heolaíochta géilleadh roimh phrionsabail na hidé-eolaíochta. Séanadh iad nó sochtadh iad. Ní dócha go bhfuil an scéal san Iarthar mórán níos fearr. Ní heol cé mhéad cás °camastaíle i gcúrsaí eolaíochta atá ann gan aitheantas, ach laistigh de thréimhse cúig bliana déag – de réir mar a nochtadh le déanaí – tharla sé cinn déag de shamplaí den mhórchalaois i gcúrsaí eolaíochta i Meiriceá. Saint chun aitheantais nó chun airgid ba chúis le cuid díobh. Fiú nuair atá na heolaithe go °hionraic, is féidir brú a chur orthu, de thoradh °iomaíochta gairmiúla idir institiúidí eolaíochta, nó de thoradh brú ó chomhlachtaí gnó.

Baineann an eolaíocht le rudaí atá intomhaiste, is é sin, rudaí a bhfuil teorainneacha ábhartha acu. Ach glacann an réaltfhisic, mar shampla, leis an chosúlacht go bhfuil an-chuid maise sa chruinne nach féidir a aireachtáil ar chor ar bith, is é sin, nach féidir a thomhas faoi láthair. Teoiric amháin ina leith seo ná gur 'frithábhar' é. Más ann dó, an mbeifear in ann é a thomhas go deo? Sin ceist mhaith. Baineann na

bliain
focal Ceilteach is ea é seo ('bliadhain' an seanlitriú). *Blwyddyn* atá air sa Bhreatnais. Ba ghnách ócáidí móra i saol an phobail a cheangal le blianta áirithe. 'Bliain na bhFrancach' a tugadh ar bhliain éirí amach 1798 in iarthar na hÉireann. 'Bliain na gCaorach' a tugadh i nGaeltacht na hAlban ar an bhliain 1794 nuair a tosaíodh ar na Híleantóirí a ruaigeadh as a dtír dhúchais, *'that a degenerate lord might boast his sheep'*, mar a chantar sa dán chumasach *The Canadian Boat Song*

---

eispéireas: fios ag duine go bhfuil sé féin ann agus go bhfuil an saol ina thimpeall ag dul i bhfeidhm air/ experience
idé-eolaíocht: cnuasach de smaointe a réitíonn le dearcadh nó le féinleas dreama áirithe, agus a nglactar leo gan cheist/ ideology
sochtadh: cur faoi chois, múchadh/ to suppress
mórchalaois: camastaíl an-mhór/ major fraud
gairmiúil: proifisiúnta/ professional
réaltfhisic: an eolaíocht a bhaineann leis na réaltaí/ astrophysics
mais: méid fisiceach a chuireann in iúl an méid ábhair atá i rud/ mass
aireachtáil: mothú, braith, tabhairt faoi deara/ to perceive
frithábhar: ábhar teoiriciúil (nach féidir a chruthú go bhfuil sé ann go fóill) a bheadh contrártha ar gach bealach leis an ábhar is féidir linn a aireachtáil faoi láthair/ anti-matter

ceisteanna seo go léir le °réaltachtaí ar an leibhéal fhisiceach.

Thairis sin, deir lucht reiligiúin go bhfuil réaltachtaí eile ann, réaltachtaí spioradálta ar a bhfuil Dia féin. Ach ós rud é nach féidir réaltachtaí neamh-ábhartha a thomhas le slata tomhais ábhartha, ní féidir a 'chruthú' ar bhonn na heolaíochta go bhfuil a leithéidí ann – nó ní féidir a chruthú nach bhfuil. Dietrich Bonhoeffer (1906-45), diagaire clúiteach Gearmánach a céasadh agus a crochadh leis na Naitsithe in Buchenwald, dúirt sé: 'Dia a ligfeadh dúinn a "chruthú" go raibh sé ann, ní bheadh ann ach íol'.

Is éard is ciall le ráiteas Bhonhoeffer ná seo: níl san eolaíocht ach °córas agus uirlisí atá cumtha ag an duine le cabhrú leis chun an saol fisiceach a thomhas agus a thuiscint. Ní féidir Dia a thomhas ná a chruthú de réir an chórais seo, ní ar an ábhar go bhfuil sé 'ró-mhór' nó eile, ach mar gheall ar a nádúr diaga, atá difriúil ón nádúr fhisiceach. Dá bhféadfaí Dia a 'chruthú' ar bhonn na fisice, ba ionann sin agus a rá go bhféadfaí é a °chuimsiú taobh istigh de intleacht an duine, agus fiú taobh istigh de °réimse cumais uirlisí neamhbheo. Is léir nach Dia a bheadh ina leithéid ach Crom Cruach faoi ainm eile.

Crom Cruach
íol réamh-Chríostaí ba ea Crom Cruach (nó Crom Dubh) i Maigh Sleacht i mBreifne, i gContae Liatroma, go dtí gur leag Pádraig Naofa é. B'fhéidir gur Lú Lámhfhada a bhí ann faoi chruth eile, ós rud é gur Domhnach Chrom Dubh (nó Domhnach na Cruaiche) a thugtar ar Dhomhnach deiridh mhí Iúil, díreach roimh thús mhí Lúnasa

Is leis an saol seo a bhaineann an eolaíocht. Is le cuspóir na beatha ina hiomláine agus le gné spioradálta an duine a bhaineann reiligiún.

---

fisiceach: nithiúil/ physical
íol: dia bréige/ idol

Faisisteachas
an córas borb ollsmachtach den °eite dheas, a luaitear ach go háirithe leis an bheirt deachtóirí Hitler agus Mussolini

Focal ón Iodáilis é seo. Beart slat a bhí sna *fasces* a cheanglaítí timpeall tua. B'in comhartha údaráis a d'iompraítí roimh chonsal Rómhánach i dtráth na himpireachta. Ba mhian le Mussolini (1883-1945) seanghlóir na hIodáile a athbhunú. Chuige sin d'úsáid sé na *fasces* mar shiombail: an cnuasach slat, ba ionann é sin agus an neart a thagann as cur le chéile, agus iad go dlúth timpeall an cheannaire pholaitiúil fhorúdarásaigh (an tua). Tugadh faisistithe freisin ar na deachtóirí agus ar na ceannairí °antoisceacha, a tháinig ar an láthair i dtíortha eile níos déanaí, amhail Hitler sa Ghearmáin, Mosley sa Bhreatain, Quisling san Iorua, Franco sa Spáinn, Salazar sa Phortaingéil.

Fasces

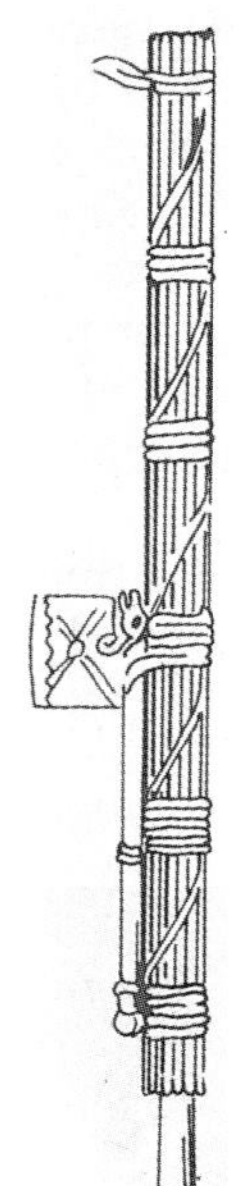

Mussolini

borb: fíochmhar, trodach/ aggressive
ollsmachtach: a éilíonn smacht gan teorainn/ totalitarian
forúdarásach: a éilíonn umhlaíocht iomlán/ authoritarian
tua: uirlis láimhe le faobhar ar a béal chun adhmad a scoilt; arm troda/ axe

Hitler

Meascán mealltach mearaí den náisiúnachas, de theoiricí bréageolaíochta ciníochais, den tsluashíceolaíocht, den lámh láidir, den ollsmacht, a bhí sa chóras pholaitiúil seo. Chuir sé cluain[109] ar mhórán de na gnáthdhaoine, a bhí i mbaol a mbáite in umar na dífhostaíochta a tharla de dheasca[110] an mheathlaithe eacnamaígh i rith tríochaidí na haoise seo. Gheall an córas léas dóchais dóibh agus °tuar na glóire.

Sóisialachas náisiúnta ba ea an faisisteachas (*National Sozialismus* sa Ghearmáinis, agus uaidh sin 'Naitsí'). Bhí sé go tréan in aghaidh an chumannachais (sóisialachas idirnáisiúnta). Mar ghluaiseacht °fhrithchumannach ghnóthaigh sé tacaíocht ó choimeádaigh na heite deise. Shíl na coimeádaigh Ghearmánacha go mbeidís in ann na Naitsithe a choinneáil faoi smacht le cabhair an airm faoina oifigigh ghairmiúla thraidisiúnta. Ach bhí breall

meascán mearaí: manglam gan chéill, prácás/ confusion, hotchpotch
ciníochas: teoiric a deir gur fearr ciníocha áirithe go bunúsach ná cinn eile/ racism
umar: poll, log/ trough
meathlú: cúlú/ recession
léas: splanc solais, spléachadh/ spark, glimmer
breall: botún, míthuiscint/ mistake

orthu. Bhí an córas go garg neamhlách agus frithdhaonlathach. Ní fhulaingeodh sé tuairimí nár aontaigh le smaointe an cheannaire. Thug an cineál seo rialtais ollsmacht don stát agus cead dó a rogha rud a dhéanamh lena chuid saoránach, nó a imirt orthu, ar mhaithe le polasaí an stáit, arbh ionann é, ar ndóigh, agus polasaí an cheannaire. Sa mhéid seo ní raibh puinn difríochta idir an faististeachas agus an cumannachas.

Cé nach ann do na faisistithe °bunaidh a thuilleadh, maireann a n-ainm ina théarma °tarcaisne ar aon duine atá i gcoinne na heite clé nó in éadan an dearcaidh °liobrálaigh.

fealsúnacht, an fh- iarrachtaí an duine chun an saol a thuiscint, brí a bhaint as an bheatha, agus ceartiompar a aimsiú, trí mheán na °réasúnaíochta agus na díospóireachta

Duine a thugann faoi na cursaí seo, tugtar 'fealsamh' air. Fuair an Ghaeilge an focal ón Ghréigis, *philosophos*. *Philein* an focal Gréigise ar 'grá a thabhairt'; *sophos* an focal ar dhuine críonna (féach 'saoi' sa Ghaeilge). An gnó a bhíonn idir lámha ag fealsamh, tugtar 'fealsúnacht' air.

Is dócha go raibh an bheirt Ghréagach, Platón (429-347 RCh) agus Arastotail (384-322 RCh), ar an bheirt fhealsamh ba mhó tionchar riamh. Tá sé ráite nach bhfuil in aon rud dár scríobhadh ó shin ach fonótaí ar a saothar siúd. D'fhéach Platón leis an eagnaíocht a bhí fréamhaithe go dúchasach i meon an duine a chur i bhfocail. Thug Arastotail faoin eagnaíocht a bhí le baint as °feiniméin agus as eachtraí na beatha ó lá go lá a rianú agus a mhíniú.

Uathu siúd beirt tháinig dhá mhórscoil fhealsúnachta – an Platónachas[111] agus an tArastotaileachas.

Platón

garg: garbh, míthaitneamhach/ rough, unpleasant
neamhlách: éadulangach, drochairíonach/ illiberal
aontú: réiteach/ to agree, conform
fealsúnacht: philosophy
ceartiompar: an bealach is ceart chun an saol a chaitheamh/ right conduct
eagnaíocht: críonnacht/ wisdom
rianú: imlíniú, léiriú go ginearálta/ to outline

Arastotail

Tomás d'Acuin

Chuaigh siad i bhfeidhm a bheag nó a mhór ar an uile °smaointeoireacht idir fhealsúnach agus eolaíoch síos go dtí deireadh na meánaoiseanna (is é sin, go dtí lár an cúigiú céad déag). Is ceann de shaintréithe[49] eolaíocht an lae inniu gur bhris sí d'aon ghnó leis an leanúnachas smaointeoireachta sin.

'Tómachas' a thugtar ar an chóras fealsúnachta agus diagachta a bhain le San Tomás d'Acuin (1225-74). Arastotaileach a bhí go príomha i San Tomás, ach bhain sé eilimintí ó Phlatón chomh maith. D'fhéach d'Acuin leis an leagan amach Críostaí a bhí aige ar an saol a chur i dtoll a chéile de réir na gcatagóirí Arastotaileacha, faoi mar a dhéanann °diagairí na fuascailte iarracht, cuid mhaith, a radharc Críostaí féin a cur síos i dtéarmaí aicmithe Marxacha. De bharr na doimhneachta atá le sonrú i saothar Phlatóin agus Arastotail agus iad ag plé buncheisteanna na fealsúnachta, is minic a thugtar an 'fhealsúnacht shíornua' ar shaothar na beirte i dteannta a chéile. Ní hábhar iontais é má tá spéis á cur athuair i bPlatón agus in Arastotail ag lucht loighce morálta, lucht loighce polaitíochta, agus – roinnt – lucht loighce na fealsúnachta.

Tá sé de nós rannóga difriúla a dhéanamh den fhealsúnacht, cosúil leis an fhealsúnacht nádúrtha, an eipistéimeolaíocht (staidéar eolaíoch ar °fhiúntas an fheasa), an ointeolaíocht (staidéar ar an bheith agus an

príomha: bunata, príomhúil/ primary
cur i dtoll a chéile: cur i dteannta a chéile/to assemble
aicmiú: an rangú (Marxach) ar an phobal de réir mar a bhaineann siad leis an chóras táirgthe/ (Marxist) categorisation on the basis of class
síornua: bithnua, síoraí/ perennial
loighic: cleachtadh na réasúnaíochta/ logic
eipistéimeolaíocht: staidéar eolaíoch ar chúrsaí feasa agus ar gach a bhaineann le fios agus le cumas chun eolais/ epistemology (ó *epistēmē* 'fios', 'eolas', sa Ghréigis)
ointeolaíocht: staidéar ar an bheith, ar staid an eiseachais/ ontology
beith: 'bheith ann', staid an eiseachais/ being

mheitifisic ghinearálta), an fhealsúnacht mhorálta, an fhealsúnacht pholaitiúil.

Thugtaí sofaist ar dhuine de dhream fealsamh a mhair aimsir Shócraitéis (469-399 RCh). Bhí na sofaistí go maith chun an óráidíocht a mhúineadh, agus thuill cáil ar chlisteacht a gcuid argóintí. Bhí meas orthu mar dhaoine a d'fhéadfadh a lucht éisteachta a mhealladh lena gcuid cainte. Chreid na sofaistí go bhféadfaí cruth foirmiúil a chur ar ghníomh na smaointeoireachta, agus go bhféadfaí an smaointeoireacht a mhúineadh mar theicníocht, agus gurbh fhéidir í a fhoghlaim. Chuir siad an-bhéim ar scileanna na teicníochta, agus ar argóintí a °bhuachan ar ais nó ar éigean.

Mar gheall air seo ceanglaíodh an dara brí, brí bheagmheasúil, leis an téarma 'sofaist' sa Bhéarla. Sa chiall dhiúltach seo is ionann sofaist agus cailicéir[112], is é sin, duine a théann i muinín argóintí a bhfuil dealramh na fírinne orthu cé nach bhfuil aon fhiúntas iontu dáiríre. Cailicéireacht a thugtar ar an chineál sin cainte sa Ghaeilge. 'Duine °sofaisticiúil', sin duine a bhfuil eagna shaolta aige; 'rud sofaisticiúil', sin rud greanta, críochnúil.

feidearálacht
aontacht stát mar a bhfuil rialtas lárnach a °reachtaíonn dlíthe[48] a théann i bhfeidhm go díreach ar shaoránaigh na stát uile maidir le cúrsaí áirithe den saol; agus mar a bhfuil rialtais stáit a reachtaíonn dlíthe a théann i bhfeidhm go díreach ar an phobal laistigh dá gcríocha féin maidir le cúrsaí eile den saol

Foedus, foederis an focal Laidine ar 'conradh' nó 'léig' (comhcheangal polaitiúil a chumtar ar bhonn conartha). Tá focal Laidine eile, *confederatio*, atá gaolmhar leis, agus 'comhaontu' is ciall leis. Ón dá fhocal sin faoi seach ghlac an Béarla le *federation* (sa seachtú céad déag) agus le *confederation* (níos luaithe

---

meitifisic: staidéar i dtaobh na beithe agus i dtaobh chumas an duine chun 'fios' a bheith aige/ metaphysics
teicníocht: modh oilte praiticiúil/ technique
beagmheasúil: tarcaisneach/ pejorative, belittling
cailicéireacht: lochtúchán/ quibbling, captiousness
eagna shaolta: críonnacht maidir le cúrsaí an tsaoil/ worldly-wise
feidearálacht: federation
faoi seach: gach ceann de réir oird/ repectively

Teach na Comhdhála, i gCathair Chill Chainnigh, faoi mar a bhí. Níl le feiceáil anois ach cloch chuimhneacháin, ach maireann cuimhne na Comhdhála san ainm, Sráid na Parlaiminte. Nuair a bhí an Chomhdháil i réim (1642-48) bhíodh garda onóra le ceol agus le bratacha os a comhair gach lá

ná sin, sa ceathrú céad déag). Déanta na fírinne, is minic a mheasctar an dá fhocal sa teanga sin, agus tá mórán Béarlóirí dall ar an difríocht eatarthu, más amhlaidh a ritheann sé leo go bhfuil difríocht ar bith ann. Níl an Ghaeilge pioc níos fearr as ó thaobh °idirdhealú[177] a dhéanamh idir sainbhríonna[49] na bhfocal seo. Go dtí le déanaí is cosúil go raibh an difríocht brí a bhí eatarthu ag dul as, ach ní fheadair aon duine an mbeidh tábhacht leis an difríocht arís amach anseo.

Maidir le *confederatio,* ba °chomhcheangal polaitiúil scaoilte é idir dreamanna a bhí neamhspleách go leor ar a chéile. Bhí a leithéid in Éirinn sa seachtú céad déag. Comhdháil Chill Chainnigh (1642-49) a tugadh sa Ghaeilge ar an chomhcheangal sin, rialtas dúchasach a raibh ceannairí Éireannacha de gach sórt ann. Bhí dhá theanga oifigiúla in úsáid i bParlaimint Chill Chainnigh, an Ghaeilge agus an Béarla. I mBéarla a coiméadadh aon tuairisc oifigiúil ar a cuid imeachtaí.

Ar mhaithe le soiléire, táimid chun glacadh san alt seo le 'cónaidhm' (comh + snaidhm) mar an téarma ar *confederatio*, agus le 'feidearálacht' ar *federatio*.

---

déanta na fírinne: chun an fhírinne a rá/ to tell the truth
ní fheadair aon duine: ní heol do aon duine/ nobody knows

Lógó Stáit Aontaithe Mheiriceá. Tagann an t-iolar, mar shiombail stáit, ó aimsir na Rómhánach. Bhain an t-iolar le hIúpatar, príomhdhia na Róimhe

An chónaidhm[113] pholaitiúil is sine dá bhfuil ann ná an ceann idir cantúin[114] na hEilvéise[115]. Is stát beag é gach cantún, lena rialtas féin, agus saoránacht ar leith ag muintir gach cantúin. Dáiríre, is feidearálacht í an Eilvéis ó 1848 i leith, ach maireann °iarsmaí[76] den chónaidhmeachas fós. Mar shampla, má dhéanann Eilvéiseach rud go mór as ord i gcantún eile, is féidir é a dhíbirt as an chantún sin ar ais go dtí a chantún dúchais, díreach mar a dhéanfaí le saoránach as tír eile. (An pláta gluaisteáin idirnáisiúnta, CH, ciallaíonn sé Cónaidhm na hEilvéise, nó *Confederatio Helvetica* sa Laidin.)

I gcás cónaidhme, is lú go mór cumhacht an rialtais láir ná mar a bhíonn i gcás feidearálachta. Faoi chóras conaidhme ní féidir leis an rialtas láir feidhmiú ach trí mheán rialtais na gcomhstát. Go °hiondúil, bíonn cead ag comhstát éirí as an chónaidhm. Troideadh cogadh fuilteach idir Stáit Aontaithe Mheiriceá (1861–65) chun a fháil amach an feidearálacht nó cónaidhm a bhí iontu. Fuarthas amach gur feidearálacht a bhí ann: ní raibh cead ag Stáit na Cónaidhme scaradh leis an Aontas.

I bhfeidearálacht bíonn rialtas lárnach ann le cumhachtaí dearfa dá chuid féin de réir bunreachta. Bíonn rialtais áitiúla nó réigiúnacha ann chomh maith.

I dteannta le Meiriceá, tá rialtais fheidearálacha ag an Astráil, ag Ceanada, ag an Ghearmáin, ag an India.

An cineál stáit is coitianta, áfach, ní bhíonn ach rialtas amháin ann, agus bíonn an córas rialtais áitiúil faoi réir iomlán an rialtais láir. Sin mar atá in Éirinn. Uaireanta moltar rialtas feidearálach do Éirinn go hiomlán, mar réiteach ar cheist Thuaisceart Éireann. Nó b'fhéidir go réiteofar an cheist sin laistigh de chomhthéacs Eorpach éigin. D'fhéadfá a rá gur sórt conaidhme atá sa Chomhphobal Eorpach faoi láthair. Ach an ndéanfar feidearálacht dí lá éigin amach anseo? Sin ceist nach bhfuil freagra uirthi go fóill.

---

comhthéacs: an timpeallacht nó na tosca a bhaineann le rud/ context

feimineachas
gluaiseacht chearta na mban

An Chuntaois Markievicz (1908), an chéad bhean a toghadh chun suí i bParlaimint Westminster. Níor ghabh sí a suíochán ansin mar dhein sí rogha dá ballraíocht sa chéad Dáil. Ceapadh í ina hAire Saothair

Ón Laidin (*femina*, 'bean') a thagann an focal seo. Ag tús na haoise seo b'éigean do na sufraigéidí[116] tréanfheachtas a chur ar siúl chun cearta °bunúsacha polaitíochta – ceart vótála agus ceart bheith ina mbaill pharlaiminte – a bhaint amach. °Eascraíonn an ghluaiseacht reatha as polaitíocht °radacach seascaidí na haoise seo, nuair a d'fhéach mionlaigh agus dreamanna eile a bhí faoi chiotaí (gormaigh Mheiriceá, mar shampla) le cothrom na Féinne a bhaint amach dóibh féin.

Soiléiríodh go raibh míbhuntáistí i gcúrsaí eacnamaíocha agus sóisialta ag roinnt le stádas ban, rudaí ar glacadh leo gan mórán ceiste go dtí sin. As sin tháinig 'Fuascailt na mBan'. Bunaíodh an Ghníomhaireacht um Chomhionannas Fostaíochta i 1977 chun comhchearta do chách i gcúrsaí oibre a bhaint amach. Tá dul chun cinn á dhéanamh ar bhealaí éagsúla ó shin. Foilsíodh an Tuarascáil um Stádas Ban (Tuarascáil Bheere) i 1973. Dá thoradh sin bunaíodh an Chomhairle um Stádas na mBan. Tá seacht n-eagraíocht is seachtó de gach cineál i saol na tíre ceangailte leis an chomhairle anois.

Sa chóras Ghaelach bhí a cearta féin ag bean mar dhuine. Riamh, níor mhaoin phearsanta í an bhean de chuid a fir, agus níor leis an fhear a maoin siúd ach oiread. Bhí cead dlí ag na mná chun saoirse a bhaint amach dóibh féin. Cothrom a fir, an Rí Ailill, a bhí i Méabha, banríon Chonnacht. Go dtí an lá inniu is annamh °idirdhealú[177] ar bhonn gnéasachais i dtéarmaíocht na Gaeilge, i gcomparáid le teangacha

---

sufraigéid: bean de dhream míleatach i dtús an fichiú haois a dhéanadh agóid ar son cearta vótála ban/ suffragette
ciotaí: míbhuntáiste/ disadvantage
stádas: seasamh/ status
Gníomhaireacht um Chomhionannas Fostaíochta: Employment Equality Agency
Comhairle um Stádas na mBan: Council for the Status of Women
maoin phearsanta: airnéis / personal property, chattels
gnéasachas: rud a bhaineann le dearcadh atá frithbhanúil/ sexism

eile. Úsáideann an Ghaeilge na focail 'duine', 'daonna', 'daon' áit a mbíonn *man* de ghnáth sa Bhéarla; mar shampla, Mac an Duine (Críost), an cine daonna, daonchumhacht[90]. Seachnaíonn an Ghaeilge an gnéasachas ar bhealaí eile chomh maith: féach focail choitianta mar 'cathaoirleach', 'a chara/chairde', 'uasal' (le sloinne ar chlúdach litreach), 'muintir' (*messrs*): is téarmaí iad a oireann do dhuine nó do dhaoine ar bith, cuma fireann nó baineann.

Fianna Fáil
an páirtí polaitíochta is mó in Éirinn

Buíon laochra faoi cheannas Fhinn Mhic Chumhaill ba ea na Fianna. Ní fios an bhfuil aon bhunús stairiúil ag baint leo. Ach tá neart scríofa fúthu, i bprós agus san fhilíocht. An Fhiannaíocht a thugtar ar an saothar litríochta seo. Bhain sé iomrá amach ar fud na hEorpa san ochtú haois déag nuair a d'fhoilsigh an tAlbanach James Macpherson[117] (1736-96) aistriúcháin, mar dhea, ar chuid den fhilíocht. De réir an tseanchais ba arm buan iad na Fianna i seirbhís an Ard-Rí Cormac Mac Airt sa tríú céad AD. Mheas an scoláire Gearmánach Kuno Meyer go raibh gaol idir an focal 'fiann' agus *venari* na Laidine, a chiallaíonn 'fiach a dhéanamh'. Agus is cinnte gurbh é an fiach an caitheamh aimsire ba bhreátha leis na Fianna. Uimhir iolra is ea 'fianna'. Bhí seacht gcatha, nó ranna airm, sna Fianna.

'An Lia Fáil' a bhí mar ainm ar an lia, nó ar an ghallán cuimhneacháin, atá ina sheasamh ag Teamhair na Rí (tá sé díreach san áit ar cuireadh na Crapaithe a básaíodh ag Cnoc na Teamhrach i 1798). D'oirnítí ard-

daonchumhacht: an líon daoine atá ar fáil chun oibre/ manpower
buíon: dream/ group, band
iomrá: cáil, ábhar cainte/ repute
mar dhea: in ainm is a bheith fíor (ach gan é bheith fíor dáiríre!)/ moryah, forsooth!
fiach: seilg/ hunting
lia: cloch ard chaol, colún cloiche/ pillarstone
Crapaí: duine de lucht Éirí Amach 1798/ croppy, insurgent
oirniú: duine a chur in oifig le searmanas sollúnta/ to install, inaugurate

ainm
focal nó téarma chun duine nó rud a shainlua. Tá 'ainm' le fáil go forleathan sna teangacha Ind-Eorpacha: *name* (Béarla), *nomen* (Laidin), *onoma* (Gréigis), *náma* (Sanscrait). *Nomn* an fhréamh as ar fhás na focail seo uile, meastar. Sloinne a thugtar ar ainm muinteartha duine. Tosaíonn na sloinnte Gaelacha le 'Ó' nó le 'Mac' de ghnáth, ach tá roinnt sloinnte dúchasacha in oirdheisceart na tíre a cumadh sular éirigh an dá chineál sin ina nós coitianta. Orthu siúd tá Caomhánach (Kavanagh), Cinsealach (Kinsella), Déiseach (Deasy). 'Caoin', 'uaibhreach', 'duine de threibh na nDéise' is ciall do na trí shloinne seo

ríthe na hÉireann in aice na cloiche sin agus deirtí go ligfeadh sí liú aisti i bhfianaise go raibh an duine ceart á oirniú ina rí. Ní hionadh mar sin gur glacadh leis an fhocal 'fál' mar ainm eile ar Éirinn, sa téarma Inis Fáil, mar shampla. Ansin ceanglaíodh an focal (sa Bhéarla ach go háirithe) le cinniúint na tíre.

Bhunaigh Éamon de Valéra agus a lucht tacaíochta páirtí polaitíochta nua san Amharclann Scala i mBaile Átha Cliath i mBealtaine 1926. Ba den chuid sin den phobal iad a chuir in éadan Chonradh 1921. Ghlac siad le 'Fianna Fáil' mar ainm orthu féin. Is gnách glacadh leis go gciallaíonn na focail sin 'Saighdiúirí na Cinniúna', cé nach bhfuil sin iomlán ceart ón mhéid atá ráite thuas.

Bhí olltoghchán i Mí Meithimh 1927, agus ghnóthaigh an páirtí nua seacht suíochán is daichead, líon °suntasach. Go dtí sin ní ghlacfadh an pairtí nua lámh ná páirt sa Dáil. Ach bheartaigh siad ar dhéanamh amhlaidh i Mí Lúnasa na bliana sin. De réir bhunreacht an tSaorstáit, bheadh orthu mionn dílseachta do rí na Breataine a ghlacadh sula bhféadfaidís dul isteach sa Dáil. Ba fhuath leo mar phoblachtaigh é sin a dhéanamh. Is mar seo a réitigh de Valéra an fhadhb: bhog sé an Bíobla i leataobh den bhord mar a raibh rolla lucht tugtha an mhionna le síniú, dúirt nach raibh sé chun mionn a thabhairt, agus shínigh an rolla. Le teacht Fhianna Fáil isteach sa Dáil deineadh deimhin den °bhunreachtúlacht agus den daonlathacht i gcúrsaí polaitíochta na tíre ó shin i leith.

In olltoghchán 1932 fuair Fianna Fáil dhá shuíochán is seachtó. Ba iad an páirtí ba mhó sa Dáil. Le cabhair Lucht Oibre chum de Valéra rialtas nua i Mí Mhárta na bliana sin. An chaoi shíochánta ar ghéill rialtas Chumann na nGaedheal, faoi Liam T. Mac Cosgair, riarachán na tíre dó, ba chéim mhór í ar son an daonlathais in Éirinn. Lean Fianna Fáil leo gur bhain an áit cheannais amach i gcúrsaí polaitíochta na tíre.

liú: scread/ loud cry
cinniúint: dán, an rud atá i ndán do dhuine/ destiny

Fine Gael
an dara páirtí polaitíochta is mó sa stát

Liam T. Mac Cosgair

Ba ionann 'fine'[118] sa tSean-Ghaeilge agus trí ghlúin clainne (na tuismitheóirí, a sliocht féin agus sliocht a sleachta). Inniu tá ciall níos leithne antraipeolaíoch leis, 'an teaghlach forleathnaithe'. Leathnaíodh ciall an fhocail ar bhealaí eile chomh maith. Ceanglaíodh an téarma le pobal a raibh comhchaidreamh agus comhoidhreacht i bpáirt acu lena chéile; agus ansin, ar uaire, leis an cheantar a raibh siad ina gcónaí ann.

'Gael' a tugadh ar dhuine den chine chaithréimeach a labhair teanga Q-Cheilteach agus a tháinig i dtír in Éirinn am éigin idir an chéad agus an cúigiú haois roimh Chríost. De réir an tseanchais shíolraigh siad ó laoch darbh ainm 'Gaedheal Glas mac Niuil mic Féiniusa Farsaidh'. Is cosúla, áfach, go dtagann an focal 'Gael' ó *Gwyddel*, an t-ainm a thug muintir na Breataine Bige orthu fadó.

Tugann an teideal 'Fine Gael' le fios, °fearacht 'Fianna Fáil', gur pairtí náisiúnaíoch le bonn leathan atá i gceist.

I Mí Eanair 1933 d'fhógair de Valéra tobthoghchán, agus bhuaigh °móramh iomlán sa Dáil. Ba thrámach an buille é do Chumann na nGaedheal (an chuid sin de sheanpháirtí Sinn Féin a ghlac le Conradh 1921), mar ba é an dara briseadh toghchánaíochta orthu laistigh de bhliain. D'fhás an tuairim dá bharr gur cóir °freasúra polaitíochta aontaithe a bhunú, trí cheangal idir Cumann na nGaedheal, an Páirtí Láir, agus gluaiseacht na Léinte Gorma (a raibh an Ginearál Eoin Ó Dufaigh i gceannas orthu, agus a thug an Garda Náisiúnta orthu féin).

°Thoirmisc an rialtas an Garda (leath-Fhaististeach) Náisiúnta i 1933, ar an ábhar gur bhagairt iad don

antraipeolaíoch: a bhaineann le staidéar ar an chine dhaonna mar ábhar eolaíochta/ anthropology
teaghlach forleathnaithe: aonad sóisialta a chlúdaíonn an teaghlach núicléach (tuismitheoirí agus a gclann pháistí) mar aon le gaolta eile, agus a shíneann go minic thar thrí ghlúin nó breis/ extended family
caithréimeach: buach/ victorious
tobthoghchán: toghchán gan choinne/ snap election
trámach: coscrach/ traumatic

daonlathas. Ansin bunaíodh Fine Gael as na dreamanna a luaitear thuas. Toghadh Ó Dufaigh ina cheannaire. Duine inspreagúil ba ea é, ach ní raibh aon ró-éirim pholaitíochta ann. D'éirigh sé as i gceann bliana agus toghadh Liam T. Mac Cosgair ina áit.

Bhí an ceangal leis na Léinte Gorma ina ábhar aiféaltais do mhuintir Fhine Gael ar feadh tamaill. Ach d'éirigh leo dúshlán[119] a thabhairt do Fhianna Fáil faoi chúig agus dul i mbun rialtais ar bhonn comhrialtais. Ach níor éirigh leo go fóill rialtas a chumadh as a stuaim féin.

frith-Ghiúdachas[120]
fuath don chine Ghiúdach

Is cruinne an focal seo ná an téarma Béarla, *anti-Semitism*. Is Seimítigh iad ciníocha eile chomh maith, na hArabaigh, mar shampla. Baineann an Eabhrais (teanga oifigiúil Iosrael), an Araibis, an Amairis (teanga oifigiúil na hAetóipe) agus roinnt teangacha eile (amhail teanga na mBablónach fadó) le haicme teanga ar a dtugtar an grúpa Afra-Áiseach. Tá an-chosúlacht idir *assalam 'alaikum* na nArabach agus *shalom aleichem* na hEabhraise. Is ionann ciall don dá abairt, 'síocháin leat.' Ach d'ainneoin sin is uile, is iad na Giúdaigh amháin a fhulaingíonn °feiniméan an fhrith-Sheimíteachais.

Ba rómhinic míghnaoi ag Críostaithe ar na Giúdaigh. Chuir siad an milleán orthu as siocair Críost a chur chun báis. Míthaitneamh reiligiúnach seachas col ciníochais a bhí sa chlaonadh sin. Faoi

inspreagúil: in ann daoine a spreagadh go héasca/ charismatic
aiféaltas: náire, cotadh/ embarrassment, regret
dúshlán: iarraidh chun troda nó chun iomaíochta/ challenge
as a stuaim féin: ar a gconlán féin/ on their own initiative, independently of others
frith-Ghiúdachas: anti-Semitism
míghnaoi: míthaitneamh/ dislike
milleán: cáineadh/ blame
as siocair: de bhrí, ar an leithscéal/ because, on the pretext
col ciníochais: drogall ar bhonn ciníochais/ racial aversion

dheireadh, sa bhliain 1965, dhearbhaigh an Eaglais Chaitliceach, le rún foirmiúil de chuid Chomhairle Vatacáin II, nach raibh na Giúdaigh ciontach sa ghníomh sin.

feiniméan
sin (1) rud is féidir a aireachtáil nó a aithint leis na °céadfaí, nó (2) rud atá ina ábhar °suntais. Tagann an focal ó thús ó *phainein*, 'taispeáint', sa Ghréigis

Is feiniméan leanúnach stairiúil é fuath a thabhairt do na Giúdaigh mar chine, diomaite dá reiligiún. Ba é an °tUileloscadh an t-ainghníomh is measa a imríodh ar na Giúdaigh. An tUileloscadh, sin an °sléacht coscrach a d'imir na Naitsithe ar an chine. An Réiteach Deireanach ar 'fhadhb' na nGiúdach a thug siad ar an fheachtas seo chun pobal a °dhíothú go hiomlán, idir anam is chorp. °Cinneadh ar an ghníomh uafáis seo a chur i gcrích ag Comhdháil Wannsee i mBeirlín sa bhliain 1942. Ní Giúdaigh amháin a d'fhulaing. Cuireadh go leor Críostaithe chun báis chomh maith ar an bhonn gur de bhunadh Giúdach iad.

Luaitear cúiseanna éagsúla leis an fheiniméan aisteach seo an fhrith-Ghiúdachais. Sa Pholainn agus sa Rúis bhí pobal mór Giúdach: °mionlach bocht gan chosaint a bhí iontu, a bhí ina gceap áisiúil milleáin ag an chuid eile den phobal thart timpeall orthu. Theastaigh ábhar milleáin ó na daoine eile, na gintlithe[121], as siocair na °mbacainní sóisialta agus polaitiúla a bhí á bhfulaingt acu faoi réimeas an tSáir.

cabhlach
bhí longfort ag Gráinne Ní Mháille sa séú haois déag ag Carraig an Chabhlaigh i gContae Mhaigh Eo. Tá caisleán ansin, agus é fós i seilbh mhuintir Mháille. Tá baint ag cabhlach le 'cabhail', a chiallaíonn 'creatlach' nó 'fráma folamh'. Ciallaíonn sé 'colainn loinge' chomh maith

Mar sin, nuair a bhris cabhlach na Seapáine go trom ar na Rúisigh i 1905, d'eisigh póilíní an tSáir doiciméad falsa, *Comhghnásanna Seanóirí Shióin*[122], chun aird an phobail a dhíriú ón tubaiste mhíleata. Thug an cháipéis seo le tuiscint go raibh comhcheilg Ghiúdach ann chun an domhan go léir a chur faoina

diomaite de: lasmuigh de/ apart from
coscrach: uafásach/ shocking
ceap milleáin: sceilpín gabhair/ scapegoat
áisiúil: caoithiúil/ convenient
réimeas: smacht, riail/ reign, sway
cabhlach: loingeas/ fleet
falsa: bréagach/ false
comhghnás: comhaontú foirmiúil/ protocol
tubaiste: matalang, 'cat mara'/ disaster
comhcheilg: beart faoi rún in aghaidh an dlí/ conspiracy

smacht. Ní raibh bonn ar bith leis mar scéal. Ach lá níos faide anonn d'adhain an bhréag fantaisíochtaí mire Hitler in aghaidh na nGiúdach.

San Iar-Eoraip agus i Meiriceá d'éirigh go seoigh le han-chuid Giúdach i gcursai an tsaoil. Bhí Giúdaigh ar thús cadhnaíochta san ealaín, sa litríocht, sa cheol, i gcúrsaí leighis, san eolaíocht, sa °smaointeoireacht. Níorbh ionadh é go raibh daoine in éad leis na Giúdaigh de bharr na héirime seo go léir. Dúisíodh gangaid roimh an phobal Ghiúdach i gcoitinne. Rud níos díobhálaí fós, cumadh °teoiricí bréageolaíochta um chiníochas timpeall tús na haoise seo. Chuir na teoiricí seo in iúl gur bhain táire agus suarachas leis na Giúdaigh mar chine. D'fháiltigh idé-eolaíocht na Naitsithe roimh na hansmaointe seo.

Is beag bídeach an líon Giúdach Éireannach atá ann; ar éigean atá dhá mhíle díobh sa Phoblacht. Ach

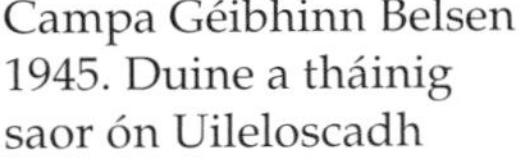
Campa Géibhinn Belsen 1945. Duine a tháinig saor ón Uileloscadh

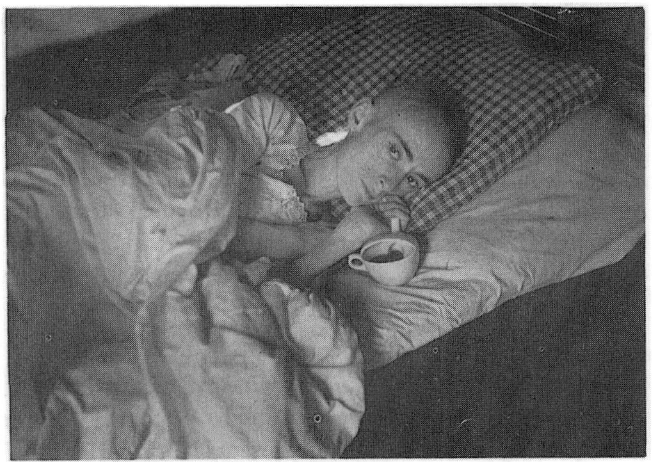

adhaint: cur le tine/ to ignite, set alight
fantaisíocht: samhlaíocht mhire/ fantasy
go seoigh: go breá, go hiontach/ wonderfully well (Is ionann 'Seoigh', leis, agus an sloinne Joyce)
ar thús cadhnaíochta: chun tosaigh/ in the vanguard
ealaín: dán, saoirseacht/ art
gangaid: binb, goimh/ bitterness, venom
táire: sprionlaitheacht/ meanness, miserliness

Joyce

Bhí mórán cairde Giúdacha ag Séamas Seoigh (1882–1941). Nuair a theith an t-údar ó Pháras i 1940 chuaigh duine acu, Paul Léon, chuig árasán an tSeoighigh lena chuid páipéar a chur in ord, agus thug iad do Leagáid na hÉireann sa chathair. Tá siad i dtaisce sa Leabharlann Náisiúnta anois. Ach mhoilligh Léon ró-fhada i bPáras, le go seasadh a mhac a scrúdú céime san ollscoil. Gabhadh é mar Ghiúdach i locadh Naitsíoch go luath ina dhiaidh sin agus fuair sé bás i gcampa géibhinn sa bhliain 1942 (locadh: round up)

baineann tábhacht as cuimse lena saothar i saol na tíre. Tá triúr díobh ina dTeachtaí Dála, agus bhí Giúdaigh ina n-ardmhéaraí ar Bhaile Átha Cliath agus ar Chathair Chorcaí. Tháinig Éire slán go maith ó smál an fhrith-Ghiúdachais, cé go raibh scliúchais ina gcoinne i Luimneach agus i gCorcaigh ag tús na haoise seo. Deirtear i dtaobh na tagartha do na Giúdaigh a bhí sa bhunreacht (san airteagal ar reiligiún), gur °dhúshlán d'aon turas é ag de Valéra, ar Chaitliceach coimeádach é, do lucht callánach na heite deise ró-Chaitlicí a bhí suas sna tríochaidí.

Léiríonn Joyce (Seoigh) dearcadh goimhiúil ag tús an leabhair *Ulysses* (Uiliséas) ar thréith chaoin-fhulangach na hÉireann i leith na nGiúdach. Giúdach Dubhlinneach, Leopold Bloom, is laoch don leabhar. Seo é carachtar eile, an Déiseach, Oráisteach cráifeach agus Críostaí measúil, ag caint le Stiofán Daedalus:

—Níor theastaigh uaim ach a rá, ar sé. Maítear gurb í Éire an t-aon tír nár chéas na Giúdaigh. Meastú cén fáth?

Chuir sé muc ar gach mala leis roimh an gheal-aer.

—Cad chuige? arsa Stiofán, agus meangadh gáire ag teacht air.

—Toisc nár lig siad iad isteach, arsa an Déiseach go sollúnta.

Más dearóil le rá é, is ar éigean atá teanga Eorpach ann gan a hainm °díspeagtha[123] féin aici ar na Giúdaigh. Seans gur eisceacht uasal í an Ghaeilge. Ach i dtuairisc le Sir Shane Leslie ar a shaothar i measc na nÉireannach in Wapping in oirthear Londan i 1908, dúirt sé:

---

scliúchas: racán/ brawl
d'aon turas: d'aon ghnó/ on purpose
eite: sciathán/ wing, taobh
goimhiúil: searbh, géar/ caustic, mordant
caoinfhulangach: ceadaitheach/ tolerant
measúil: creidiúnach/ esteemed, respectable
muc a chur ar gach mala: gnúis a chur ort féin/ to frown
meangadh (gáire): aoibh/ smile
dearóil: ainnis/ miserable

—Bhí pobal Wapping roinnte ar dhá eaglais, an ceann 'le Pusey' [de chuid Eaglais Shasana] agus an ceann 'Éireannach' [na Caitlicigh]. Idir a dtréada araon bhí an t-oileán ag cur thar maoil, agus ní ligtí na Giúdaigh trasna na ndroichead isteach. Dá dtabharfadh duine acu faoi, ina sheanfheisteas Giúdach, thiocfadh gráscar tachrán na sráide sa tóir air, ag scréachach *'Sheeny! Sheeny!'* Is ionann sin agus an focal 'sionnach' sa Ghaeilge.

frithghníomhaí
duine atá i bhfabhar filleadh ar staid a bhíodh ann cheana (i gcúrsaí polaitíochta, geilleagracha, sóisialta nó eile); duine atá i gcoinne athruithe °radacacha sna cúrsaí sin

Réimír dhiúltach a chiallaíonn 'i gcoinne' is ea 'frith'. Tá gaol ag 'frith' le 'freas', a thugann 'freasúra' dúinn, is é sin, na páirtithe polaitíochta atá i gcoinne an rialtais san Oireachtas. Is ionann 'gníomh' agus ainm briathartha an bhriathair 'gníid' sa tSean-Ghaeilge. Nuair a cuireadh 'do' roimhe fuarthas an briathar 'do-ghním', a d'athraigh go 'déanaim' níos déanaí. 'Déanamh' an t-ainm briathartha nua atá ag an bhriathar seo. Mar sin, tá gaol idir 'gníomh' agus 'déanamh'.

Mheas mórán eolaithe agus smaointeoirí de chuid na haoise seo caite nárbh fhada go mbeadh fuascailt gach faidhbe i gcúrsaí leighis, i gcúrsaí sóisialta agus i gcúrsaí °geilleagracha ag an chine dhaonna. Mheas dream amháin díobh go gcuirfeadh an teicneolaíocht úr saibhreas buan ar fáil i dtreo is go mbeadh an saol ag dul i bhfeabhas go síoraí i gceann tamaillín. Ba é tuairim an dara dream nach mbeadh sé chomh héasca sin – bheadh gnó na Réabhlóide Cumannaí le cur i gcrích acu ar dtús – ach bhí siad chomh cinnte céanna leis an chéad dream faoin lá gheal gréine a bhí le teacht.

---

tréad: sealbhán/ flock
ag cur thar maoil: plódaithe/ overflowing, crammed
feisteas: culaith/ garb
tachrán: garlach/ urchin
gráscar: gramaisc/ mob
frithghníomhaí: reactionary
freasúra: dream a chuireann in éadan ruda/ opposition

Daoine a chuir i gcoinne an dul chun cinn, nó a léirigh amhras faoi, thug an dá dhream mar aon 'frithghníomhaithe' orthu, mar théarma °díspeagtha.

geilleagar
an córas °táirgthe agus dáilte earraí agus seirbhísí i measc tomhaltóirí

Focal nua is ea é seo le coincheap nua a chur in iúl. Tá coincheap eile ann atá cosúil leis, ach tá sé teoranta ina bhrí. Is léir dúinn go gcaithfidh daoine agus comhlachtaí bheith cúramach faoi na hacmhainní atá acu, faoin teacht isteach is féidir leo a fháil, agus faoi na costais atá orthu. Ar an leibhéal theoranta seo tá focail sa Ghaeilge a oireann don chás: 'tíos' agus 'barainneacht'. Oireann 'tíos' go hinnealta do chúraimí den sórt seo i gcás an duine aonair nó an teaghlaigh; agus oireann 'barainneacht', b'fhéidir, do chás cumann agus comhlachtaí agus gnólachtaí móra.

Ach is é an coincheap nua a tháinig chun cinn san aois seo ná gur féidir riar, táirgeadh agus dáileadh earraí agus seirbhísí a mheas agus a stiúradh ar leibhéal níos leithne fós, ar leibhéal ceantair, mar shampla (iarthar na tíre), ar leibhéal náisiúnta (Éire), ar leibhéal réigiúin idirnáisiúnta (an Comhphobal), agus ar leibhéal an domhain. Theastaigh focal nua le haghaidh an smaoinimh seo. 'Geilleagar' an focal sin. Agus is feiliúnach an focal é, mar tá sé comhdhéanta den dá fhocal 'geall' agus 'eagar'.

Focal úsáideach is ea 'geall' a bhfuil bríonna éagsúla leis. Is ionann é agus gealltanas a thabhairt, nó a dhearbhú go gcomhlíonfaidh tú do fhocal; is ionann é leis agus comhartha nó an chosúlacht go dtitfidh rudaí amach ar bhealach áirithe; agus ciallaíonn sé freisin 'acmhainní' ('tá geall airgid iontu' .i. 'is féidir airgead a ghnóthú astu'). Tá dlúthbhaint ag na bríonna seo go léir leis an rath is maith linn a bhaint amach i gcúrsaí tráchtála agus trádála. Ach

---

an geilleagar: the economy
dáileadh: scaipeadh/ to distribute
tíos: cúram tí nó teaghlaigh/ housekeeping, domestic economy
barainneacht: cúram i mbun gnóthaí/ thrifty management
innealta: slachtmhar, ordúil/ orderly, neat

caithfear na rudaí seo go léir a chur in ord slachtmhar, in °eagar ceart. Is é sin, caithfidh 'geall-eagar' a bheith againn idir comhlachtaí, idir réigiúin, idir náisiúin.

Tá trí shaghas[124] geilleagair náisiúnta ann. Sa *gheilleagar saoriomaíochta* (nó *geilleagar margaidh neamhshrianta*) is beag lámh ghníomhach a chuireann an rialtas i gcúrsaí geilleagracha. Sa *gheilleagar rialaithe* dáileann an rialtas na hacmhainní táirgthe ar bhonn pleanáilte. Agus sa tríú saghas, an *geilleagar measctha*, bíonn ról tábhachtach ag fórsaí an mhargaidh[125], ach is nós freisin leis an rialtas a ladar féin a chur isteach go leitheadach. Geilleagar measctha atá againn in Éirinn.

gléas
sin áis nó uirlis a úsáidtear de láimh chun jab a dhéanamh, amhail ball troscáin a chumadh nó rothar a dheisiú. Focail eile ar uirlis nó ar ghléas sa chiall seo is ea 'acra' nó 'ball acra' (uirlis úsáideach). Ach is féidir 'gléas' a úsáid le ciall níos leithne: is ionann é ansin agus 'fearas' nó 'trealamh' (*equipment*), amhail gléas tógála (*hoist*), gléas taifeadta (*recording equipment*) srl

Olltáirgeacht Intíre (OTI) an gléas lena dtomhaistear °táirgeacht na bhfachtóirí táirgthe sa gheilleagar intíre i rith bliana. ('Oll', sin 'mór': féach ollscoil, ollmhargadh, olltoghchán, ollchruinniú, ollphléasc.) Go bunúsach, is ionann an OTI agus luach iomlán na n-earraí agus na seirbhísí a tháirgeann tír in aon bhliain amháin.

An *Olltáirgeacht Náisiúnta* (OTN), seo é an OTI arna °choigeartú mar seo: baintear den OTI an t-ioncam a thógann neamhchónaithigh amach as an tír, ach cuirtear leis an t-ioncam a thagann isteach ón iasacht chuig na daoine go léir a bhfuil cónaí orthu sa tír. Sainléiríonn[49] an OTN an táirgeacht iomlán – idir °aschur, ioncam agus chaiteachas – is féidir a áireamh ina leith siúd atá ina gcónaí sa tír i rith aon bhliana amháin. Is féidir comparáid a dhéanamh idir éifeacht agus rathúnas an gheilleagair ó bhliain go chéile sa tslí seo.

Is minic a úsáidtear an OTI agus an OTN mar shlata tomhais chun gníomhaíochtaí áirithe a mheas.

Olltáirgeacht Intíre (OTI)/ Gross Domestic Product (GDP)
intíre: inmheánach/ internal, domestic
Olltáirgeacht Náisiúnta (OTN): Gross National Product (GNP)
neamhchónaitheach: duine nach bhfuil cónaí air sa tír/ non-resident
rathúnas: séan/ prosperity, success

Is féidir a rá mar sin, maidir le hÉirinn, go raibh caiteachas na °hearnála poiblí (.i. an caiteachas go hiomlán atá faoi stiúir na seirbhíse poiblí) beagáinín os cionn caoga faoin gcéad den OTI sa bhliain 1987.

Earraí agus seirbhísí a chuirtear ar fáil faoi cheilt, gan iad a fhógairt chun críche cánach, níl áireamh orthu san OTN. Baineann an táirgeacht seo gan tuairisc leis an *gheilleagar dhubh*.

grúpaí sainleasa
°comhlachais dheonacha a chothaíonn sainleas nó cnuasach sainleasanna dá gcuid féin, agus a fhéachann le tionchar a imirt ar an rialtas agus ar an phobal i gcoitinne °d'fhonn a gcuspóirí a bhaint amach

Tugtar 'brúghrúpaí' orthu chomh maith, mar cuireann siad brú ar dhaoine eile agus ar institiúidí cabhair a thabhairt dóibh. Ar na grúpaí seo tá comhlachais mhóra chumhachtacha, ar scála náisiúnta, agus tá grúpaí beaga áitiúla, amhail cumainn turasóireachta ceantair.

Ar na grúpaí móra sainleasa tá Cónaidhm Thionscail Éireann, a sheasann ar son lucht tionscail i gcúrsaí trádála, geilleagair, airgeadais, cánachais, pleanála agus forbartha; Cónaidhm na bhFostóirí Éireannacha, a spreagann agus a chosnaíonn sainleas na bhfostóirí i gcúrsaí caidrimh tionscail agus i gcúrsaí saothair agus sóisialta; Comhdháil na gCeardchumann, údarás láir ghluaiseacht na gceardchumann; Feirmeoirí[126] Aontaithe na hÉireann, a thacaíonn go ginearálta le leas na bhfeirmeoirí seachas feirmeoirí déiríochta; Comhlachas Soláthróirí Bainne na hÉireann, a phléann go ginearálta leas na bhfeirmeoirí déiríochta.

---

sainleas: special interest
Cónaidhm Thionscail Éireann: Confederation of Irish Industry (CII)
Cónaidhm na bhFostóirí Éireannacha: Federation of Irish Employers (FIE)
Comhdháil na gCeardchumann: Irish Congress of Trade Unions (ICTU)
Feirmeoirí Aontaithe na hÉireann: Irish Farmers' Association (IFA)
déiríocht: feirmeoireacht bhainne/ dairying
Comhlachas Soláthróirí Bainne na hÉireann: Irish Creamery Milk Suppliers Association (ICMSA)

Bíonn oifigí buanchónaithe agus foirne dá gcuid féin ag na príomhghrúpaí sainleasa. Cuireann siad seirbhísí taighde agus eolais ar fáil dá °gcomhaltaí; déanann siad °margáil agus idirbheartaíocht[177] thar a gceann; tóraíonn siad airí agus ranna rialtais; cuireann siad urlabhraithe ar fáil chun labhairt leis na °meáin chumarsáide; agus déanann siad ionadaíocht ar son a ngrúpaí ar bhonn idirnáisiúnta.

Déanann eolaithe polaitíochta idirdhealú idir grúpaí sainleasa atá eagraithe ar son cúise amháin (mar shampla, Cumann Léitheoireachta na hÉireann) agus grúpaí a bhfuil °réimse leathan spéise á chlúdach acu (an °Chomhairle um Stádas na mBan, mar shampla).

Baineann tábhacht pholaitiúil le grúpaí sainleasa, de réir líonmhaireacht a mball (bíonn vótaí acu), agus de bharr na cumhachta atá acu chun bac a chur ar earraí nó ar sheirbhísí a sholáthar le haghaidh an phobail. Príomhdhualgas rialtais is ea é cúram a dhéanamh de leas an phobail i gcoitinne, agus é a chosaint ó dhochar grúpaí sainleasa.

---

buanchónaithe: seasta/ permanent
taighde: ábhar a scrúdú ar bhonn eolaíochta/ research
idirbheartaíocht: gnó a dhéanamh ar son duine/ representation
tóraíocht: dul a lorg tacaíochta/ to lobby

I

ilnáisiúntach
cuideachta ollmhór le hionaid °táirgthe agus margaíochta agus iad scaipthe ar fud an domhain, i dtíortha éagsúla

Tagann 'náisiún' ó *natio, nationis* (náisiún) na Laidine. Agus tagann *natio* ó *nascor, natus*, a chiallaíonn 'breith', 'saolú', nó 'giniúint'. Mar sin, is é is ciall bhunúsach leis an fhocal 'náisiún' ná clann, nó dream daoine a shíolraíonn ó na tuismitheoirí céanna. °Réimír dhúchasach is ea 'il-' sa Ghaeilge. Ciallaíonn sé 'líonmhar'. Tá gaol aige le *polus* na Gréigise a bhfuil an chiall chéanna (líonmhar) aige. D'fhág na Q-Cheiltigh an 'p' ar lár; mar sin is 'il-' atá againn sa Ghaeilge.

Tá mórán ilnáisiúntach ann agus buiséid acu atá níos mó ná buiséad náisiúnta na hÉireann. Is minic a bhíonn siad ag trádáil earraí tábhachtacha straitéiseacha ar nós ola, mianraí agus acmhainní nádúrtha. °Go hiondúil, bíonn tionchar mór polaitíochta acu, de bharr a méid agus de bharr thábhacht a gcuid trádála. Tig leo tíortha a chur in éadan a chéile, ar uaire[127], ar mhaithe lena leas féin. De bharr thréith na hidirnáisiúntachta bheith ag baint leo, ní féidir le haon rialtas ar bith a gcuid imeachtaí a scrúdú ina n-iomláine, faoi mar is féidir i gcás gháthchomhlachta.

Ar an taobh eile de, bronnann corparáidí ilnáisiúnta buntáistí go leor ar thír a thosaíonn ar an tionsclaíocht go déanach sa lá, °fearacht na hÉireann. Nuair a théann siad i mbun gnó i dtír dá leithéid, cuireann siad le méid na táirgeachta náisiúnta; méadaíonn siad an fhostaíocht (cé nach leor é sin chun lucht a gcáinte a shásamh); agus cuireann siad 'iarmhairtí taispeánta' ar fáil do thionsclaithe dúchasacha maidir leis na modhanna táirgthe is déanaí. Is é sin, tugann siad léiriú praiticiúil ar na

---

ilnáisiúntach: multinational
cuideachta: comhlacht/ company
straitéiseach: a bhaineann le pleanáil leathan/ strategic
mianra: ábhar criostalach nádúrtha/ mineral
iarmhairt: toradh a thagann de bharr ruda eile/ effect
iarmhairt thaispeánta: demonstration effect

torthaí is féidir a bhaint amach de bharr na dteicnící is úire a úsáid.

iltíreach
saoránach de chuid an domhain

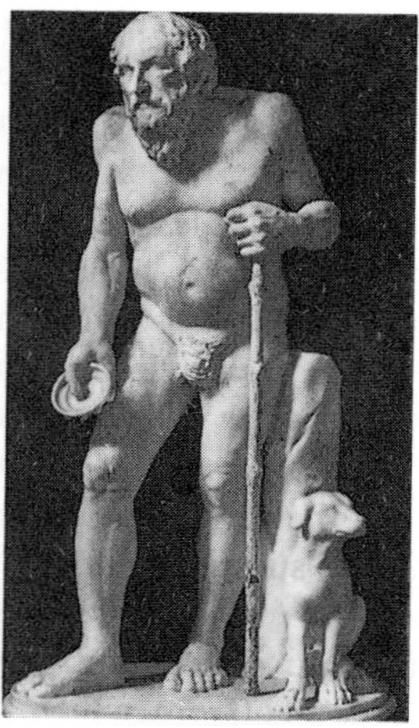

Ba é Diógainéas (timpeall 412-323 RCh) an chéad iltíreach. 'Saoránach an Domhain' a thug sé air féin

Is ionann 'il-' na Gaeilge agus *polus* na Gréigise: ciallaíonn sé 'líonmhaireacht' 'mórán', 'iomadúlacht'. Mar an gcéanna is ionann 'tír' na Gaeilge agus *terra* na Laidine. Is píosaí fianaise na cosúlachtaí[128] beaga seo gur ón aon °fhoinse amháin, an Ind-Eorpais, a tháinig na trí theanga sin.

Is duine é an t-iltíreach ar mó a spéis sa domhan iomlán ná in aon tír ar leith. Níl sé faoi cheangal ag a thír dhúchais, nó ag claontuairimí náisiúnta. Is ionann tír ar bith leis agus 'bheith sa bhaile'. Tá teicneolaíocht an lae inniu ag déanamh sráidbhaile dhomhanda den saol mhór. De thoradh teilifíse satailíte[129], mar shampla, is féidir linn féachaint ar eachtraí – cogaí fiú – na mílte míle i gcéin uainn de réir mar atá siad ag tarlú. Agus is fearr a thuigimid go bhfuil comhchinniúint[177] ag an chine dhaonna. Nuair a scriostar foraois fearthainne in abhantrach na hAmasóine, téann sé i gcion ar aeráid na hÉireann. Má oibríonn duine aerasól in Anagaire, cuidíonn sé le leathnú an phoill ózóin os cionn an Antartaigh.

Ní haicme nua ar fad iad na hiltírigh. Saighdiúirí ar pá sna haoiseanna a ghabh thart, sainaicmí[49] beaga a bhíodh, agus a bhíonn, i ndlúthchaidreamh lena gcomhghleacaithe[177] i dtíortha eile (eolaithe, maorlathaigh idirnáisiúnta, ceannairí gairme faoi leith, lucht °taidhleoireachta), is féidir a rá go mbaineann tréithe den iltíreachas leo, agus gur bhain i gcónaí.

iltíreach: cosmopolitan
claontuairim: réamhchlaonadh/ prejudice
satailít: gléas amuigh sa spás a thimpeallaíonn an domhan/ satellite (ciall choitianta an lae inniu)
comhchinniúint: dán i bpáirt le chéile/ common destiny
abhantrach: limistéar abhann/ river basin
saighdiúir ar pá: amhas/ mercenary soldier
comhghleacaí: duine comhionann/ peer
maorlathach: oifigeach i seirbhís stáit nó eagraíochta/ bureaucrat

L

leictridinimic an chandaim
an teoiric a bhaineann leis an bhealach ina noibríonn radaíocht agus °damhna ar a chéile sa chaoi go nionsúnn adaimh radaíocht, agus go nastaíonn siad radaíocht, i méideanna scoite caighdeánacha (is é sin, ina gcandaim) seachas i méideanna éagsúla inathraithe nó ina sruth leanúnach amhail leacht

ElectrElectric, is focal é sin a cumadh sa Bhéarla sa seachtú haois déag. Fuarthas é ó fhocal sa Nua-Laidin, *electricus*, a chiallaíonn 'cosúil le hómra'[130]. (Is féidir ómra a luchtú le leictreachas go héasca, ach é a chuimilt le píosa síoda.) Fuair an Laidin an focal *electrum* ('omra') ón Ghréigis. Níos déanaí, sa naoú haois déag, thóg an Béarla *dynamic* ón Fhraincis (*dynamique*), a fuair an focal ó *dunamikos* ('cumhachtach') na Gréigise. Mar sin, is comhfhocail idirnáisiúnta de chuid an fichiú haois iad *electrodynamics* an Bhéarla agus 'leictridinimic' na Gaeilge. 'Méid áirithe' is ciall don fhocal candam, nó *quantum*, focal a fuair an Béarla ón Laidin sa seachtú haois déag. Tháinig an téarma Gaeilge, 'candam', chugainn ó *quantum* na Laidine. (An chaoi ar deineadh cruth Gaelach a chur ar an fhocal iasachta sa chás seo, tá sé ar aon dul leis na focail 'cia? cé? cad?', a bhfuil gaol sinseartha acu le *qui*? *quae*? *quod*? na Laidine.)

---

leictridinimic an chandaim: quantum electrodynamics
radaíocht: fuinneamh a spréann amach i bhfoirm cáithníní, tonnta leictreamaighnéadacha srl/ radiation
['leictreamaighnéadachas', sin an fórsa leictreach agus an fórsa maighnéadach i dteannta a chéile/ electro-magnetic[
maighnéad: rud a tharraingíonn ábhar ar nós miotail/ magnet
maighnéadas: adhmainteas, an chumhacht chun miotail srl a tharraingt i dtreo a chéile/ magnetism
ionsú: sú isteach/ to absorb
astú: cur amach/ to emit
scoite: discréideach, leithleach/ discrete, separate
inathraithe: ar féidir é a athrú/ variable
leacht: ábhar mar uisce/ liquid
ómra: ábhar crua, ar dhath buí nó donnbhuí, atá déanta de chineál sú cosúil le balsam/ amber
luchtú: leictreachas a chur i rud, é a lódáil le leictreachas/ to charge (with electricity)

aois
is iad seacht n-aois an duine:
1. naíonacht (go dtí seacht mbliana)
2. leanbaíocht (seacht go dtí na déaga)
3. ógánacht (na déaga)
4. macaomhacht (na fichidí)
5. feargacht (30-50 bliain)
6. seanóireacht (50-70 bliain)
7. athlaochthacht nó aoischaiteacht (ó 70 bliain ar aghaidh)

sruth
an-chosúil lena fhoinse Ind-Eorpach, *sru*. Mar an gcéanna le 'sreabh', is soiléir an fhréamh Ind-Eorpach, *srev*. Deirtear, 'an rud a thagann le sruth, imíonn sé le gaoth' (*easy come, easy go*)

Is san aois seo a fuarthas tuiscint eolaíoch ar an adamh – sa mhéid go bhfuil a leithéid againn! Sa bhliain 1897 thángthas den chead uair ar °chomhchuid[177] faoi leith den adamh, an °leictreon. De réir a chéile aimsíodh codanna eile, na °prótóin i 1919, na °neodróin i 1932, na °cuarcanna[131] i 1968 agus na glúóin i 1979. Tá líon millteanach – breis agus dhá chéad – de °mhioncháithníní fo-adamhacha eile ann ar thángthas orthu go dtí seo, ach ní gá dúinn bacadh leo anseo, ach sa mhéid go spreagann siad ceann de na ceisteanna aisteacha °aduaine sin a bhaineann le cúrsaí an adaimh: an bhfuil na mionchaithníní sin ann dáiríre, nó an dtagann siad ann toisc go mbítear ag súil leo chun riachtanais na teoirice a shásamh? (Níl an cheist seo chomh háiféiseach agus a shamhlófaí, b'fhéidir.)

Sa bhliain 1895 is ea a d'aimsigh an fisiceoir Gearmánach, Wilhelm Röntgen (1845-1923), X-ghathanna. Toisc nár léir dó cad a bhí iontu, d'úsáid sé 'x' (an rud anaithnid) mar ainm orthu. Go luath ina dhiaidh sin tháinig an Francach, Henri Becquerel[132] (1852-1908) ar an °radaighníomhaíocht a bhaineann le húráiniam. De thoradh an dá °fhionnachtain seo tosaíodh ar struchtúr an adaimh a nochtadh de réir a chéile, faoi mar atá ráite thuas.

Fisiceoir Gearmánach eile, Max Planck (1858-1947), fuair sé amach nach raibh an radaíocht seo ag sileadh nó ag brúchtadh as an adamh mar a bheadh sruth leanúnach. Is ionann an radaíocht seo agus fuinneamh. Agus tá an fuinneamh seo á sheachadadh ó áit go háit ar fud na cruinne, ó adamh go hadamh, i bpacáistí beaga atá scartha ó chéile. Ní thagann ceann de na pacáistí seo ó adamh ach anois is arís – agus ní féidir ar chor ar bith a rá roimh ré, i gcás aon adaimh faoi leith, an dtiocfaidh nó nach dtiocfaidh. (An éiginnteacht seo, is cuid eile í den °mhistéir a bhaineann le scéal an adaimh.)

---

glúón: cáithnín a mheastar a bheith ann chun cuarcanna a cheangal le chéile/ gluon
úráiniam: dúil mhiotalach radaighníomhach/ uranium
seachadadh: seoladh, cur amach/ to deliver, send out

Ach tá cinnteacht amháin a bhaineann leis na pacáistí seo: ní féidir leo teacht as an adamh mura mbíonn siad de 'thoirt' chinnte áirithe, nó ina n-iolraí den toirt sin, toirt atá bunaithe ar mhinicíocht na radaíochta. Ós rud é go mbíonn radaíochtaí éagsúla ag cineálacha éagsúla adaimh, bíonn minicíochtaí éagsúla ann freisin. Fágann sin go mbíonn méideanna éagsúla sna 'toirteanna fuinnimh' a sheoltar ó adamh úráiniam, abair, agus ó adamh ráidiam. 'Candaim' a thug Planck ar na méideanna caighdeánacha seo. Is í seo, go bunúsach, Teoiric an Chandaim.

°Forbraíodh an teoiric le himeacht aimsire chun staid na leictreon san adamh i leith an °núicléis a chlúdach. De thoradh na hoibre seo tuigeadh nach mbíonn na leictreoin ag ciorclú an núicléis ar nós an domhain ag dul thart timpeall na gréine (míthuiscint atá coitianta go leor fós) ach go bhfuil siad 'amuigh ansin' ar imeall an adaimh. Ach cibé rud é a bhíonn ar siúl acu ansin ní fios. (Is mistéir eile é seo de chuid an adaimh.) As an fhorbairt seo tháinig Teoiric na Candam-mheicnice sa bhliain 1926.

grian
bhíodh 'sol', 'sól' in úsáid ag na filí mar théarma ar an ghrian. 'Dar grian is dar éasca', b'shin móid shollúnta ag lucht na Féinne fadó. Ba ionann 'éasca' agus an ré nó an ghealach (.i. an rud atá 'geal'). Bhí an ceathrú téarma ar an ré chomh maith, 'luan' (*luna* sa Laidin)

Ba chéim mhór ar aghaidh í an teoiric nua seo. Bhí sí in ann mórán rudaí a mhíniú: an chaoi, mar shampla, a gceanglaíonn adamh ocsaigine le dhá adamh hidrigine chun uisce a dhéanamh, agus rudaí eile den sórt sin. Shoiléirigh sí go bhfuil bunús fisice taobh thiar den cheimic. Fáiltíodh go croíúil roimh an teoiric ar an ábhar gur thug sí míniú ar an cheimic agus °léargas iontach glé ar airíonna éagsúla substaintí. Ach bhí praghas le híoc. °Tháinig an teoiric nua salach ar theoiricí reatha na linne sin i dtaobh an leictreachais agus an mhaighnéadais.

Ansin, sa bhliain 1948, réitíodh an fhadhb áirithe seo nuair a °foirmíodh teoiric nua a bhaineann le

---

toirt: méid, mais/ volume, mass
minicíocht: ráta tarlaithe agus atarlaithe/ frequency
mistéir: rúndiamhair/ mystery
ceimic: an eolaíocht a bhaineann le nádúr substaintí/ chemistry
airí: tréith/ feature, characteristic

leictridinimic an chandaim. Tá sé ráite gurb í an tseoid is luachmhaire í i stór na °bhfisiceoirí. °Tástáladh í go dian agus go minic. De thoradh na teoirice seo is féidir °feiniméin uile an domhain fhisicigh a mhíniú seachas an °imtharraingt agus seachas an fhisic a bhaineann le °núicléas an adaimh féin. Míníonn an teoiric teas agus fuacht, solas agus fuinneamh, tonnta raidió agus teilifíse, deirge na spéire um[133] luí gréine[134], boige chúr na habhann, gorm na spéire, cruas miotail. A bhuíochas den teoiric tá mórán acraí agus °aireagán nua-aoiseach againn: an trasraitheoir, uaireadóirí digiteacha, áireamháin phóca, micriríomhairí, meaisíní níocháin ríomhchláraithe, imoibreoirí núicléacha. Is mar gheall ar ár dtuiscint ar an chaoi a bhfeidhmíonn leictreoin de réir rialacha an chandaim atá na sliseanna againn a threoraíonn an t-árthach tointeála don spásaire, a riarann an gléas cluichíochta stuara don déagóir, agus a chumasaíonn an chluaisín chúnta don bhodhrán.

Tá trí bhunghníomh i ndráma leictridinimic an chandaim. Uimhir a haon, gabhann fótóin (sin

---

fisic: an eolaíocht a bhaineann le cáilíochtaí ábhair agus fuinnimh agus leis an ghaol atá eatarthu/ physics
cúr: coipeadh/ foam
acra: giúirléid/ gadget
trasraitheoir: gléas a riarann sruth leictreachais gan cabhair comhla (*valve*)/ transistor
digiteach: a bhaineann le méar nó le figiúr/ digital
áireamhán: gléas leictreonach chun áirimh/ calculator
micriríomhaire: mionghléas leictreonach chun sonraí (*data*) a phróiseáil/ microcomputer
meaisín níocháin: gléas chun éadaí a ní/ washing-machine
ríomhchláraithe: le clár de rudaí is féidir a dhéanamh/ programmed
imoibreoir: gléas núicléach srl/ reactor
slis: 'sceallóg'/ chip
árthach: soitheach taistil/ craft
tointeáil: taisteal anonn is anall idir dhá ionad/ shuttle
gléas cluichíochta: meaisín imeartha/ gaming machine
stuara: pasáiste díonach le stuanna nó le háirsí/ arcade
cluaisín chúnta: gléas éisteachta/ hearing aid
fótón: candam áirithe radaíochta/ photon

candaim sholais) tríd an °chruinne ó áit go háit; uimhir a dó, gabhann leictreoin ó áit go háit mar an gcéanna; uimhir a trí, °astaíonn nó °ionsúnn leictreoin fótóin ó am go chéile nuair a bhuaileann siad le chéile. Tá an ghníomhaíocht seo ag borradh agus ag fiuchadh thart timpeall orainn an t-am go léir, sa tine os ár gcomhair amach, sa chathaoir ar a suímid, san aer timpeall orainn, sa gha gréine a thugann teas dár gcolainn. Murach í mar ghníomhaíocht níor bheo dúinn.

Tá ciall an-leathan le 'solas' sa °chomhthéacs seo. An solas is féidir linn a fheiceáil (ón dearg go dtí an corcraghorm nó an vialait), tá sin i gceist gan amhras. Ach níl ansin ach cuid den speictream iomlán solais atá ann, speictream atá i bhfad níos leithne ná mar is léir don tsúil. Ar thaobh amháin, taobh an infradheirg, tá solas nach féidir linn a fheiceáil. Tugaimid tonnta ar 'sholas' ar an taobh sin, tonnta teilifíse agus tonnta raidió. Ar an taobh eile, an taobh atá níos airde minicíocht ná an ultraivialait, tá na hx-ghathanna, na gama-ghathanna agus eile. Is cnapáin bheaga 'solais' iad seo go léir, agus a gcandam faoi leith ag gach sórt acu, de réir a gcineáil féin. Mar gheall air seo, an solas a mhothaímid timpeall orainn, tagann sé chugainn ar nós braonta beaga báistí, ní ina shruth ar nós abhann. Mar sin, nuair a éiríonn an tráthnóna dorcha, ní hamhlaidh a bhíonn an solas ag éirí 'lag'. Ní hea, bíonn na braonta solais chomh láidir i gcónaí; níl ann ach go mbíonn an líon díobh ag dul i laghad agus ag éirí gann.

Tá cuma na simplíochta ar an scéal go dtí seo, b'fhéidir. Rud nár cheart. Mar, d'ainneoin gur 'pacáistí' iad na leictreoin agus na cáithníní eile, bíonn cuma toinne orthu chomh maith. Mar shampla, téann cáithnín trí pholl díreach mar a rachadh °piléar, abair. Ach má bhíonn dhá pholl ann, rachaidh an cáithnín aonair sin tríd an dá pholl, san aon am amháin, díreach mar a rachadh tonn. Ní fios conas sin.

Is léir nach ionann an °réaltacht fhisiceach ar an leibhéal fho-adamhach agus an réaltacht ar an leibhéal is aithnid dúinne sa ghnáthshaol thart timpeall

tráthnóna
i saol na mainistreacha fadó chantaí na tráthanna canónta ag seacht bpointe ama i rith an lae. Chantaí an chéad tráth ag breacadh lae (sin *matutina* sa Laidin), rud a thug an focal 'maidin' dúinn sa Ghaeilge (féach *matins* sa Bhéarla leis, ón fhoinse chéanna). Ag an naoú huair den chlog ina dhiaidh sin chantaí na nónta (ó *nona hora* sa Laidin, 'an naoú huair'). Is uaidh sin a thagann an focal 'tráthnóna', mar is ionann a trí a chlog tar éis meáin lae agus tráth nóna!

orainn. Ní oibríonn rialacha fisice Newton ar leibhéal an chandaim. Ní cinnteacht ach éiginnteacht a bhaineann le rudaí ar an leibhéal sin. Is féidir gníomhaíocht cáithníní fo-adamhacha a °rianú, go pointe, ach ní féidir gníomhaíocht aon cháithnín faoi leith a °thuar roimh ré. Ní hamháin sin, ach nuair a bhreathnaítear ar ghníomhaíocht reatha cáithnín, ní féidir ach cuid dá bhfuil ar siúl aige a °aimsiú. Mar shampla, is féidir ionad cáithnín a aimsiú go beacht, nó an móiminteam atá faoi. Ach caithfidh tú rogha a dhéanamh, cé acu is mian leat a aimsiú – ionad nó móiminteam? Mar ní ligfear duit an dá rud a fháil amach i dteannta a chéile. Is prionsabal bunaidh den chandam-mheicnic nach féidir an dearbhfhírinne a aimsiú riamh.

Maidir le cad a dhéanfaidh leictreon nó cáithnín faoi leith, ní féidir ach buille faoi thuairim a thabhairt: níl ann ach °dealramh, cosúlacht, féidearthacht, dóchúlacht. Nuair nárbh fhéidir le hEinstein (1879-1955) cinnteacht a bhaint amach i dtaobh an chandaim chuaigh sé i muinín na 'dóchúlachta' mar sheift shealadach chun an teoiric adamhach a láimhseáil, cé nár thaitin sin leis. °Diachaí ba ea Einstein, agus dúirt sé i dtaobh na héiginnteachta seo, 'ní dísle an chruinne i lámha Dé.'

Ar an taobh eile den scéal, mar gheall ar an éideimhne seo, prionsabal[135] a bhaineann go smior le cúrsaí na candam-mheicnice, ní féidir an °todhchaí a thomhas fiú go teoiriciúil anois, faoi mar a cheap lucht an °chinnteachais fadó.

móiminteam
fuair an Béarla an focal *moment* ón Fhraincis ar dtús agus ansin cumadh an téarma fisice *momentum* sa seachtú haois déag. Tháinig sé ó thús ó *movere, motum* na Laidine, 'gluaiseacht'. Tomhaisimid am trí gluaiseacht rialta éigin a aireachtáil, ar nós ghluaiseacht na gréine, ghluaiseacht an ghainimh in orláiste (*hour-glass*), nó ghluaiseacht snáthaidí an chloig. Is léir ón phróiseas seo cén fáth a n-úsáidtear 'móimint', a thagann ó *movimentum* (gluaiseacht) na Laidine, i dtaca le ham

scéal
fuair an Béarla *spell* ó *espeller* na Sean-Fhraincise sa tríú céad déag. Ach tháinig sé chuig na Francaigh ó *spialla* sa tSean-Ioruais, a chiallaigh 'labhairt', 'insint', 'cur in iúl', agus maireann an chiall sin sa Bhéarla go fóill sa rá *'such a thing spells disaster'*. Is cosúil gurb é an focal céanna é 'scéal' agus *spell*, ach 'c' in áit 'p' ag an Ghaeilge (teanga Q-Cheilteach)

móiminteam: méid gluaiseachta, °toirt agus luas san áireamh/ momentum
dearbhfhírinne: fírinne atá fíor i gcónaí/ absolute truth
dóchúlacht: an chosúlacht go dtarlóidh rud áirithe/ probability
cinnteacht: dearfacht, deimhneacht/ certainty
dísle: ciúb le huimhreacha difriúla (1 go 6) ar gach taobh, a úsáidtear i gcluichí áidh/ dice, die
éideimhne: éiginnteacht/ uncertainty

liobrálachas
cnuasach de phrionsabail pholaitíochta a chuireann béim ar chearta an duine aonair, prionsabail atá i dtrasnaíocht le teagasc an tsóisialachais ar an ábhar go gcuireann an sóisialachas béim ar chearta na °sochaí; tacaíonn an liobrálachas freisin le forbairt institiúidí, idir °gheilleagrach agus pholaitíochta, a chuidíonn leis an saormhargadh i gcúrsaí táirgthe agus °dáileacháin

Tagann an focal seo ó fhocal Laidine, *liber*, a chiallaíonn 'saor', 'neamhspleách'. Fuair an liobrálachas spreagadh mar chreideamh[136] polaitíochta san Eoraip um dheireadh an seachtú haois déag; chuir sé i gcoinne an smachta neamhshrianta thíoránta ba ghnách ag rialtais na linne sin. D'fhéach sé le teorainn a chur le cumhachtaí rialtais trí bunreacht i scríbhinn a éileamh, trí billí cearta saoránach a lorg, agus trí cearta vótála a iarraidh do chách[137]. Dar leis an liobrálachas, níorbh í an nósmhaireacht sheanbhunaithe foinse dhlisteanach an údaráis, ná an traidisiún ach oiread, ná airteagail chreidimh. Tá cearta doshannta[92] ag an duine ón nádúr, agus is orthu sin ba chóir aon chóras polaitíochta a thógáil.

Is deacair an liobrálachas a shainmhíniú[49] go beacht. Tá leaganacha éagsúla de ann. Ní lia tír ná liobrálachas, d'fhéadfá a rá. Maíonn an liobrálachas daonlathach (an liobrálachas polaitiúil) go bhfuil de cheart ag daoine an cineál rialtais is mian leo féin a roghnú, cead a bheith acu baill an rialtais a thoghadh, agus ceart acu bheith páirteach i riar gnóthaí poiblí. Síolraíonn an teagasc seo ón choincheap gur °neach féin-rialaitheach[201] réasúnach é an duine a thuigeann a leas féin agus conas é a bhaint amach; agus ón teoiric, ar an taobh eile, gur gnó don stát é réimse na saoirse a mhéadú oiread agus is féidir – mar shampla, trí polasaithe *laissez faire* a chur chun cinn i gcúrsaí an gheilleagair. Teastaíonn ó na liobrálaigh nach

---

liobrálachas: liberalism
béim: treise/ emphasis
trasnaíocht: trasnaíl, contrárthacht/ opposition, contradiction
táirgeadh: giniúint earraí nó seirbhísí/ production
neamhshrianta: gan smacht, gan teorainn/ unlimited
doshannta: do-aistrithe/ inalienable, unassignable
ní lia: ní líonmhaire/ not more numerous
féinrialaitheach: uathrialach/ autonomous
laissez faire: cead gan srian i gcúrsaí gnó srl. (Téarma Fraincise a chiallaíonn 'ligtear dóibh')

gcuirfidh °forais an stáit isteach ar shaoirse an duine ach an méid is lú is féidir.

Tá na liobrálaigh ar son na °maoine príobháidí agus na saorthrádála. Is áiseanna na rudaí seo chun saoirse an duine a chosaint agus chun cur léi. Is fearr leo an tsaoirse ná an comhionannas. Ní éilíonn siad comhionannas[177] maoine nó buntáistí ionanna. Ach ba mhaith leo go mbeadh deis ag cách dul ar aghaidh sa saol, mar réitíonn sin lena dtuiscint ar an tsaoirse. Ach, arsa na sóisialaithe, is fánach fuar an cineál sin saoirse ach amháin dóibh siúd a bhfuil maoin acu cheana féin: óir, dar leo, an té atá thuas, óltar deoch air, agus an té atá thíos, buailtear cos air.

maith
focal coitianta Ceilteach is ea é seo. Faightear é mar *mad* sa Breatnais, mar *mat* sa Bhriotáinis, mar *mas* sa Chornais. Téarma eile leis an bhrí 'maith' is ea 'dea-' (dea-scéal), *da* sa Bhreatnais agus an Chornais. Dia mór Ceilteach ba ea an Dagda (.i. an Dághdha, nó an Dea(gh)-Dhia). Bhí cónaí air i mBrú na Bóinne agus bhí sé pósta ar Bhoann, an bandia as ar ainmníodh abhainn na Bóinne

Dealaíonn na liobrálaigh cúrsaí creidimh agus moráltachta ó chúrsaí an stáit. Rudaí príobháideach is ea creideamh agus moráltacht, ar beag a mbaint le cúrsaí geilleagracha agus polaitíochta. Éilíonn siad dealú idir an Stát agus an Eaglais. Ní gnó don stát an mhoráltacht phríobháideach, agus ní gnó don mhoráltacht cúrsaí an stáit. Is ón réasúnaíocht seo a thagann an teagasc nua-aimseartha liobrálach seo an iolrachais agus an tsochaí iolraíoch.

Maíonn an t-iolrachas gur gnó príobháideach don duine féin a dhearcadh morálta féin agus nach gnó don stát gníomhartha an duine ach amháin sa chás go ndéanann siad dochar do dhaoine eile. Ach cad is dochar ann? Dealraíonn sé do na liobrálaigh go bhfuil °réimse an dochair cúng go leor: baineann an réimse indochair den chuid is mó le ceart chun beatha agus le cearta maoine. Seachas iad siúd, ní cóir don stát cur isteach ar imeachtaí an duine ach a laghad[138] is féidir. Is í tuiscint na liobrálach don mhoráltacht ná nithe a

---

saorthrádáil: cead trádála idirnáisiúnta, gan cur isteach rialtais (ó thaobh cánacha nó eile)/ free trade
comhionannas: cothroime (os comhair an dlí, srl)/ equality
dealú: scaradh/ to separate
réasúnaíocht: úsáid na loighce/ reasoning
iolraíoch: a cheadaíonn comhsheasamh ag dearcadh éagsúla i saol an phobail/pluralist
dealraíonn sé: is cosúil/ it appears, seems
indochair: ar féidir dochar a dhéanamh dó/ liable to harm

measc
sin rud a chorraí nó a shuaitheadh, nó cumasc a dhéanamh de, trína bhogadh thart timpeall agus trí chéile. Nuair a bhíonn duine suaite leis an iomarca óil, bíonn sé 'measctha' ina intinn, is é sin, bíonn sé 'ar meisce'. Tá gaol ag 'measc' le *miscere, mixtum* na Laidine. Fuair an Béarla an focal, faoin leagan *mix*, sa cúigiú céad déag, ón tSean-Fhraincis

bhaineann le cúrsaí gnéasacha agus mar sin de. Is annamh a airíonn siad go mbaineann an mhoráltacht le modhanna táirgthe nó leis an chaoi a ndáiltear maoin an tsaoil i measc an phobail. Mar sin, is ar éigean atá a leithéid agus 'moráltacht phoiblí' ann, ar cóir don stát cúram a dhéanamh de.

Tá go leor daoine a dhéanann beachtaíocht ar sheasamh na liobrálach i leith na moráltachta poiblí. Glacann na liobrálaigh leis go bhfuil réimsí leathana den saol atá 'saor' nó 'neodrach' ó thaobh cúrsaí morálta de. Ní fíor sin, deir na beachtóirí: baineann gné mhorálta le gach reacht agus le gach institiúid. Ní bheidís ann ach go n-éilíonn siad caighdeáin iompair de chineál áirithe. Polasaithe a fhéachann leis na caighdeáin iompair sin a bhaint amach is cúis leo. Sa mhéid sin baineann moráltacht de chineál áirithe leo. Mar sin, baineann 'moráltacht' le gach dlí.

Ar an ábhar sin ní ceart go mbeadh na liobrálaigh ag rá nach bhfuil sa mhoráltacht ach an chuid sin di a réitíonn lena sainmhíniú cúng féin, agus nach bhfuil de cheart ag an phobal ceisteanna morálta a phlé ach de réir rialacha na liobrálach. Is ar na cúiseanna seo a thug Marx °idé-eolaíocht ar an liobrálachas.

Sa naoú céad déag thaobhaigh na liobrálaigh le gluaiseachtaí náisiúnta ar mhaithe le saoirsí pearsanta a bhaint amach. Inniu tacaíonn siad le heagrais osnáisiúnta mar an gComhphobal Eorpach agus na Náisiúin Aontaithe, ar an bhonn gur fearr a chinnteoidh siadsan cearta an duine ná na sean-náisiúnstáit.

líon saothair
an líon[139] iomlán atá ag obair nó ar fáil chun oibre

Bíonn cumas tíre chun earraí agus seirbhísí a sholáthar ag brath, go pointe, ar líon an lucht saothair agus ar na scileanna atá acu. Is iad atá sa líon saothair ná na fostóirí, na fostaithe, agus oibrithe féinfhostaithe,

gnéasach: a bhaineann le ceachtar den dá ghnéas, baineann nó fireann/ sexual
beachtaíocht: beachtú, lochtú/ criticism
osnáisiúnta: atá os cionn na náisiún/ supranational

agus iad sin go léir atá dífhostaithe. Sa bhliain 1988 bhí 1,310,000 i líon saothair na tíre seo. Díobh siúd bhí 1,091,000 ar fostaíocht agus 219,000 (beagnach 17 faoin gcéad den iomlán) gan fostaíocht.

M

Maiciaiveillíoch
aidiacht a chuireann síos ar dhuine atá sionnachúil, lúbach, glic

Machiavelli

Aidiacht sa Ghaeilge é seo a cumadh as sloinne Niccolo Machiavelli (1469-1527). Mac dlíodóra ba ea Niccolo. Rugadh é i gcathair Flórans san Iodáil. Nuair a díbríodh flatha na cathrach, na Medici, ón bhaile, fuair Nioclás post mar státseirbhíseach. Ceapadh é ina rúnaí ar an chomhairle chogaidh faoin rialtas nua phoblachtach.

Ach bhí lá eile ag na Medici. Ghabh siad an chumhacht ar ais dóibh féin, agus nuair a ghabh, sa bhliain 1512, daoradh Niccolo chun príosúin agus céasadh é. Scaoileadh saor é faoi dheireadh, agus d'éirigh sé as an saol phoiblí chun dul i mbun na scríbhneoireachta[140].

An leabhar ba mhó cáil dá chuid, dar theideal *An Prionsa*, ghnóthaigh sé aitheantas dó mar cheannródaí san eolaíocht pholaitiúil, is é sin, staidéar na státaireachta.

Conas is féidir an stát a dhéanamh láidir? Ní trí bheith Críostaí, cóir, cothrom, comhbhách[177], dar leis, ach le hionsaithe, le hargain, le huabhar. Arsa Niccolo: 'An Prionsa ar mian leis bheith i réim go buan, ní foláir dó an éagóir a dhéanamh nuair is gá.' An chealg an tseift is fearr ag taidhleoir. Is leas é cibé rud is leas don stát.

De bhíthin na moráltachta ifreannda seo ní hionadh é gur ainmníodh an Diabhal nó an tÁibhirseoir (focal ón Laidin, *adversarius*), as Machiavelli sa Bhéarla. Mar is uaidh a tháinig an leasainm *'Old Nick'*.

---

ceannródaí: taiscéalaí/ pioneer
comhbhách: trócaireach/ sympathetic
argain: creach/ destruction
taidhleoir: oifigeach nó ionadaí ar nós ambasadóra/ diplomat
de bhíthin: de bharr/ because of

meáin chumarsáide, na
na bealaí éagsúla, idir nuachtáin, irisí, theilifís, raidió agus eile a úsáidtear chun scéala agus eolas a chur i láthair an phobail mhóir

Tá an focal 'meán' gaolmhar le *medium*[141], focal Laidine ar chiall leis rud atá i lár baill, amhail an cainéal a bhíodh i lár sráide sa tsean-Róimh fadó chun uisce fearthainne a bhreith ar shiúl. Ansin chiallaigh sé gléas ar bith chun rud a sheoladh ó áit go háit, amhail bealach chun teachtaireacht a chur ó dhuine go duine.

Tá an focal 'cumarsáid' gaolmhar le *conversation* an Bhéarla. Fuair an Béarla an focal ón Fhraincis sa séú céad déag.

Tá dhá chineál meán cumarsáide ann: na meáin chlóbhuailte (nuachtáin, irisí, srl) agus na meáin leictreonacha (raidió, teilifís). Seo aois na cumarsáide domhanda thar aon aois eile. Den chéad uair riamh i stair an duine tá pobal amháin ('sráidbhaile an domhain') á dhéanamh den chine dhaonna. Tá °áiseanna ann anois a chuireann ar chumas daoine labhairt lena chéile, cuma cá bhfuil siad ar domhan nó os a chionn, nó ar ghrinneall na farraige. Ní hamháin sin, ach is féidir le °ríomhairí[142] 'labhairt' lena chéile chomh maith. I gcás na ríomhairí, is féidir le cuid acu aistriúchán a dhéanamh ó theanga amháin go dtí teanga eile.

Táthar ann atá imníoch faoi na tarluithe seo. Iltíreachas leamh gan éagsúlacht a bheidh mar chríoch ar an obair seo, is baol leo.

Ar an taobh eile den scéal, is fearr is féidir le daoine greim agus tuiscint a fháil ar an saibhreas iontach chultúrtha agus °béascna atá i ngach °cearn den domhan. De réir mar atá an tuiscint sin ag fás, is é is mó is mian le daoine go gcaomhnófar an saibhreas sin ar mhaithe le leas an chine ar fad.

---

meáin: media
cumarsáid: communication
cainéal: claisín/ channel
grinneall: tóin, bun/ bottom, (sea-, river-) bed
iltíreachas: ionannas idirnáisiúnta/ cosmopolitanism
leamh: gan bhlas/ insipid
cearn: áit/ place
caomhnú: slánú/ to preserve

monaplacht
an cumas eisiach chun earra nó seirbhís a sholáthar don mhargadh, agus mar sin chun trádáil sa ghnó sin a rialú

Focal Gréigis-Ghaeilge is ea é seo. *Monos*, sin 'aonar' sa Ghréigis, agus *polein*, sin 'díol'; '–acht', an teireabaillín Gaelach a chiallaíonn riocht nó staid.

Ar an saormhargadh tagtar ar an phraghas is féidir le °soláthraí a éileamh ar rud de réir an mhéid is toil leis na ceannaitheóirí a íoc chun an stoc go léir de a dhíol (an margadhphraghas a thugtar ar an phraghas[143] sin). Má bhíonn roinnt soláthraithe ann agus an cineál ruda chéanna acu le díol, ní féidir le haon duine acu praghas ró-ard a éileamh, mar ceannóidh daoine ó na soláthraithe eile atá in °iomaíocht leis, ar phraghas níos lú.

Ach ní bhíonn aon iomaitheoir ag cur isteach mar sin ar mhonaplaí. Is é an t-aon soláthraí amháin é. Mar sin is féidir leis an praghas a ardú trí srian a chur leis an soláthar, nó trína rogha praghais a éileamh. Nach méanar don té ar féidir leis sin a dhéanamh!

Tig le trádálaí monaplacht a chumadh dó féin trí soláthar an amhábhair a chúinneáil dó féin, nó trí na modhanna °táirgthe a chúinneáil, nó ar an dá bhealach i dteannta a chéile. Uaireanta, nuair nach féidir le trádálaí amháin an staid thairbheach sin a bhaint amach °ar a chonlán féin, tagann dream beag trádálaithe le chéile chun cairtéal nó olagaplacht a chur ar bun. Is féidir leo ansin iomaíocht ó dhaoine eile a chur ar ceal, agus ansin, árdaíonn siad na praghsanna.

---

monaplacht: monopoly
eisiach: ag coinneáil rudaí áirithe as/ exclusive
riocht: staid/ state, condition
monaplaí: duine a bhfuil monaplacht aige/ monopolist
méanar (san abairt 'is m. do'): sona, ámharach/ fortunate, happy
trádálaí: ceannaí/ trader
amhábhar: bunábhar/ raw material
cúinneáil: smacht a fháil ar earraí sa mhargadh/ to corner
cairtéal: dream a thagann le chéile chun monaplacht a bhaint amach i gcomhar lena chéile/ cartel
olagaplacht: socrú idir dream beag soláthraithe le praghsanna a thabhairt faoina smacht/ oligopoly

Tig le monaplachtaí éagóir a imirt ar na tomhaltóirí. Mar sin, is gnách le rialtais dlíthe ina n-éadan a reachtú. Sa bhunreacht atá againn in Éirinn, molann ceann de na buntreoracha do bheartas comhdhaonnach mar a leanas: 'Go °sonrach, nach ligfear d'oibriú na saoriomaíochta dul chun cinn i slí go dtiocfadh sé an dílse nó an t-urlámhas ar earraí riachtanacha a bheith ina lámha féin ag beagán daoine chun dochair don phobal.' Chun an baol sin a sheachaint ritheadh °reachtaíocht i dtaca le cumaisc agus le monaplachtaí agus bunaíodh an Coimisiún Cóirthrádála.

ceart
cóir, fírinneach, gan earráid. Tá ceangal i bhfad siar ag an fhocal seo le *certus* (cinnte, fíor, dearfa) sa Laidin. D'fhuaimnítí 'c' mar 'k' sa Laidin, faoi mar a dhéantar sa Ghaeilge

Coimeádann an stát in Éirinn an ceart aige féin chun monaplacht a chumadh i leith °tráchtearraí áirithe. Tá monaplacht ag Bord Soláthair an Leictreachais (BSL) maidir le leictreachas a dhíol, cé nach bhfuil monaplacht ag an BSL maidir le táirgeadh leictreachais. Is féidir le leithéidí an BSL a áireamh mar mhonaplachtaí nádúrtha. Tugtar monaplacht 'nádúrtha' ar mhonaplacht mór amháin inar féidir leis an táirgeoir aonair táirgeadh feidhmiúil[144] a bhaint amach de thoradh °barainneachtaí mórscála, agus nuair a chaillfí an fheidhmiúlacht sin dá roinnfí an margadh idir beirt nó breis.

Contrárthacht monaplachta is ea monapsonacht (ón Ghréigis, *monos* agus *opsonein*, 'ceannach'). Ciallaíonn an téarma seo 'ceannaitheoir aonair', is é sin duine nó comhlacht a cheannaíonn iomlán dá mbíonn á dtáirgeadh ag roinnt díoltóirí. De réir a chéile, sin mar atá ag titim amach sa trádáil ghrósaeireachta faoi láthair. Tá dornán sraitheanna

tomhaltóir: duine a cheannaíonn earraí nó seirbhísí/ consumer
comhdhaonnach: sóisialta/ social
dílse: úinéireacht, seilbh/ ownership
cumasc: cónascadh comhlachtaí/ merger
Coimisiún Cóirthrádála: Fair Trade Commission
áireamh: meas/ to reckon, count
mórscála: ar an mhórchóir/ large-scale, in bulk
sraith: líne, slabhra/ series, line

ollmhargaí ag fáil greama ar na táirgí a fheictear ar na seilfeanna. Is féidir le monapsonacht buntáiste míchothrom a thabhairt don cheannaitheoir ar na díoltóirí.

músaem
láthair ina gcoimeádtar lámhdhéantúsáin de gach saghas, agus ina mbíonn siad ar taispeáint don phobal

Is ionann *mousa* sa Ghréigis (*musa* na Laidine) agus bé, nó ainnir álainn. Bhí naonúr iníon ag Séas agus Mneimisine, na 'naoi mná deasa Parnassus'[145], mar a thug Art Mac Cumhaigh orthu san aisling chlúiteach, *Úrchill an Chreagáin*. Bhíodh cónaí ar Shéas, príomhdhia na nGréagach, ar Shliabh Parnassus.

Bhí gach duine den naonúr iníonacha ina bandia ar cheann de na healaíona nó na míndána. Is leid é seo, b'fhéidir, go raibh gaol Ind-Eorpach i bhfad siar idir Séas agus príomhdhia na gCeilteach, Lú

Cailís Ardach, ó Chontae Luimnigh, ceann de na seoda is luachmhaire sa Mhúsaem Náisiúnta

ollmhargadh: ollsiopa/ supermarket
buntáiste: bua, sochar/ advantage
lámhdhéantúsán: rud ar bith a dhéantar le saothar daonna/ artefact
míndán: saorealaín; aon cheann de na healaíona a bhaineann leis an áilleacht, amhail an ceol, an dealbhadóireacht, an phéintéireacht/ fine art
leid: nod; leathfhocal/ hint, indication

Lú Lámhfhada
tá íomhánna sa tSualainn, atá gearrtha sa chloch, de dhia le lámh mhór. Baineann siad leis an chré-umhaois, timpeall 1,800 RCh

Lámhfhada, mar sna miotais is °foinse na míndána iad beirt. Thugtaí an 't-ildánach' ar Lú sa Ghaeilge toisc go raibh mórán buanna aige; agus 'lámhfhada', ciallaíonn sé sin lámh chumhachtach.

Is ionann 'aem' agus *-eum* na Laidine, iarmhír a chiallaíonn láthair nó ionad. I Músaem Náisiúnta na hÉireann tá réimse leathan ábhar ar taispeáint ón aois neoiliteach[146] go dtí an lá inniu. I dtíortha eile, seachas Éire agus an Bhreatain, is minic a thugtar músaem ar dhánlann nó ar áiléar ealaíon: samplaí den nós seo is ea an Músaem Prado i Maidrid agus Músaem na nEalaíon Nua-Aoiseach i Nua Eabhrac.

---

miotas: scéal a bhíonn ag daoine réamhliteartha i dtaobh pearsan osnádúrtha, a thugann míniú dóibh ar an saol ina dtimpeall/ myth
ildánach: oilte in an-chuid ealaíon/ versatile
neoiliteach: a bhaineann leis an chloch-aois dhéanach/ Neolithic, Late Stone Age

N

náisiúnachas
mothúchán °comhfhiosach °ionannais atá bunaithe ar chomhoidhreacht éigin (de thír, de chultúr, de theanga, de reiligiún, nó de chumasc éigin de na nithe seo) a théann i gcion ar dhaoine i dtreo is go mbíonn fonn orthu gníomhaíocht a dhéanamh chun neamhspleáchas polaitiúil a bhaint amach nó a chosaint

Síolraíonn 'náisiún' ó *natio, nationis* na Laidine. 'Clann aon mháthar nó aon athar' an coincheap atá taobh thiar den fhocal, mar is ó *nasci, natum* ('saolú', 'leanbh a bhreith') a thagann *natio* féin.

Ní féidir sainmhíniú beacht a thabhairt ar cad is náisiún ann. Mar shlánaonad, tá sé doiléir[92] thart 'faoin imeall'. Ach tá sé tábhachtach mar réaltacht, mar tá baint aige le ceann de na fórsaí is láidre a théann i gcion ar chroí agus ar mheon an duine. Ar na fórsaí sin tá reiligiún, teanga agus náisiúnachas. Ní gá go mbeadh ceangal idir na trí rud sin, ach má bhíonn, is láidre fós an náisiúnachas dá bharr.

Chun tuiscint a fháil ar cad is náisiúnachas ann, tosaímis le coincheap an náisiúin. Sa lá atá inniu ann °dealraíonn sé gurb é an náisiún an comhluadar daonna is °coimpléascaí agus is tábhachtaí i saol an duine. Níl i dtéarmaí mar 'Éire', 'an Fhrainc,' 'Meiriceá' ach iarrachtaí ar staid áirithe dhaonna a °phearsanú. Is ionann pearsanú gach staide díobh agus an náisiún áirithe sin. ('Staid', sin an riocht nó an bhail nó an dóigh ina mbíonn rud: tagann sé ó *stare, statum* na Laidine, briathar a chiallaíonn 'seasamh'.)

Tá focal againn ar an chineál áirithe staide seo: 'náisiúntacht'. Seo sainmhíniú °feidhmiúil úsáideach ar an staid seo: 'Is ionann an náisiúntacht atá ag duine agus ballraíocht a bheith aige i °ngréasán comhiomlán[177] de bhealaí comhlántacha[177] °cumarsáide

---

náisiúnachas: nationalism
slánaonad: aonad atá iomlán ann féin/ unit
doiléir: neamhshoiléir/ unclear
réaltacht: an cháilíocht a bhaineann le bheith ann/ reality
comhiomlán: aonad mór amháin atá comhdhéanta de mhionaonaid/ aggregate
comhlántach: a dhéanann iomlán de rud nuair a chuirtear é leis/ complementary

a bhaineann leis an chuid is mó dá shaol sóisialta. Fágann an staid seo go mbíonn ar a chumas ag an duine sin eolas agus mothúcháin a chur in iúl níos éifeachtaí – agus i dtaobh °réimse níos leithne ábhar – lena chomhbhaill sa ghréasán sin ná mar is féidir leis a dhéanamh le daoine lasmuigh de'. Daoine a bhfuil an náisiúntacht chéanna acu, is amhlaidh a tháthaítear iad le chéile de bharr éifeacht an chórais chumarsáide uileghabhálaigh[147] seo, córas a fheidhmíonn eatarthu siúd amháin, agus atá difriúil ó na córais a fheidhmíonn i gcás na náisiúntachtaí eile.

Is réaltachtaí nithiúla iad gréasáin den sórt seo. Is féidir iad a thomhas, agus cé nach éasca an obair í, tá sí déanta go pointe shuntasach i gcásanna áirithe. Mar sin, is staid nó riocht, agus gan ach í, is brí leis an fhocal 'náisiúntacht'. Ní bhaineann °idé-eolaíocht ná dogma ná °bolscaireacht léi mar staid, ach oiread agus a bhaineann le haon rud nithiúil eile, mar chathaoir, cuir i gcás.

Ach spreagann réaltachtaí den chineál seo sainriachtanais[49] dá gcuid féin. Chun iad a shásamh baineadh feidhm as coincheap an 'stáit'. (Is ó *stare, statum* a fuarthas an focal 'stát' freisin.) Thángthas ar an tuiscint go bhféadfadh an stát, mar aonad polaitiúil, °riar ar riachtanais an náisiúin. Machiavelli (1469-1527) an chéad duine a d'úsáid an focal 'stát' i gciall an lae inniu. Dúirt sé gur eagras é stát a bhfuil ar a chumas cumhacht a chur i bhfeidhm ar a mhuintir féin agus in aghaidh stát eile. Ba é an fealsamh polaitiúil, Thomas Hobbes (1588-1679), a d'fhorbair teoiric an stáit mar struchtúr dlíthiúil cumhachta, faoi réir ag rialtas a bhí ceaptha go dlíthiúil[48] mar fhoinse dhlíthiúil na cumhachta. Ba ionann an stát agus leas an phobail, dar le Hobbes. Ghlac na Meiriceánaigh lena théarma nuair a bhunaigh siad Stáit Aontaithe Mheiriceá.

Hobbes

comhbhall: comhpháirtí/ fellow member
táthú: snaidhmeadh, ceangal/ to bond, cement together
uileghabhálach: cuimsitheach/ comprehensive
faoi réir: faoi stiúir/ governed by, under the direction of
foinse: buntobar, údar/ spring, fountain, source

De ghnáth, éilíonn náisiúin an lae inniu go mbeidh stát neamhspleách dá gcuid féin acu. Sa bhliain 1783 bhí b'fhéidir scór[148] de shlánaonaid pholaitiúla ann a d'fhéadfaí náisiúnstáit a thabhairt orthu. Faoi 1921 bhí 64 díobh ann. Faoi 1960 bhí 133 cinn ann. Tá 175 díobh cláraithe anois mar bhaill de na Náisiúin Aontaithe.

Is iad comharthaí sóirt stáit an lae inniu (de réir Choinbhinsiún Mhontevideo 1933):

(a) pobal buan a bheith aige
(b) críocha cinnte
(c) rialtas
(d) cumas chun caidreamh a dhéanamh le stáit eile.

Tá eisceacht theoranta amháin air seo. Tugann roinnt stát aitheantas mar stát do Ord Flaitheasach Ridirí Mhálta cé gur fada ó bhí an tOrd stairiúil sin ina rialtóirí ar Oileán Mhálta agus iad ag seasamh an fhóid sa bhearna bhaoil in éadan na dTurcach.

Nuair a dhéantar ionsaí ar stát an lae inniu, nó má bhíonn sé i mbaol, ansin is ea a mhúsclaítear idé-eolaíocht an náisiúnachais mar bhealach chun daoine a spreagadh leis an stát a chosaint. Ach fearacht aon ábhair °idé-eolaíochta eile is féidir mí-úsáid a bhaint as an náisiúnachas. Ní bhaineann sin le feidhm nó le °fiúntas na náisiúntachta, áfach, mar is dhá rud éagsúla ar fad iad náisiúntacht agus náisiúnachas.

An focal 'staidrimh', a chiallaíonn táblú nó clárú figiúirí chun staid éigin a léiriú, tagann sé ó *status* na Laidine chomh maith. I dtús ama, bhain staidrimh le staid an stáit.

neodracht
polasaí stáit, a aithnítear faoin dlí idirnáisiúnta, chun fanacht amach ó chonspóid nó ó chogadh, gan tacú[149] le ceachtar taobh in achrann dá shórt

Ciallaíonn 'ceachtar' aon cheann de dhá rud. Síolraíonn 'neodracht' ón fhocal Laidine *neuter* a chiallaíonn 'gan aon cheann de dhá rud'. Tá focal sa Ghaeilge, 'neachtar', a thugann an chiall chéanna. Focal úsáideach é 'neachtar', cheapfá, ach is annamh a

---

eisceacht: rud nach réitíonn leis na gnáthrialacha/ exception
fearacht: mar aon le, cosúil le/ like, in the manner of
neodracht: neutrality

ceilt
gaol le *celo* ('cuirim i bhfolach') sa Laidin. Tá an tsinsearthacht chéanna ag an dá fhocal, an fhréamh Ind-Eorpach, *kelo*. Tá leagan den fhocal sa Bhéarla freisin, *conceal*, ach ba iasacht ón Fhraincis é sin sa ceathrú haois déag. Tá focal eile sa Laidin, *occulo*, leis an chiall chéanna; is comhfhocal é a cumadh as an réimír *ob* a chur le *celo*. Dá thoradh sin deineadh *culo* de *celo*. Toisc 'o' leathan a bheith sa réimír, deineadh guta leathan, 'u', a chur in áit an ghuta chaoil 'e'. Is minic a dhéanann an Laidin athruithe mar sin, atá de réir na rialach 'caol le caol agus leathan le leathan'. Samplaí suntasacha den riail sa Bhéarla is iad na fuaimeanna difriúla atá sa chéad siolla de na focail *woman* agus *women* (.i. 'wumman' agus 'wimmin'). Athraíonn fuaim an ghuta tosaigh de réir mar is caol nó leathan an guta sa dara cuid de na focail sin. Sampla eile is ea an chaoi ar deineadh *thimble* de *thumb-bell* (méaracán). Imríonn an riail seo tionchar ar Bhéarla na hÉireann chomh maith, i gcás focal leithéidí *grievous* agus *tremendous*, a fhuaimnítear go minic in Éirinn mar 'griev*i*ous' agus 'tremend*i*ous'

úsáidtear é: is fearr leis an Ghaeilge 'gan ceachtar acu' a rá, is é sin, feidhm a bhaint as focal dearfa, seachas focal a chiallaíonn 'neamhrud'. Sa mhéid seo is ionann nós na Gaeilge agus nós na Fraincise. Sampla eile is ea *never* an Bhéarla: *ne … jamais* a deir na Francaigh, agus 'ní … choíche/ riamh' atá sa Ghaeilge.

Stát atá neodrach i gcogadh, tá de cheart aige nach sáróidh lucht na cogaíochta a theorainneacha nó a chearta faoin dlí idirnáisiúnta. Ar an taobh eile den scéal, tá bundualgais neodrachta le comhlíonadh ag an stát sin: ní foláir dó úsáid a chríoch a cheilt (idir thalamh, aerspás agus fharraigí teorann) ar thíortha na troda; ní féidir leis cabhair a thabhairt, ach oiread, do cheachtar taobh (cé gur féidir leanúint den ghnáth-thrádáil); caithfidh sé rialacha na neodrachta a chur i bhfeidhm go cothrom i dtaca leis an dá thaobh.

Tá polasaí oifigiúil neodrachta ag roinnt tíortha san Eoraip: Éire féin, an Eilvéis, an Fhionlainn, an Ostair, an tSualainn. Lena gcois siúd, tá tuairim is céad tír ar fud an domhain (an Éigipt agus an India ina measc) a fhéachann le fanacht amach ó aon achrann idir tíortha móra. Baineann siad leis an Ghluaiseacht Neamh-ailínithe, a bunaíodh i 1961.

Ní hionadh go mbeadh polasaí neodrachta ag Éirinn. De ghnáth, is é sin an polasaí a bhíonn ag tíortha beaga mura súitear isteach i gcogadh iad ag comharsana níos láidre (amhail an Fhionlainn in aghaidh na Rúise, an Ísiltír in aghaidh na Gearmáine, an Ghréig in aghaidh na hIodáile, i rith Chogadh Domhanda II). Spreagadh spéis sa neodracht in Éirinn sular baineadh saoirse amach riamh. Moladh í den chéad uair le linn Chogadh na mBórach (a thosaigh in 1899), mar ghné de neamhspleáchas na hÉireann ar an

críoch (san iolra de ghnáth: críocha): talamh, limistéar/ territory
farraigí teorann: an chuid den fharraige a ghabhann le tír/ territorial waters
neamh-ailínithe: nach ngabhann le taobh ar bith/ nonaligned
sú isteach: tarraing isteach/ to embroil

An Maor Seán Mac Giolla Bhríde

Bhreatain. D'ainneoin sin, chuaigh roinnt náisiúntóirí, an Maor Seán Mac Giolla Bhríde ina measc, chun cuidiú leis na hAfracánaigh.

Le linn Chogadh Domhanda I chum Arm Cathartha na hÉireann an tsluaghairm *We serve neither King nor Kaiser but Ireland*. Cé gur ghlac cuid mhaith náisiúntóirí páirt sa chogadh sin, ar mhaithe le 'cearta na náisiún beag', ba é rud a spreag iad ná saoirse a dtíre féin agus aisling nár bhain le ceachtar taobh sa choinbhleacht fhuilteach sin. Den dá fhile a bhí ina measc, is léir on dán a scríobh duine acu, Francis Ledwidge (1891-1917) faoi Thomás Mac Donncha tar éis Éiri Amach na Cásca, gur ar a ceart a bhaint amach don Droimeann Donn Dílis a bhí seisean ag cuimhneamh:

But when the Dark Cow leaves the moor
And pastures poor with greedy weeds,
Perhaps he'll hear her low at morn,
Lifting her head in pleasant meads.

Arm Cathartha na hÉireann – an dá chéad díobh – os comhair Halla na Saoirse, ceanncheathrúna Cheardchumann Iompair agus Ilsaothair na hÉireann. Ghlac siad páirt, faoi Shéamas Ó Conghaile, in Éirí Amach 1916 le hÓglaigh na hÉireann

---

coinbhleacht: cath, caismirt/ conflict
Droimeann Donn Dílis: ainm fileata ar Éirinn; bó is ea droimeann a bhfuil droim fionn uirthi

Agus an file eile, Thomas Kettle (1880–1916), tá macalla de °shluaghairm an Airm Charthartha sna línte áille leis:

Know that we fools, now with the foolish dead,
Died not for flag, nor King nor Emperor,
But for a dream, born in a herdsman's shed,
And for the secret Scripture of the poor.

Cailleadh an bheirt fhilí seo ar bhlár na fola.

De bharr Chomhaontú Angla-Éireannach 1938 d'imigh fórsaí na Breataine as dúnfoirt a bhí ina seilbh go dtí sin sa Chóbh, i mBá Bheanntraí agus i Loch Súilí. Thug sin deis don rialtas, faoi Éamon de Valéra (1882–1975), polasaí neodrachta a bhaint amach agus a chur i bhfeidhm don stát le linn Chogadh Domhanda II. Tá an polasaí sin i bhfeidhm ó shin. A bhuíochas sin, tá °ról bainte amach ag Éirinn mar cheann réitigh i gcúrsaí na Náisiún Aontaithe. Tá Éire ina ball de Eagras na Náisiún Aontaithe (ENA) ó 1955 i leith.

Ní °thagann a ballraíocht sa Chomhphobal Eorpach salach ar pholasaí neodrachta na tíre. B'fhéidir go mbeidh stádas na hÉireann sa Chomhphobal ina fhasach úsáideach ag tíortha neodracha eile san Eoraip ar mhaith leo ceangal leis an Chomhphobal Eorpach amach anseo.

file
síolraíonn na filí in Éirinn ó na draoithe (na *druides* mar a thug Iúl Caesar othu). Ba iad na filí an chuid ba thábhachtaí den aicme shóisialta ar a dtugtaí an t-aos dána, is é sin, an aicme oilte ar a raibh na filí, na breithiúna, na lianna, na saoir, agus ceardaithe miotalóireachta. Ba staraí, gineolaí, dlíodóir, bolscaire é an file, le cois bheith ina fhear cumtha filíochta. Bhí seacht ngrád (nó gcéim) i ngairm an fhile; an ceann ab airde orthu ba ea an 't-ollamh', teideal a úsáidtear anois chun cur síos ar an té a bhíonn i gceannas ar réimse áirithe léinn in ollscoil

blár: láthair chatha/ battlefield
a bhuíochas sin: dá bharr sin/ thanks to that
ceann réitigh: réiteoir, cosantóir na síochána/ peace-keeper
fasach: sampla nó ócáid a úsáidtear chun rudaí eile a cheadú/ precedent

O

oideachas
an próiseas leanúnach fada is gá tabhairt faoi i dtreo is go bhfaighidh an duine an dearcadh agus an tuiscint ar an saol – mar aon leis an eolas agus na scileanna – is gá chun gur féidir leis páirt thairbheach thorthúil a ghlacadh mar bhall den phobal; tá an dara tuairim, leis, faoi cad is oideachas ann, atá in éadan na chéad tuairime. Is é sin, gur próiseas chun forbairt mhorálta agus dul chun cinn intleachtúil a bhaint amach, ar son na maitheasa agus na háilleachta ar a son féin amháin. Is dócha gur °inmhianaithe an dá chineál i ndáil a chéile, dá mb'fhéidir iad a fháil

Oide, sin múinteoir a thugann treoir do dhuine, agus uaidh sin tagann 'oideachas'. Oideachas saor-ealaíonach an cineál oideachais a chleachtaí in Éirinn fadó. Sin oideachas ar a shon féin, an cineál céanna a raibh meas air sna méanaoiseanna. Oideachas é a d'oir do shaorfhear nó do dhuine uasal. Oideachas praiticiúil a thugtaí don cheardaí[150], don searbhónta.

Tugtar oideachas ar thrí leibhéal in Éirinn an lae inniu: oideachas bunscoile (tá de dhualgas ar an stát faoin bhunreacht a chinntiú go mbeidh oideachas den chineál seo ar fáil saor in aisce do chách). Ansin tá oideachas iarbhunscoile, nó oideachas dara leibhéal (ar a bhfuil meanscolaíocht, gairmscolaíocht, scoileanna pobail agus scoileanna cuimsitheacha). Ar an tríú leibhéal tá ollscolaíocht, coláistí teicneolaíochta agus eile.

Cuireadh an bhunscolaíocht ar fáil in Éirinn ar bhonn náisiúnta timpeall 1829, i bhfad sular cuireadh í ar fáil i Sasana. Ceann de na fáthanna leis seo ná go raibh tóir ag pobal na hÉireann ar an oideachas dá gclann. An tóir seo ar an oideachas, is tréith bhunúsach í den tsaoithiúlacht dhúchasach.

Nuair a múchadh na hionaid léinn abhus, tógadh coláistí Éireannacha ar an mhór-roinn. Áirítear tosach Choláiste na nGael[151] i bPáras ón bhliain 1578. B'in laistigh de ghlúin ó scriosadh, in 1552, den uair dheiridh, an samhailchomhartha cumhachtach sin den léann dúchasach, Cluain Mhic Nóis[152]. Sa Spáinn

---

próiseas: céimeanna aitheanta chun rud a chur i gcrích/ process
i ndáil: i dteannta/ along with
saorealaíonach: liobrálach/ liberal
searbhónta: seirbhíseach/ servant
tóir: éileamh/ demand
saoithiúlacht: críonnacht agus léann, sibhialtacht/ enlightenment, civilisation
samhailchomhartha: siombail/ symbol

Coláiste na Tríonóide, an tríú hollscoil is sine in Éirinn nó sa Bhreatain

bunaíodh Coláiste Salamanca i 1582 agus Coláiste Alcalá i 1590.

Bhí na trí choláiste seo i mbun oibre sular cuireadh tús le Coláiste na Tríonóide i mBaile Átha Cliath sa bhliain 1592 (a raibh de chuspóir aige ag an am polasaí Shasana i leith na hÉireann a chur ar aghaidh trí mheán an oideachais). Bhí sé choláiste Éireannacha i mbun oibre ar an mhór-roinn – sa Spáinn, sa Phortaingéil, sna hÍsiltíortha – sular troideadh Cath Chionn tSáile (1601). Idir sin agus Cath na Bóinne (1690) leathnaíodh an córas oideachais seo go dtí go raibh gréasán de bhreis is tríocha coláiste ag na hÉireannaigh ar fud na hEorpa, ó Phrág go Liospóin, ó Lováin go dtí an Róimh. Ní féidir bheith róchruinn faoin uimhir mar bhíodh cuid acu ag teacht agus ag imeacht ó am go chéile. Lean a bhformhór ann go dtí aimsir Réabhlóid na Fraince, agus cuid acu isteach sa naoú céad déag, agus dornán fiú go dtí ár linn féin.

gréasán: líonra, mogalra/ network

°Éacht é seo nach bhfuil a shárú le fáil i stair aon tíre eile san Eoraip, nó b'fhéidir ar domhan.

Léiriú eile ar spéis na nÉireannach san oideachas is ea na scoileanna scairte[153], nó na scoileanna gearra. Feiniméan sóisialta iad a bhain le hÉirinn ach go háirithe. Ní fios cathain a thosaigh na scoileanna seo. Ach de réir suirbhé oifigiúil i 1731 aimsíodh go raibh timpeall 560 scoil 'Phápanta' sa tír (iad scaipthe i ngach áit seachas Deoise Dhoire, a bhí i gceartlár cheantar Phlandáil Uladh). Scoileanna faoi mháistir aonair a bhíodh iontu de ghnáth, iad ag obair go haindleathach faoi cheilt dhiscréideach, agus iad ar bheagán °acmhainní. Thug siad bunoideachas don mheánaicme Chaitliceach (agus le himeacht aimsire do roinnt Protastúnach leis) agus dóibh siúd ar theastaigh uathu ardoideachas a fháil i gcoláistí na mór-roinne. Fir chumasacha, agus filí, ba ea cuid de na máistrí scoile, amhail Peadar Ó Doirnín (1702-69) i gContae Lú agus i gContae Ard Mhacha, Eoghan Rua Ó Súilleabháin (1748-84) i gCiarraí, agus Riocard Bairéad (1739-1819) i gContae Mhaigh Eo.

suirbhé
seo iniúchadh leathan nó scrúdú cuimsitheach a dhéantar go foirmiúil, nó go gairmiúil, ar shainábhar éigin, ar nós cúrsaí tithíochta, cúrsaí tráchta nó cúrsaí litríochta. Focal é a tháinig isteach sa Ghaeilge san aois seo, chun freastal ar riachtanais úsáide na teanga. Fuair an Béarla é ón Fhraincis sa cúigiú céad déag, mar *survey*, ach is ón Laidin dó go bunúsach: 'sur' (*super* sa Laidin), sin 'os cionn' nó 'thart timpeall'; 'veoir' (*videre* sa Laidin), sin 'feiscint'

Maolaíodh le haimsir ar na dlíthe in éadan na scoileanna. Dúradh go raibh 4,000 díobh ann in 1812, ach nocht fiosrú oifigiúil eile in 1824 go raibh breis agus 9,300 scoil scairte ann, agus tuairim agus 400,000 dalta iontu. Bhí 11,800 scoil ar fad sa tír, de gach cineál, san am sin, 1824, agus 560,000 dalta san iomlán iontu. Ba ionann sin agus 8 faoin gcéad de phobal na tíre a bheith ag fáil oideachais de shaghas éigin, an céatadán ba mhó in aon tír san Eoraip ag an am, de réir cosúlachta. Más iontach an staitistic í seo, ní hí an t-aon cheann amháin í. Mar ba ionann fás na scoileanna dúchais le linn na dtrí bliana is nócha ó shúirbhé 1731 go dtí suirbhé 1824 – tréimhse fhada °anróiteach i saol na tíre – agus trí scoil a bhunú gach coicís gan stop i rith an ama sin go léir.

Chuir na scoileanna náisiúnta deireadh leis na scoileanna scairte. Ach bhí scoil scairte i gcomharsanacht Lios Tuathail i gCiarraí go dtí 1880

scoil scairte: scoil ghearr/ hedge-school

beagnach, agus go dtí an bhliain chéanna i Srónaill i dTiobraid Árann. Bhí roinnt scoileanna in Iar-Chonnachta síos go dtí 1900. An duine fíor-dheireanach den traidisiún, b'fhéidir gurbh é Mat Ó Tuathaigh é, a bhí ag múineadh idir Laidin agus Ghréigis i gCill Da Lua i gContae an Chláir, i mblianta tosaigh na haoise seo, ar leathchoróin (12½ pingin) sa tseachtain.

Seachas na Giúdaigh, ní dócha gur dhein aon chine eile an oiread sin íobairtí chun oideachas a dháileadh ar a gclann agus a deineadh faoin traidisiún Ghaelach seo.

Oireachtas, an t–
an °foras in Éirinn a bhfuil an t-údarás aige faoin bhunreacht dlíthe a °reachtú, a leasú agus a aisghairm

In Éirinn fadó ba nós na dlíthe[48] a reachtú ar láithreacha mar a dtagadh na daoine go léir le chéile ar ócáidí móra. Deirtí gur ag Feis na Teamhrach[154], a cheiliúrtaí gach tríú bliain, a reachtaítí dlíthe don tír uile. Nuair a bunaíodh Saorstát Éireann i 1921 bhí neart focal a d'fhéadfaí a úsáid mar ainm ar fhoras déanta dlíthe don stát nua, mar shampla, comhdháil, feis, reachtas. Glacadh leis an téarma 'oireachtas,' téarma a chuimsíonn an tUachtarán, an Dáil agus an Seanad i dteannta a chéile.

ombudsman
oifigeach a cheapann an tOireachtas chun iniúchadh a dhéanamh ar ghearáin ón phobal mar gheall ar an chaoi a ndéileálann eagrais phoiblí leo

Seo chugainn focal breá nua-aoiseach ón tSualainn. Ciallaíonn *ombudsman* 'coimisinéir' sa tSualainnis. Is fada cheana ó fuaireamar in Éirinn focal ón °chearn sin den domhan – aimsir na Lochlannach[155] an uair dheireanach, is dócha. An tráth sin bhronn siad focail a bhaineann le bádóireacht agus le seoltóireacht ar an Ghaeilge, focail atá beo sa teanga fós.

Is iad na Sualannaigh a chéadsmaoinigh ar phost den chineál seo an ombudsman a chruthú. Is féidir leis an ghnáthdhuine bheith míshocair agus é ag cur

---

aisghairm: dlí a chur ar ceal/ to repeal
cuimsiú: rudaí a áireamh lena chéile/ to include, comprehend
déileáil: plé le/ to deal with

Micheál Muilleach, an t-ombudsman, nó 'fear an phobail'

éilimh nó faidhbe éigin faoi bhráid na speisialtóirí in eagras ar bith. Ní féidir gach duine a shásamh, ar ndóigh, fiú más ar bhonn an chirt a dhiúltaítear dó. Ach céard faoi, más amhlaidh nach bhfaigheann an duine a cheart ó eagras oifigiúil?

Tá bealaí éagsúla ag an saoránach chun achomharc a dhéanamh. Uaireanta bíonn binse achomhairc ann. Nó tig leis dul go dtí an tAire, b'fhéidir, nó go dtí na cúirteanna, rud atá costasach. Anois is féidir leis dul go dtí an t-ombudsman, duine a fheidhmíonn saor in aisce.

Tá na cumhachtaí go léir is gá ag an ombudsman chun ábhar gearáin a scrúdú. De ghnáth ní dhéanann sé nó sí amhlaidh go dtí go mbaintear triail ar dtús as na bealaí eile leighis atá ar fáil. Ní féidir leis an ombudsman iallach a chur ar eagras rud a chur ina cheart, ach tá seasamh aige, agus cuireann sé tuarascáil bhliantúil os comhair an Oireachtais ar a chuid oibre. Is leor sin de ghnáth chun sásamh a bhaint amach nuair is cóir sin.

Chun a léiriú go bhfuil sé ann chun freastal ar an ghnáthdhuine, Tadhg an mhargaidh, tá teideal eile seachas ombudsman is breá leis an oifigeach seo a úsáid sa Ghaeilge, 'Fear an Phobail', nó 'Bean an Phobail'.

---

binse: comhairle ar nós cúirte chun ceisteanna a réiteach/ tribunal
achomharc: achainí/ appeal
iallach: oibleagáid, dualgas/ obligation, requirement
Tadhg an mhargaidh: an gnáthdhuine, fear mar chách/ Seán Citizen, the man in the street

P

páipéar bán
ráiteas i leith polasaí rialtais a fhoilsíonn Oifig an tSoláthair

Síolraíonn an focal 'páipéar' ón Laidin. Fuair na Rómhánaigh an focal ó *papuros* na nGréagach. Chiallaigh an focal sin an ghiolcach a bhíonn ag fás cois abhainn na Níle, mar is ó na hÉigiptigh a fuair na Gréagaigh eolas ar conas páipéar a dhéanamh. Ach ba iad na Sínigh a d'aimsigh an cleas sin ar dtús, sa dara céad RCh. Dhéantaí páipéar de láimh go dtí 1589, nuair a bunaíodh an chéad mhuileann páipéir i Sasana. Ansin, i 1798 cheap na Francaigh inneall chun páipéar a chur amach ina rollaí leanúnacha.

Téarma sa chaint choitianta is ea 'páipéar bán'. Is ó nós a d'fhás i bparlaimint na Breataine sa naoú céad déag a thagann sé. San am sin tosaíodh ar thuarascálacha[156] oifigiúla agus ar thuairiscí tromchúiseacha eile a chlóbhualadh ar pháipéar bán agus iad a chur faoi bhráid na parlaiminte faoi chlúdaigh láidre ghorma. Thugaidís 'leabhair ghorma' ar a leithéidí. Níor ghá clúdaigh chomh teann ar ráitis ghairide pholasaí. Cuireadh iad sin amach ar pháipéar bán ar fad. Mar sin, 'páipéir bhána' a tugadh orthu.

Ó 1945 i leith úsáidtear an téarma, páipéar bán, chun tagairt do dhoiciméid a léiríonn °cinntí rialtais i leith °réimsí tábhachta polasaí phoiblí.

Sa bhliain 1967 d'eisigh rialtas Lucht Oibre sa Bhreatain doiciméad[63] comhairleach ar cheist thábhachtach éigin. Theastaigh uathu tuairimí a fháil ón phobal sula ndéanfaidís aon chinneadh ina leith, agus is mar ábhar díospóireachta a chuir siad an meamram ar fáil. Tharla go raibh clúdach uaine ar an doiciméad. Ó shin i leith tugtar Páipéir Uaine ar dhoiciméid chomhairleacha den chineál sin.

---

giolcach: cineál féir aird a fhásann ar thalamh báite/ reeds
tromchúiseach: tromaí, tábhachtach/ important, weighty
eisiúint: foilsiú, poibliú/ to issue, publish
uaine: glasuaine (go minic nuair is rudaí neamhbheo atá i gceist, ar nós 'geata uaine')/ green

Ní bhaineann na dathanna bán nó uaine a thuilleadh le hábhar na °ndoiciméad dá ndéanann siad tagairt. D'fhéadfaí a rá nach mbaineann siad leo, dubh, bán nó riabhach! Nó nach mbaineann siad leo a dhath!

parlaimint
an tionól a °reachtaíonn dlíthe don stát; sa tír seo tugtar an tOireachtas ar an pharlaimint

Tá an t-ádh orainn in Éirinn gur féidir linn glacadh leis an chóras pharlaiminteach mar rud atá chóir a bheith nádúrtha. Ach is fadálach an fás a bhí faoin chóras, sular tháinig sé chun blátha.

Thosaigh sé le rud an-bhúnusach, an chaint. Is ionann *parler* sa Fhraincis agus 'labhairt'. Agus ba ionann *parlement* sa Fhraincis, agus 'díospóireacht' nó 'cur agus cúiteamh'. Sa seachtú céad déag agus go luath san ochtú céad déag scríobhadh dhá mhórshaothar liteartha in Éirinn ina bhfuil an-chuid argóna agus cainte: *Parlaimint na mBan* atá ar cheann acu, agus *Parlaimint Chlainne Tomáis* ar an cheann eile. Focal eile ón fhréamh chéanna is ea 'pairlí', a chiallaíonn margaíocht. 'Anois is tráth dom pairlí a dhéanamh feasta le Dia', ars an réice Cathal Buí Mac Giolla Ghunna[157] nuair a chrom sé ar aithrí a dhéanamh ag deireadh a shaoil.

An tagairt is túisce don fhocal *parlement*, tá sé le fáil san eipic *La Chanson de Roland* (Laoi Roland), a cumadh san aonú haois déag. San aois °dár gcionn, an dara haois déag, bhí an focal *parlamenti* á thabhairt ar na comhdhálacha a thionóltaí i gcathracha na hIodáile chun cúrsaí an bhaile a riar.

Ach, cé is moite de eisceacht bheag amháin, is ag Sasana atá an traidisiún parlaiminte leanúnach is

---

dubh, bán nó riabhach: ar chor ar bith/ good, bad or indifferent
a dhath: ar chor ar bith/ (not) at all, (not) in any way
chóir a bheith: beagnach/ almost
fadálach: leadránach, rud a thógann i bhfad/ long-drawn-out
réice: ragairneálaí/ rake, roisterer
riar: stiúradh agus cur i gcrích/ to administer

faide siar, agus is é is tábhachtaí ó thaobh tionchair dhomhanda. Thosaigh an scéal leis na cruinnithe a bhíodh idir an rí agus na barúin[158], na tiarnaí[158] feodacha. Thagaidís le chéile chun riachtanais an rí agus gnóthaí na ríochta a phlé. Ní ar mhaithe leis an daonlathas nó le rialú rannpháirtíoch a chothú a thionóladh an rí parlaimint. De ghnáth, is ag lorg airgid a bhíodh sé. Sna haoiseanna réamhthionsclaíocha sin bhí bunús an tsaibhris i seilbh na ndaoine ar leo an talamh agus torthaí an talaimh, is é sin, na tiarnaí móra agus na heaspaig[158]. Mar sin, is iad sin na daoine a nglaoití orthu chun teacht chuig parlaimint ar dtús.

Le himeacht aimsire tugadh aitheantas do na contaetha[180] mar aonaid oifigiúla agus do na buirgí (na bailte móra agus na cathracha) freisin. Foinsí saibhris a bhí iontu sin chomh maith. 'Comóntaigh' (ón Laidin *communes*) a tugadh ar ionadaithe an ghnáthphobail sa pharlaimint. Cuireadh °iallach orthu teacht chun na parlaiminte a luaithe a bhí ar a gcumas airgead a íoc.

Le fás na tráchtála, ba iad na comóntaigh is mó a sholáthraigh na fóirdheontais airgid a d'éilíodh an rí. Ach i gcúrsaí riartha na parlaiminte leanadh den idirdhealú sóisialta a bhí idir na huaisle agus na haicmí eile, nach raibh iontu ach *nouveaux riches* na linne sin! Thagadh na tiarnaí agus na heaspaig le chéile i dTeach na dTiarnaí; agus na hionadaithe eile – mionridirí[158] na tuaithe, saorshealbhóirí, agus buirgéisigh na mbailte – bhailídís ina n-ionad féin, Teach na gComóntach. Tig linn Dáil Shasana, nó Teach na dTeachtaí a thabhairt ar an Teach nua seo.

feodach
d'fhás an córas seo san ochtú agus sa naoú haois, de réir mar a bhí an Eoraip ag teacht chun silbhialtachta arís tar éis titim na hImpireachta Rómhánaí. Seilbh na talún ar thaobh amháin, agus a saothrú ar bhonn na talmhaíochta ar an taobh eile, ba bhun leis. Is ionann 'feo', an fhréamh Ghearmáinice atá ag an fhocal, agus 'eallach' (ba agus ainmhithe feirme). Tá gaol ag 'feo' le *pecus* (eallach) sa Laidin. Is ó *pecus* a tháinig *pecunia* (airgead) sa Laidin chomh maith, mar ba ionann eallach agus aonaid saibhris sular cumadh °boinn airgid. Thugadh an tiarna roinnt talún do dhuine, vasáill, lena saothrú, agus ina chúiteamh sin thugadh an vasáill seirbhís phearsanta áirithe don tiarna. Tagann an focal 'vasáill' ó bhunús Ceiltice, *foss*. Is ábhar spéise é go bhfuil an focal 'fos' le fáill i bhfoclóir an Duinnínigh. 'Searbhónta' nó 'seirbhíseach' is ciall leis

---

feodach: a bhaineann le córas dlíthiúil agus sóisialta na hIar-Eorpa tar éis na Ré Dorcha/ feudal system
rannpháirtíoch: ag glacadh páirte/ participative
fóirdheontas (sa chiall stairiúil): deontas don rí ón pharlaimint le haghaidh cuspóra faoi leith/ subsidy
saorshealbhóir: duine i seilbh talaimh agus cead aige a rogha rud a dhéanamh leis/ freeholder

Toisc cumas a bheith ag an pharlaimint airgead a °sholáthar don rí, bhí siad in ann margáil a dhéanamh leis chun a gcuspóirí féin a bhaint amach agus chun cumhacht a fháil dóibh féin. Faoi dheireadh, sa ceathrú haois déag, d'éirigh leis an pharlaimint °tionól déanta dlí a dhéanamh di féin dáiríre, seachas bheith ina scata impíoch ag lorg fabhair ón rí. Mar sin féin, ba ar ghnóthaí airgid go príomha a bhí an caidreamh idir an rí agus an pharlaimint bunaithe go fóill. D'fhág sin, murar theastaigh airgead ón rí, nár ghá dó parlaimint a thoghairm, nó a thabhairt le chéile.

Théadh na blianta thart, ar uaire, gan parlaimint. I dtréimhsí síochána, ach go háirithe, bhíodh an rí beag beann ar an pharlaimint de ghnáth, mar d'fhéadfadh sé teacht slán ar an ioncam a d'fhaigheadh sé óna chuid eastát féin, agus ó °fhoinsí airgid nach raibh faoi smacht na parlaiminte, amhail °dleachtanna[48] custaim ar iompórtálacha.

Ach sa seachtú haois déag d'éirigh le Parlaimint Shasana smacht a fháil ar gach foinse cánach. Cinntíodh an smacht sin le Bille na gCeart i 1689. Sa bhliain sin tairgeadh coróin Shasana do Liam Oráiste agus dá bhean chéile Máire, agus thapaigh an pharlaimint an deis chun coinníollacha a cheangal leis an tairiscint: go dtionólfaí parlaimint go minic, go mbeadh saoirse cainte sa pharlaimint; nach bhféadfaí an pharlaimint a chur ar fionraí gan cead na parlaiminte féin; agus nach ngearrfaí cánacha chun airgead a sholáthar don rí nó chun arm seasta a chothú, gan cead na parlaiminte.

Roimhe sin, le linn réimeas Shéarlas II, bunaíodh coiste neamhfhoirmiúil as measc chomhaltaí na rí-

fionraí
is ionann an briathar 'fionraí' (fionraím) agus 'fanacht le (rud)' nó 'fair ar (rud)'. 'Ag fionraí le Godot', sin aistriú beacht ar theideal an drama *En attendant Godot* (1952) le Samuel Beckett. Bronnadh Duais Nobel sa Litríocht ar an Bheicéideach sa bhliain 1969. Ghnóthaigh George Bernard Shaw an duais chéanna i 1925, agus shaothraigh William Butler Yeats í dhá bhliain roimhe sin, 1923. Sin triúr a rugadh i mBaile Átha Cliath. Níor bhain triúr as aon bhaile amháin eile an Duais sin go fóill

margáil: caibidlíocht/ negotiation
impíoch: duine a dhéanann achainí/ petitioner
toghairm: ordú chun teacht i láthair/ to summon
beag beann: gan aird, gan spéis/ indifferent to, disinterested
tairgeadh: deineadh tairiscint/ was offered
an deis a thapú: an seans a ghlacadh/ to seize the opportunity
ar fionraí: as feidhm go sealadach/ suspended

aire
is ón fhoinse chéanna don fhocal seo (a chiallaíonn 'comhalta rialtais') agus don fhocal *Aryan* sa Bhéarla ('Airíoch' sa Ghaeilge). 'Duine uasal' nó 'duine le seasamh agus le gradam' an chiall thraidisiúnta a bhain leis an fhocal seo sa Ghaeilge. Is ionann 'aire' ó bhunús agus *ārya* ('saorfhear', 'duine uasal') sa tSainscrait

chomhairle. Coiste comh-airí a bhí iontu. Le himeacht aimsire d'éirigh an scata neamhfhoirmiúil seo ina °gcomh-aireacht agus ina rialtas ceart dáiríre. D'éirigh Seoirse I as cúrsaí °riaracháin i 1717, agus aithníodh duine amháin den chomh-aireacht mar cheannaire, an 'príomh-aire' (tagann 'príomh' ó *primus* na Laidine, an 'chéad cheann').

Tharla céim eile ar aghaidh in éabhlóid na parlaiminte nuair a d'éirigh le Teach na gComóntach ceannas a fháil ar an chumhacht a bhí ag na hairí a cheapadh an rí. Cé go raibh an cumas ag na Comóntaigh anois dlíthe nua a mholadh, agus cé gur ghá a gcead a fháil chun bille a rith ina dhlí, níor leor sin. Bhí sé thar a bheith tábhachtach do Theach na gComóntach go mbeadh bealach dearfa leanúnach acu chun a chinntiú go riarfaí na dlíthe[48] sin i gceart. Ar dtús ba é an rí a dhéanadh an riarachán, le comhairle ón rí-chomhairle, agus le cabhair airí a cheapadh sé féin. Ag deireadh an ochtú haois déag tharla °Réabhlóid Mheiriceá. Thug sin an chaoi do na teachtaí i dTeach na gComóntach bua tábhachtach eile a bhualadh ar an rí. An Tiarna North, a bhí ina phríomh-aire le linn an chogaidh leis na cóilíneachtaí i Meiriceá, d'éirigh sé as oifig nuair a vótáil na teachtaí chun deireadh a chur leis an chogadh. As sin amach ní raibh de chead ag an rí rialtas a cheapadh nó a scor gan dul i gcomhairle leis an pharlaimint.

Mar is léir, d'éirigh de réir a chéile le Teach na gComóntach smacht iomlán a fháil ar chúrsaí airgid. Baineadh de Theach na dTiarnaí an chumhacht chun billí cánach a leasú; agus ba leasc leis an Teach sin úsáid a bhaint as a gcumhacht chun diúltú glan roimh bhillí dá leithéid. Ceileadh an chumhacht dheiridh sin orthu nuair a reachtaíodh an Bille Parlaiminte i 1911.

Chuir na hÉireannaigh lámh sa scéal sa naoú haois déag, nuair a toghadh Dónall Ó Conaill[159] (1775-1847) ina theachta do Chontae an Chláir in 1829. Chuir sin iallach ar an rí, Seoirse IV, géilleadh don Bhille um

---

scor: scaoileadh/ to dismiss, dissolve
leasc: leisciúil, drogallach/ reluctant

Seoirse IV (1762-1830). Bhí cáil drabhlásaí air, ach dúirt nach ligfeadh a mhóid chorónaithe dó saoirse a ghéilleadh dá ghéillsinigh 'neamh-Phrotastúnacha', idir Chaitlicigh agus Ghiúdaigh (drabhlásaí: caifeachán, réice/ profligate; géillsineach: saoránach ríochta/ subject)

Fhuascailt na gCaitliceach. Ba bheag cumhacht a bhí ag an rí feasta chun cur isteach ar pholasaí an rialtais. Trí bliana ina dhiaidh sin chuir an tAcht Leasaithe deireadh leis na buirgí bánaithe ('lofa'), rud a d'fhág nárbh fhéidir leis an rí an pharlaimint a phacáil lena lucht leanúna féin. Chuir an t-acht sin tús leis an °phróiseas chun ceart °vótála a thabhairt do chách. Ba chéim mhór chun tosaigh é ag an am, ceart vótála a thabhairt do 800,000 duine – as pobal ceithre mhilliún is fiche.

Leanadh den phróiseas °daonlathaithe i rith an naoú haois déag, gur chlúdaigh sé cúrsaí rialtais áitiúil chomh maith.

Ní cáinte é ar mhuintir na Breataine a mbród as Westminster mar bhunpharlaimint an chórais °ionadaíochta dhaonlathaigh. Ba fhada é á fhoirfiú mar cheann de na °háiseanna is tairbhí ag an chine dhaonna – gléas a chuireann ar chumas daoine na socruithe móra tábhachtacha a bhaineann leis an phobal go léir a dhéanamh ar bhonn síochánta, agus é bunaithe go fóill ar an 'chaint'.

Ach luamar thuas eisceacht bheag amháin atá níos sine ná traidisiún parlaiminteach Shasana. Is fiú tagairt dó mar is traidisiún béaldorais againn é. Le linn don Lochlannach Godred bheith ina rí ar Oileán Mhanann (1079-96), bhunaigh sé parlaimint ionadaíoch atá ann ó shin i leith. Tá sé beag, gan ach ceithre theachta is fiche ann. Socraíodh an líon sin, an 'Ceathair is Fichid' mar a thugtar orthu (*Kiare-is-feed* i nGaeilge Mhanann), sa bhliain 1156. (*House of Keys* an t-ainm a thugtar i mBéarla ar an °tionól oirirc Ghael-Lochlannach seo.)

poblacht
stát daonlathach ina dtoghann na vótálaithe an ceann stáit, nó ina dtoghann siad na hionadaithe a cheapann an ceann stáit

Nuair a díbríodh an tíoránach ón Róimh – an rí Tarquinius Surperbus – dúirt muintir na Róimhe gur leor sin: ní bheadh rí orthu go deo arís. Ina ionad siúd bhunaigh siad córas ina mbeadh beirt chonsal[160], a thoghfaí le haghaidh tréimhsí gearrthéarmacha, le

foirfiú: iomlánú, teacht chun aibíochta/ to mature, reach fulfilment

an chláirseach, seanshiombail na hÉireann. Chuir Éinrí VIII (1491-1547) an choróin os cionn na cláirsí ar °bhoinn airgeadra na tíre seo. Ba ionann 'an chláirseach gan choróin' agus siombail na saoirse

nua
focal é seo a bhfuil an chuma chéanna air, beagnach, i mórán teangacha Ind-Eorpacha: *novus* sa Laidin, *nevos* sa Ghréigis, *naujas* sa tSean-Ioruais, *new* sa Bhéarla, agus mar sin de. 'Nua gach bia agus sean gach dí', sin togha an bheathaithe (beathú: cothú maith bia/ nourishment, good eating)

cúram a dhéanamh de chúrsaí an phobail. Is ionann *res publica* sa Laidin agus 'gnó poiblí' nó 'gnó an phobail'. Léiríonn an téarma *res publica* (as ar tháinig *république* na Fraincise agus *republic* an Bhéarla) an ceangal láidir atá idir an córas sin rialtais agus an daonlathas.

Is focal réasúnta nua é an leagan Gaeilge, 'poblacht'. Is iad 'poiblíocht' agus 'comhfhlaitheacht' na hiarrachtaí ar an choincheap a chur i nGaeilge i bhfoclóir O'Neill Lane, a foilsíodh i 1904. Nuair a bhí an toscaireacht Éireannach i Londain i 1921 chun neamhspleáchas na hÉireann a phlé thug Lloyd George fúthu ar an bhonn nár luigh an poblachtachas le dúchas na °gCeilteach. Ní raibh fiú focal acu i nGaeilge ar an nóisean nuanósach, ar sé! Rí ba °dhual dóibh: mar sin, ba chóir dóibh fanacht faoi rí na Breataine. Bhí argóintí Lloyd George (ar Cheilteach é féin) lochtach. Bíodh gur ríochtaí a bhí in Éirinn fadó, ba chosúla iad ar bhealaí le poblacht: ba chóir, de réir dlí, an rí a thoghadh, d'fhéadfaí é a chur as oifig, bhí ceangal dlí air, agus ní hé a chum na dlíthe ach na breithiúna. (Ní ríocht ach oiread a bhí sa Tríú Reich, ach ta gaol idir 'ríocht' na Gaeilge agus *Reich* na Gearmáinise.)

D'éirigh thar barr le poblacht na Róimhe. Bhi sí ina heiseamláir do na poblachtaí a bhí le teacht níos déanaí. Bhain luachanna tábhachtacha léi: saoirse ó ansmacht tíoránach, agus cead ag na saoránaigh páirt a ghlacadh ina rialú féin; agus chothaigh sí díograis agus dílseacht an duine don leas choiteann seachas a leas °leithleach féin a lorg gan aird ar leas na poblachta. D'fhág na Rómhánaigh na luachanna seo le hoidhreacht ag na poblachtaí a tháinig ar an saol ó shin.

Ar ndóigh, is breá le mórán stát a mhaíomh gur poblachtaí iad nuair nach amhlaidh atá ar chor ar bith. Deachtóireachtaí ar nós na Rúise faoi Stalin, mar

---

toscaireacht: buíon ionadaithe/ delegation
nuanósach: le cruth (aisteach) nua/ new-fangled
eiseamláir: barr idéil/ model, exemplar

shampla, nó Poblacht olagarcach na Veinéise. Ar an taobh eile den scéal, tá stáit dhaonlathacha nach poblachtaí iad: an Ríocht Aontaithe, cuir i gcás, agus na tíortha Lochlannacha.

Tá poblachtachas na haoise seo go mór faoi anáil °Réabhlóid na Fraince agus Réabhlóid Mheiriceá. Chuir na réabhlóidí seo béim ar luachanna na cothroime a bheith ag cách os comhair an dlí. Ní réitíonn onóracha oidhreachtúla le heitic an phoblachtachais. Ní bhíonn aicme uasal acu dá bharr. Thug réabhlóidithe na Fraince 'an Saoránach Capet' (sloinne a mhuintire) ar Louis XVI. Bhain siad a theideal de sular bhain siad an ceann de.

°eisíodh an °banna Fíníneach seo ar $20 i Meiriceá in 1866, le *John O'Mahony, Agent for the Irish Republic*. Díoladh mórán bannaí dá leithéid idir 1862 agus 1867, agus d'íoc cuid mhaith banc a luach lá níos déanaí. Is focal é 'Fínín' a thóg an Béarla mar iasacht ó 'Fianna' na Gaeilge. Ansin thóg an Ghaeilge an focal Béarla *Fenian* ar ais faoi chruth nua, 'Fínín', agus le ciall pholaitiúil nua

Saol simplí °Spartach an t-idéal a chuireann poblachtaigh áirithe rompu. Is gráin leo an t-ardnósachas a bhaineann, mar a deir siad, le 'lucht na veistí bán'. Na hÉireannaigh Aontaithe, a bunaíodh i mBéal Feirste i 1791, a las spré an phoblachtachais in Éirinn ar dtús. Dúirt Wolf Tone (1763-98), ceann de na °smaointeoirí ba mhó orthu:

---

olagarcach: a bhaineann le rialú tíre ag dream beag/ oligarchy
oidhreachtúil: a fhaightear ar bhonn dúchais/ hereditary
eitic: caighdeán morálta/ ethic
idéal: barrshamhail/ ideal
ardnósachas: éirí in airde/ self-opinion, pomposity
spré: lasair bheag/ spark

> An ceangal le Sasana a bhriseadh – síorchúis ár n-uile chrá polaitiúil – agus saoirse mo thíre a dhearbhú: b'in iad mo chuspóirí. Pobal uile na hÉireann a aontú; na sean-easaontais ar fad a ruaigeadh as cuimhne; agus an t-aon ainm amháin i bpáirt, Éireannach, a chur in ionad na sainainmneacha[49], Protastúnach, Caitliceach, Easaontóir: b'in iad mo mhodhanna.

Bhí an poblachtachas in Éirinn ar son scarúna le Sasana, agus chuige sin chuir sé a mhuinín sa réabhlóideachas. Ach ar feadh an naoú céad déag ba sa pharlaiminteachas °bhunreachtúil is mó a léiríodh °náisiúnachas na hÉireann.

Bhí beirt sárcheannairí ar na gluaiseachtaí parlaiminte sin, Dónall Ó Conaill (1775-1847) agus Séarlas Stíobhartach Parnell[161] (1846-91). Faoi dheireadh ghlac Teach na dTeachtaí i bParlaimint Shasana le bille um Rialtas Dúchais do Éirinn i 1914. Bhí an bille le teacht i bhfeidhm ag deireadh an Chogaidh Mhóir. Thabharfadh sé cumhachtaí, a bhí teoranta go maith, do rialtas i mBaile Átha Cliath. Ach bheadh ceannasaíocht ghinearálta go fóill ag Westminster. Bheadh an rí ina cheann stáit.

Bhí an chosúlacht air go sásódh sin mórchuid daoine. Ach tharla go raibh an socrú ródhéanach, go háirithe nuair a dúradh – arís eile – go gcuirfí siar an socrú go dtí tar éis an chogaidh. Ní raibh ann, dar le daoine áirithe, ach an rud a chuir Aodh Ó Néill, Iarla Thír Eoghain, i leith Mhic Chochláin breis agus trí chéad bliain roimhe sin, is é sin, nach raibh á dhéanamh ach 'milseacht briathar agus sínteoireacht aimsire'. Nocht Éirí Amach 1916 gur dhúnadh an dorais tar éis na foghla a bhí sa bhille. Ní *Home Rule* a shásódh an chéad Dáil Éireann, a tháinig le chéile tar éis olltoghchán 1918, ach poblacht glan amach.

Tharla an claochlú millteanach mór seo de thoradh cúiseanna éagsúla i dteannta a chéile. Is fiú féachaint ar an athrú a tharla. Sa chéad áit, cé gur cáineadh an

milseacht
tagann an focal seo ó 'mil'. *Mil* atá air sa Chornais agus sa Bhriotáinis chomh maith, agus *mel* sa Bhreatnais agus sa Laidin. *Meli* an leagan sa Ghréigis. 'Milseán', sin rud beag blasta is féidir a ithe de bholgam amháin; 'milseog', sin cúrsa blasta ag deireadh béile; 'milsíneacht', is ionann sin agus plámás (bolgam: lán béil/ mouthful)

foghail: gadaíocht/ robbery
claochlú: athrú bunúsach/ transformation

Micheál Ó Coileáin (1890-1922), an ceannaire poblachtach ba mhó cáil sa troid in aghaidh na Sasanach, a raibh Sos Cogaidh 1921 mar chríoch leis

tÉirí Amach ar dtús, níor dhaoine gan aithne ná gan seasamh a bhí ina bhun. An fhearg a thagann le geit a mothaíodh ar dtús i measc an phobail. Ansin mhaolaigh ar an chorraí, agus féachadh ar na ceannairí ar bhealach eile. Cuireadh an cheist a chuir Yeats: na créatúir – *'What if excess of love/Bewildered them till they died?'* Ansin deineadh laochra díobh, mar gheall ar na botúin a dhein na húdaráis. Tháinig a gcuid °bolscaireachta féin aniar aduaidh[162] ar na Sasanaigh. Mar bhí siad ag lorg earcach cogaidh go géar in Éirinn ag an am, agus ceann de na bealaí a bhí acu chuige sin ná daoine a mhealladh leis an teachtaireacht go mbeidís ag troid ar son na náisiún beag, amhail an Bheilg, tír bheag Chaitliceach eile a bhí ag seasamh an fhóid go cróga in aghaidh an °fhoréigin.

Níor rith sé leis na húdaráis féachaint leis an fhadhb a bhí acu de thoradh an éirí amach a réiteach ar bhonn polaitiúil. Lig siad cead a gcinn leis an arm chun a réiteach féin a chur i bhfeidhm. Níorbh eol dóibh siúd ach an réiteach ciotrúnta míleata: ceannairí an éirí amach a lámhach ar an toirt. Ní raibh sa

Forógra na Cásca

POBLACHT NA H EIREANN.

THE PROVISIONAL GOVERNMENT

OF THE

IRISH REPUBLIC

TO THE PEOPLE OF IRELAND.

IRISHMEN AND IRISHWOMEN: In the name of God and of the dead generations from which she receives her old tradition of nationhood, Ireland, through us, summons her children to her flag and strikes for her freedom.

Having organised and trained her manhood through her secret revolutionary organisation, the Irish Republican Brotherhood, and through her open military organisations, the Irish Volunteers and the Irish Citizen Army, having patiently perfected her discipline, having resolutely waited for the right moment to reveal itself, she now seizes that moment, and, supported by her exiled children in America and by gallant allies in Europe, but relying in the first on her own strength, she strikes in full confidence of victory.

---

corraí: buaireamh/ upset
teacht aniar aduaidh: teacht gan choinne/ to take by surprise
earcach: ball nua/ recruit
ciotrúnta: amscaí/ clumsy, maladroit
lámhach: scaoileadh/ to shoot

ghníomh sin ach buille traidisiúnta frithluaileach an airm maidir le trioblóidí in Éirinn a cheansú. Mhothaigh go leor daoine nach raibh mórán difríochta idir seo agus na scéalta uafáis a bhí ag teacht ón Bheilg faoi mhéaraí baile a bheith á scaoileadh ag na Gearmánaigh. Thosaigh siad ag tabhairt tacaíochta do shoiscéal na poblachta.

Níor baineadh amach poblacht de thoradh Chonradh 1921. Stádas Tiarnais a fuarthas do shé chontae fichead. Cé gur mhór an chéim ar aghaidh é ar an rialtas dúchais a °tairgíodh cheana, bhí daoine ann nach nglacfadh leis. Tharla cogadh cathartha 1922-23 dá bharr. Buadh ar na poblachtaigh, agus d'fhan siad amach as cúrsaí polaitíochta go dtí gur bhunaigh Éamon de Valéra páirtí Fhianna Fáil i 1926.

Nuair a tháinig de Valéra i gcumhacht sa bhliain 1932, d'úsáid sé forálacha Bhunreacht Shaorstát Éireann, agus na hathruithe bunreachtúla a bhí tar éis tarlú sa Chomhlathas[163] Bhriotanach, chun céim eile a thabhairt i dtreo poblachta. Mura raibh an t-ainm air, ba phoblacht dáiríre é an stát a bhí i gceist sa bhunreacht nua a chuir sé faoi bhráid an phobail in 1937, agus ar ghlac °tromlach na vótálaithe leis an bhliain sin.

Ritheadh Acht Phoblacht na hÉireann i 1948, agus tháinig sé i bhfeidhm ar 18 Aibreán 1949, cothrom an lae ar tharla an tÉirí Amach trí bliana is tríocha roimhe sin. Cuirtear síos ar an stát san acht sin mar phoblacht, agus is mar phoblacht dhaonlathach atá aithne idirnáisiúnta air anois.

an Bheilg
'láthair comhraic na hEorpa' a tugadh ar an tír bheag seo fadó, de bharr an mhéid sin cathanna a troideadh innti. Thug mórán Éireannach a mbeo i gcathanna a fearadh ann, mar Ramillies (1706), Oudenarde (1708), Fontenoy (1745), Waterloo (1815), Mons, Passchendaele agus Ypres (1914-17). An cath deiridh a troideadh ann ná Cath na nArdennes i 1944, ag deireadh Chogadh Domhanda II. Ba é an státaire Francach Talleyrand a chinntigh neamhspleáchas na Beilge sa bhliain 1830, i dtreo is go mbeadh sí ina sciath chosanta feasta idir an Fhrainc agus stáit na Gearmáine. Roimhe sin, ba leis an Ostair críocha na Beilge

poiblí
i bpáirt ag cách

Tagann 'pobal' ó *populus* na Laidine. 'Poiblí' an aidiacht uaidh sin (*publicus* sa Laidin).

Úsáidtear an focal 'poiblí' ar dhá bhealach. Sa chéad áit, is féidir é a cheangal le haon rud atá faoi

gníomh frithluaileach: gníomh tobann atá neamhspleách ar an toil/ reflex action
tiarnas: stát le féinriail ach gan saoirse iomlán/ dominion
Comhlathas Briotanach: British Commonwealth

cheannas nó i seilbh an stáit: an tseirbhís phoiblí, an °earnáil phoiblí (i gcontrárthacht leis an earnáil phríobháideach), leabharlann[164] phoiblí. Sa dara háit, ceanglaítear é le daoine i gcoitinne, an choitiantacht, seachas daoine aonair príobháideacha. Gníomh poiblí, taispeántas poiblí, is rudaí iad a dhéantar os comhair an phobail, go hoscailte, i °gcodarsnacht le gníomh príobháideach an duine aonair agus é i mbun a chúraimí féin.

Síolraíonn 'príobháideach' ó *privatus* na Laidine, a chiallaíonn 'scartha', is é sin, scartha ó dhaoine eile. °*Cuideachta phríobháideach*, sin comhlacht a bhfuil beirt °scairshealbhóirí ar a laghad ann ach faoi bhun caoga díobh. Bíonn de cheart ag na stiúrthóirí srian a chur le haistriú na scaireanna.

Cuideachta phoiblí, sin comhlacht a bhfuil seachtar scairshealbhóirí ar a laghad ann. Ní bhíonn cead ag na stiúrthóirí srian a chur le haistriú scaireanna sa chás seo.

Is *cuideachta luaite* cuideachta phoiblí a ndéantar a cuid °scaireanna a thrádáil ar °stocmhalartán.

polaitíocht, an ph-
gach a mbaineann le rialú stáit

Ailbhe Mac Raghnaill TD, ceannaire ar Fhianna Fáil

Is é *polis* an focal Gréigise ar 'cathairstát'. Is í an 'pholaitíocht' gnóthaí an chathairstáit. San Aithin, i ré an daonlathais, bhítí ag súil go nglacfadh gach saoránach páirt ghníomhach i °riar na cathrach. D'fhéadfadh sé sin a dhéanamh trí labhairt sna díospóireachtaí poiblí, trí vótáil, trí dhul i mbun oifige poiblí ar son na cathrach. Duine nach ndéanfadh amhlaidh, ba amadán, ba phleidhce é (nó *idiotēs* sa Ghréigis).

Polaiteoir a thugtar ar dhuine a ghlacann páirt ghníomhach i gcúrsaí polaitíochta. Ba bhreá an rud é dá ndéanfadh gach duine sin, ar nós na nAithneach. Ach níl sin praiticiúil. Ní ghabhann ach codán beag den phobal den pholaitíocht dáiríre, agus is lú fós an chuid díobh a éilíonn suíochán i dtoghchán le

coitiantacht: an pobal i gcoitinne/ people in general
luaite: fógartha/ quoted

John Bruton TD, ceannaire ar Fhine Gael

Risteard Mac an Earraigh TD, ceannaire ar Pháirtí an Lucht Oibre

Deasún Ó Máille TD, ceannaire ar an Pháirtí Dhaonlathach

haghaidh údaráis áitiúil, le haghaidh an Oireachtais (an Dáil nó an Seanad), nó le haghaidh Pharlaimint na hEorpa. Daoine a lorgann suíochán mar seo, is iadsan na polaiteoirí i súile an phobail. Má thoghtar iad, is *ionadaithe poiblí* iad.

Páirtí polaitíochta, sin eagras deonach a lorgann tacaíocht an phobail ar son cláir áirithe polasaithe. Páirtí a bhfuil seasamh náisiúnta aige, beidh cumainn áitiúla aige i ngach °toghlach chun dul i bhfeidhm ar dhearcadh an phobail ann, go háirithe muintir na tuaithe, agus chun iad a ghríosú le tacaíocht a thabhairt don pháirtí aimsir thoghchánaíochta. Ní luaitear páirtithe polaitíochta i mbunreacht na hÉireann, ach tá siad riachtanach don chóras polaitíochta dhaonlathach ionas go bhfeidhmeoidh sé i gceart.

Daoine den ghlúin óg a mbíonn spéis acu sa pholaitíocht, agus ar mhaith leo bheith ina n-ionadaithe poiblí, tugann a gcumann áitiúil deis dóibh an cheird a fhoghlaim. Is tríd an chumann, de ghnáth, a thagann an t-ábhar polaiteora faoi aird an phobail den chéad uair. Is sa chumann a chleachtann sé na bunscileanna díospóireachta. Mar bhall den chumann bíonn air aire a dhéanamh de mhianta an phobail sa cheantar. Tagann den obair seo forbairt ar chumas an duine mar pholaiteoir; agus faigheann an cumann eolas, ar an leibhéal is bunúsaí agus is leithne, ar na ceisteanna atá ag cur as do dhaoine. Cuireann na cumainn tuairimí agus moltaí ar aghaidh chuig leibhéil níos airde sa pháirtí, maidir le dlíthe nua a dhéanamh nó le seandlíthe a leasú. Seo ceann de na bealaí ina gcumtar ábhar °reachtaíochta i stát daonlathach.

Is *ceist pholaitiúil* í aon rud a spreagann spéis pholaiteora. Caithfidh polaiteoir daonlathach aird a thabhairt ar smaointe agus ar mhianta na vótálaithe. Ní miste dó aithris a dhéanamh ar an fhile Seán Ó Ríordáin, a dúirt 'Raghaidh mé síos i measc na

ábhar polaiteora: duine ar mian leis dul le polaitíocht/ aspiring politician

Proinsias de Rossa TD, ceannaire ar an Eite Chlé Dhaonlathach

Tomás Mac Giolla TD, ceannaire ar Pháirtí na nOibrithe

Roger Garland TD, ceannaire ar an Pháirtí Ghlas

ndaoine/ De shiúl mo chos', chun a fháil amach cad tá ag déanamh buartha dóibh: ráta úis bhainc inniu, b'fhéidir; nó praghas camán amárach.

Is féidir cúig ghné ghinearálta a aimsiú in ábhar suime na bpolaiteoirí. Sa chéad áit, cuireann siad spéis i gcúrsaí dlí agus síochána. Is é príomhghnó an stáit *ord agus eagar* a chinntiú laistigh den stát. Ní foláir don stát gach ar féidir leis a dhéanamh freisin chun seasmhacht pholaitiúil a chothú lasmuigh den stát, ar bhonn idirnáisiúnta.

Sa dara háit, caithfidh polaiteoirí plé le ceisteanna °*geilleagracha*, an fhorbairt thionsclaíoch, mar shampla, agus an talmhaíocht, an fhostaíocht, onnmhairí, allmhairí[165], an °bonneagar.

In áit a trí cuirimis na ceisteanna *sóisialta*, leithéidí leas na n-aicmí is laige sa stát – lucht na heasláinte, daoine le héislinn, daoine gan fostaíocht, na bochtáin, na dílleachtaí, na sean.

Ansin, uimhir a ceathair, tá ceisteanna *cultúrtha*. Is féidir ciall an-leathan a bhaint as cultúr – modh maireachtála pobail ina iomláine – ach i gcúrsaí polaitíochta tá ciall níos teoranta leis: baineann sé le hoideachas, na healaíona, an oidhreacht stairiúil, forbairt phearsanta an duine, °saoráidí a bhaineann le caitheamh aimsire.

Is í an cúigiú haicme ná ceisteanna *institiúdúla*: amhail eagrú na seirbhíse poiblí, éifeacht na gcúirteanna, feidhmeanna na n-údarás áitiúil.

Sa ghnáthchaint baintear úsáid as an téarma, polaitíocht, chun cur síos ar an chaoi a bhféachann daoine le cumhacht a bhaint amach dóibh féin, nó chun ceisteanna a réiteach de réir a dtola féin, laistigh de eagrais agus de chumainn áitiúla de gach chineál. Mar sin, is féidir labhairt faoi pholaitíocht na hoifige, no faoi pholaitíocht inmheánach chumainn spóirt.

onnmhaire: earra a dhíolaimid thar lear, easpórtáil/ export
allmhaire: earra a cheannaímid thar lear, iompórtáil/ import
éislinn: míchumas/ handicap
dílleachta: páiste gan tuismitheoir/ orphan

Eolaí polaitíochta, sin duine acadúil atá tar éis cáilíocht a bhaint amach de thoradh staidéir ar an pholaitíocht mar réimse eolais.

príobháidiú
obair a bhíodh ar siúl cheana ag áisíneacht stáit a thabhairt do chomhlacht príobháideach nó do dhuine príobháideach; an próiseas chun an t-aistriú sin a dhéanamh

Tá dhá chineál príobháidithe ann. Sa chéad áit is féidir le háisíneacht stáit comhlacht príobháideach a fhostú chun gnó a dhéanamh a bhfuil sé de chúram ar an áisíneacht a chur i gcrích. Sa chás seo fanann an dualgas ar an áisíneacht chun an gnó a dhéanamh, ach fágtar fúthu an bealach is fearr chuige sin a roghnú. Is é an dara sórt príobháidithe atá ann ná nuair a dhíoltar go hiomlán an gnó a bhíodh ar siúl ag áisíneacht phoiblí le comhlacht príobháideach, nó le comhlacht a luaitear a chuid scaireanna ar an °Stocmhalartán. Sampla reatha de sin ba ea Comhlacht Siúicre Éireann. Is féidir dínáisiúnú a thabhairt ar an saghas seo príobháidithe.

Tig le dealramh[166] taitneamhach a bheith ar an phríobháidiú i súile rialtais nuair atá an t-airgead go gann orthu: cuirfidh an díol breis airgid sa °státchiste. Rud eile de, d'fhéadfadh an díol costais oibriúcháin an rialtais a laghdú, nó cur le héifeacht eagraíochta. Tá na sóisialaithe i gcoinne an phríobháidithe ar chúiseanna °idé-eolaíochta. B'fhearr leo go mbeadh an stát i mbun an oiread oibre is féidir seachas é a scaoileadh uaidh. Is féidir cur i gcoinne an phríobháidithe ar chúiseanna teicniúla chomh maith – mar shampla, go bhfuiltear ag díol °acmhainne stáit faoi bhun a luacha.

prólatáireacht, an ph–
na hoibrithe ar ísealphá, agus lucht sclábhaíochta

'Clann pháistí', 'síol' is ciall leis an fhocal *proles* sa Laidin. D'úsáid na Rómhánaigh an focal le cur síos ar

príobháidiú: privatisation
áisíneacht: gníomhaireacht/ agency
lua: praghas reatha scaireanna a fhógairt (ar an stocmhalartán)/ to quote the price of shares
dealramh: cosúlacht/ appearance, likelihood
costais oibriúcháin: costais riartha/ operating costs
prólaitáireacht: proletariat

dhuine a d'fhóin don stát, ní le maoin a sholáthar dó (i bhfoirm cánach, nó le heach in am cogaidh), ach le hábhar saighdiúirí[167], a chlann, a chur ar fáil.

Ba í an phrólatáireacht an mhalairt rogha ar an aicme chaipitleach, de réir theoiric Mharx. D'úsáid sé an téarma 'prólatáireacht' le céim riachtanach ar an bhealach chun na réabhlóide a chur in iúl – nuair a bhainfidís 'deachtóireacht na prólatáireachta' amach, nó nuair a bhainfí amach í ar a son.

Orwell, George
ainm cleite Eric Arthur Blair (1903-50). Ar na leabhair mór le rá a scríobh sé tá *The Road to Wigan Pier* (1932), *Homage to Catalonia* (1938), *Animal Farm* (1954) agus *1984* (1949). D'ainneoin a cháile mar údar, níor chruinnigh sé mórán saibhris riamh agus crádh é leis an drochshláinte tamall sách fada sular cailleadh é

D'úsáid George Orwell an focal díspeagtha *proles* chun an ísealaicme ainbhiosach bhrúidiúil a chur in iúl ina úrscéal *1984*. Aisteach go leor, tá focal dúchasach sa Ghaeilge leis an bhrí chéanna agus é faoi cheilt laistigh den fhocal 'prólatáireacht' féin. Thug cuid de na filí 'an táire' ar an aicme ab ainnise agus ba shuaraí sa tír. 'Sú na táire' a thug siad ar a shliocht.

---

fónamh do: friotháil ar/ to serve
malairt rogha: athrach/ alternative
díspeagtha: taircaisniúil/ belittling, pejorative
táir: suarach, truaillí/ mean, base, vile
sú: tál, toradh/ essence, product

radacach
ag baint le buntréith ruda nó le bunphrionsabail

Tháinig an focal seo ó thús ó *radix* (a chiallaíonn 'fréamh') na Laidine. Tá focal dúchasach Gaeilge ann chomh maith, 'fréamhaí', leis an chiall chéanna. Ach i °gcomhthéacs na fealsúnachta agus na polaitíochta is fearr an focal ón iasacht, b'fhéidir. Tá sé idirnáisiúnta.

Tugtar radacaigh ar dhaoine den uile chineál. Ar dtús, tá an duine a bhíonn ag iarraí croí[168] gach scéil a aimsiú. Ní ghlacann sé le cuma na fírinne mar mhíniú; bíonn sé ag lorg fios fátha na fírinne atá i bhfolach, dar leis, laistiar di sin. D'fhéadfadh duine den chineál seo an choiriúlacht, mar shampla, a iniúchadh ar bhealach a thugann le fios dó gurb í an bhochtaineacht is cúis leis an choirpeacht; agus mar sin gurb é an bealach chun an choirpeacht a ruaigeadh ná deireadh a chur le bochtaineacht, in áit pionós a ghearradh ar lucht déanta an oilc.

Ansin tá an té a cheapann go bhfuil an pobal, nó an grúpa lena mbaineann sé, imithe ar strae agus gur gá dóibh filleadh ar an °fhoinse fhíorghlan. Radacaigh den chineál seo, ach ar bhealaí difriúla, ba ea Dubhghlas de hÍde agus Pádraig Mac Piarais. I gcómortas lena raibh ann roimhe sin ba radacach an clár é an *Clár um Fhorbairt Gheilleagrach* a sholáthraigh T.K. Whitaker i dtús na seascaidí.

Tá radacaigh eile ann a chreideann go bhfuil an truailliú dulta an oiread[169] sin go smior i ndaoine go gcaithfear tosú as an úire. Radacachas den sórt seo ba bhun le barbarthacht an Khmer Rouge[170].

Tá daoine eile a deir go bhféadfaí gach fadhb a réiteach ach glacadh le réiteach teoiriciúil radacach

aimsiú: fionnadh, fáil amach/ to discover, ascertain
coiriúlacht: coirpeacht, sárú an dlí/ criminality
iniúchadh: scrúdú go géar/ to examine closely, audit
Clár um Fhorbairt Gheilleagrach: Programme for Economic Expansion
truailliú (sa chomhthéacs seo): fiaradh, lobhadh sa chiall mhorálta/ corruption

éigin. Is féidir a rá go mbíonn roinnt polaiteoirí den °eite chlé tugtha don chineál sin radacachais.

Ach is féidir seasamh radacach a ghlacadh ar bhonn pholaitiúil ar bith (nó ar aon bhonn eile). Fágann sin go bhfuil daonlathaigh radacacha ann, sóisialaithe radacacha, cumannaigh radacacha, coimeádaigh radacacha, liobrálaigh radacacha, Críostaithe radacacha agus go leor leor eile.

réabhlóid
athrú iomlán forleathan

'Casadh' is ciall leis an bhriathar Laidineach *volvere, volutum*. Agus 'ar ais' no 'arís' is ciall don réimír *re-*. 'Casadh ar ais' is brí, mar sin, leis an fhocal 'réabhlóid' (*re* + *volutum*). Tá an domhan ag casadh timpeall ar a ais féin, is é sin, ar an líne shamhailteach a théann trí lár an domhain ón Mhol Thuaidh go dtí an Mol Theas.

an gilitín, uirlis an Uafáis, ar deineadh di sainsiombail Réabhlóid na Fraince. Ainmníodh an gléas as an Dr Joseph Guillotin (1738-1814) a mhol go n-úsáidfí é

réabhlóid: revolution
ais: líne a n-iompaíonn rud thart timpeall air/ axis
réimír: foirceann i dtús focail chun a bhrí a athrú/ prefix
samhailteach: rud nach bhfuil ann dáiríre, meabhlach/ imaginary, illusory

Rud a chasann 'ar ais', bíonn sé – de réir bhunbhrí an téarma – ag rothlú[171] timpeall, go dtí go bhfilleann sé ar an áit mar a raibh sé ar dtús. Tagann 'rothlú' ón fhocal 'roth' – féach 'rothar' chomh maith. Tá 'roth' gaolmhar le *rota* na Laidine. Is ionann brí don dá fhocal. Is ó *rota* a fuair an Béarla an briathar *rotate* sa seachtú céad déag.

De bharr shíorchasadh bliantúil an domhain timpeall na gréine bíonn lár an tsamhraidh[172] againn gach bliain agus sé mhí ina dhiaidh sin bíonn dúluachair an gheimhridh[173]. Ansin ar ais go dtí an samhradh arís! Samhlaíodh gurbh amhlaidh don duine freisin, go raibh sé ar 'roth an áidh'[174], agus go gcasfadh sonas nó donas air de réir mar a d'iompódh an roth thart timpeall. Nó mar a deirtear go minic, 'níl in uasal agus íseal ach thuas seal agus thíos seal.'

I gcúrsaí na polaitíochta is ionann réabhlóid agus rialtas a °chloí de thoradh fornirt, faoi mar a tharla i Meiriceá, sa Fhrainc, sa Rúis. Ach i gcúrsaí sóisialta nó °geilleagracha ní hionann réabhlóid agus forneart a úsáid. Maítear go mbíonn réabhlóidí síochánta againn ó am go chéile i gcúrsaí talmhaíochta, oideachais, táirgthe agus eile.

reacht
acht, dlí de chuid an Oireachtais

Reacht[175], sin dlí a ritear leis an Oireachtas. Tá dlíthe eile, leis, ann a °eascraíonn as an ghnáthamh, nó as breitheanna cúirte. Tugtar foráil *reachtúil* ar ordú atá ann de bharr achta. *Ionstraim reachtúil*, sin liosta nó grúpa de rialacháin bheachta a °eisíonn aire faoi réir °fhorálacha ginearálta achta.

Scrúdaíonn ceann de chomhchoistí an Oireachtais na hionstraimí seo thar ceann an Oireachtais, chun a chinntiú go gcloíonn siad leis an acht. Is gléas é seo

---

dúluachair: lár an gheimhridh/ depth of winter
forneart: foréigean, an lámh láidir/ force, violence
maíomh: fógairt, dearbhú/ to declare, assert
gnáthamh: nós nó cleachtadh atá ann leis na cianta/ customary practice
Comhchoiste Oireachtais: Joint Oireachtas Committee

chun nach gá don Oireachtas an iomarca ama a chaitheamh ar mhionphointí reachtaíochta teicniúla. (Féach freisin 'acht'.)

reifreann
vótáil ina bhfuil ceart vótála ag na vótálaithe go léir ar cheist pholaitiúil a chuireann a n-ionadaithe tofa faoina mbráid

Am éigin, tuairim is míle cúig chéad bliain ó shin, glacadh leis an fhocal 'aifreann' sa Ghaeilge, focal a tháinig ó *offerendum* ('an ní is cóir a ofráil') na Laidine. Ansin sa fichiú haois seo chuathas i muinín na treorach sin chun leagan Gaeilge a chur ar °choincheap úrnua. Is mar sin a fuineadh 'reifreann' ón fhocal Laidine *referendum* ('an ní is cóir a bhreith ar ais').

Is iad na hEilvéisigh a chéadúsáid an reifreann, sa naoú céad déag, mar ghléas polaitiúil de chuid an lae inniu. Faoi bhunreacht na hÉireann, sula féidir aon athruithe a dhéanamh ar an bhunreacht, caithfear iad a chur faoi bhráid an phobail. Is é an pobal amháin a dhéanann an cinneadh, i modh reifrinn. Tá tíortha eile ann, agus tugann a mbunreacht cead do na hionadaithe tofa an bunreacht a athrú gan bacadh le breith an phobail. Tá córas na hÉireann i bhfad níos daonlathaí.

Aon leasú a mholtar ar an bhunreacht, cuirtear é os comhair na Dála i bhfoirm bille. Má ritear an bille, nó má mheastar gurb amhlaidh a ritheadh é de réir dlí, cuirtear an moladh faoi bhráid an phobail. Déantar an cinneadh de réir mar a chaitear tromlach na vótaí °bailí.

Faoi réir an bhunreachta is féidir reifreann a thionscnamh ar cheist nach ceist bhunreachta é. Bhí naoi[176] reifreann ann cheana faoin bhunreacht, ach bhain siad go léir le hathruithe a dhéanamh ar an bhunreacht féin.

---

reifreann: referendum
tofa: a toghadh/ elected
fuineadh: múnlú, dearadh/ to shape, mould, design
cinneadh: beartú, socrú / to decide
tionscnamh: tús a chur le/ to initiate

reiligiún
creideamh i gcumhacht nó in ábhar cumhachta osnádúrtha[177], agus ómós a thabhairt don chumhacht ar an ábhar go bhfuil ómós ag dul dó agus gur féidir leis tionchar a imirt ar chúrsaí daonna

Tá reiligiún ar cheann de na feiniméin is sine agus is forleithne a bhaineann leis an chine dhaonna. An gnáthfhocal sa Ghaeilge air ná 'creideamh' (focal atá gaolmhar le *credere, creditum* na Laidine), ach san aois seo glacadh le 'reiligiún' chomh maith chun idirdhealú úsáideach a dhéanamh idir an dá choincheap atá i gceist, is é sin, creideamh, agus cleachtadh. Fuair an Béarla an focal *religion* ón tSean-Fhraincis chomh fada siar leis an dara céad déag, agus fuair na Francaigh an focal ó *religio*, a chiallaigh 'eagla roimh an osnádúrthacht' nó 'deabhóid' sa Laidin. Meastar gur tháinig an focal sin ó *religare*, is é sin 'ceangal le chéile'.

Ní fios cathain nó conas a d'fhás córas eagraithe den chineál a dtugtar reiligiún air anois. Ach tá go leor iarsmaí °cianaosta daonna ann a bhaineann le hadhlacadh na marbh. Is minic a fhaightear maoin phearsanta a cuireadh i gcuideachta an duine mhairbh. Léiríonn an nós coitianta seo, b'fhéidir, gur chreid na daoine cianda sin i saol tar éis bháis, agus gur cuireadh an mhaoin leis an duine mar sholáthar dá riachtanais ar an saol eile. Is féidir brí reiligiúnach a bhaint freisin as na pictiúir a tarraingíodh i bpluaiseanna fadó, amhail na cinn ag Lascaux na Fraince, a péinteáladh idir 20,000 agus 14,000 bliain roimh Chríost.

Tá claonadh ag an °tsocheolaíocht san aois seo ciall leathan a cheangal leis an fhocal 'reiligiún'. Léiríonn feiniméan leitheadach cianaosta an reiligiúin go bhfreagraíonn sé do riachtanas bunúsach sa duine. 'An duine ag cuardach na cinnteachta' atá tugtha ar reiligiún sa chomhthéacs seo. De réir an dearcaidh seo tá reiligiún ag gach duine, is é sin, is ionann agus reiligiún dó an chaoi a mbaineann sé ciall as an saol agus as cuspóir na beatha. Más ea, is féidir

osnádúrtha: os cionn an nádúir/ supernatural
feiniméan: rud nó gníomh is féidir a thabhairt faoi deara/ phenomenon
idirdhealú: difreáil, aithint idir rudaí/ to differentiate
maoin: sealúchas/ property

anam
an spiorad, nó an ghné neamhábhartha den duine, mar a mbíonn pearsantacht an duine, an toil, an intleacht agus na mothúcháin. Airíonn diachaithe agus lucht creidimh i gcoitinne go maireann an t-anam tar éis bháis agus nach féidir leis dreo toisc nach ábhar fisiceach é. Is ionann 'anam' agus *anima* sa Laidin. Ciallaíonn *anima* 'spiorad' nó 'anáil'. Tá an fhréamh 'an-' sa dá fhocal, 'anam' agus 'anáil'. Tá 'anáil' gaolmhar le *anadl* (anáil) sa Bhreatnais agus le *anila* (gaoth) sa tSainscrait (dreo: feo, meath/decay)

cineálacha éagsúla reiligiúin a aimsiú. Tá na cinn thraidisiúnta ann, amhail an t-anamachas, an Giúdachas, an Chríostaíocht agus Ioslam, a chreideann i gcuspóir osnádúrtha. Ach tá cinn eile ann, amhail an cumannachas, a chreideann i gcuspóir nádúrtha atá le baint amach. Agus tá cinn eile fós, amhail an daonnachas (nuair is teagasc é a mhórann an ealaín agus an t-eolas mar phríomhchuspóir na beatha) agus an t-eolaíochtas (a ghlacann leis gurb í an eolaíocht barrchéim agus iomlán an fheasa agus gur leor í chun gach fadhb dhaonna a réiteach). Míníonn an dearcadh leathan seo ar reiligiún cén fáth a mbíonn reiligiúin ábhartha mar an Mharxachas agus an °saoltachas lán chomh °héadulangach[184] le lucht caolaigeanta in aon reiligiún traidisiúnta, agus níos measa ar uaire. 'Ag lorg na cinnteachta' a bhíonn siad, ach gan aon chuntar orthu géilleadh do dhlí ar bith seachas na dlíthe a chumann siad féin.

An *t-anamachas* (nó an 'phágántacht' mar a thugtaí air: ó *pagus*, 'sráidbhaile') an cineál creidimh ba thúisce ar an saol. Glacann sé leis go bhfuil anamacha ag nithe neamhbheo sa dúlra, agus go bhfuil fórsa osnádúrtha nó seachnádúrtha ann a thugann beocht don saol. Tá 'anam' gaolmhar le *anima* na Laidine.

Tá an *Giúdachas* ar an chreideamh aondiachúil is sine ar domhan. Faoin am a rugadh Críost bhí sé i bhfad níos foirfe ná aon reiligiún eile. Téann scéal an Ghiúdachais siar go hÁbraham, a mhair 1,900 bliain roimh Chríost. Um dheireadh an dara míle bliain roimh Chríost thosaigh smaointeoireacht spioradálta ag fás i measc na nGiúdach, a d'fhéach ar chruthú agus ar chruthaitheoir an domhain, ar an stair, agus ar an chine dhaonna, ar bhealach radacach nua ar fad,

anamachas: an teagasc go bhfuil spioraid sa dúlra/ animism
daonnachas: fealsúnacht gan aird ar Dhia a mhórann cumas an duine/ humanism
eolaíochtas: dearcadh ar an saol atá bunaithe ar an eolaíocht amháin/ scientism
barrchéim: buaic/ supreme point, apogee
cuntar: coinníoll/ stipulation
dúlra: an nadúr/ nature

nár tharla a leithéid i measc aon chine eile. Mar shampla, dúirt an creideamh seo nárbh féidir leis an duine spiorad an Tiarna Dia a shamhlú. Creideamh in aon Dia amháin a chruthaigh agus a ghráíonn an domhan atá sa Ghiúdachas. Níl ach tuairim is dhá mhilliún déag Giúdach ann anois. Maraíodh sé mhilliún díobh san Uileloscadh Naitsíoch. Tá ceithre rannóg sa chreideamh, mar atá, Giúdaigh °Cheartchreidmheacha, Giúdaigh Leasaithe, Coimeádaigh, agus Athstruchtúraigh. Cé gur beag a líon féin, ba °fhoinse é an Giúdachas don dá reiligiún is líonmhaire ar domhan inniu.

an Giúdachas
tá na Giúdaigh tar éis °téarnamh mór a dhéanamh i ndiaidh an Uilelosctha. Bhí 12 mhilliún díobh ann ag tús an chéid seo, agus tá beagnach 18 milliún díobh ann anois. Agus beidh 19 milliún acu, meastar, faoi dheireadh an chéid

An *Chríostaíocht*, atá bunaithe ar theagasc Íosa Críost, ceann amháin díobh siúd. Go hachomair, is é creideamh na Críostaíochta ná go bhfuil an oiread sin grá ag Dia don domhan gur thug sé a Aonghin Mic uaidh chun go slánófaí an saol tríd. Ach d'éirigh easaontais éagsúla i measc na gCríostaithe. Tharla an Siosma Mór sa bhliain 1054 nuair a scar Ceartchreidmhigh an Oirthir leis an Róimh, agus sa séú céad déag tharla scoilt mhór eile de bharr an Reifirméisin. Ó thaobh líonmhaireachta de, is iad na ranna is mó sa Chríostaíocht inniu ná na Caitlicigh Rómhánacha, na Ceartchreidmhigh, agus na hEaglaisí Protastúnacha. San aois seo tá an ghluaiseacht éacúiméineach ag iarraidh comhthuiscint agus comhoibriú a chothú idir na ranna éagsúla seo chun aontas a bhunú arís eatarthu.

An Chríostaíocht
i láthair na huaire tá 1,800 milliún Críostaí ar an saol, sin trian de dhaonra reatha na cruinne, nó 5,400 milliún duine. Tá an céatadán sin (33%) beagnach seasmhach ó thús an chéid seo. Den líon Chríostaí is Caitlicigh tuairim is 55%

Is é an dara mór-reiligiún a shíolraigh ón Ghiúdachas ná *Ioslam* (a chiallaíonn 'umhlaíocht do Dhia'). Mahamad (570-632 AD) a bhunaigh an creideamh seo in Medina san Araib. Deir príomhalt creidimh na Moslamach nach bhfuil ach aon Dia amháin ann agus gur Mahamad a fháidh. Is éard atá i leabhar naofa Ioslaim ná cnuasacht de na teachtaireachtaí a fuair Mahamad ó Dhia. Cuireadh an bailiúchán le chéile tar éis a bháis. Baineann an dlí Moslamach le gach gné den saol, le pósadh, colscaradh, cúrsaí oidhreachta, déirc, troscadh agus

Ioslam
tá timpeall 960 milliún Moslamach ann anois. Ní raibh iontu ach 12% de dhaonra an domhain ag tús na haoise, ach is céatadán de 18%, beagnach, iad anois

siosma: scoilt reiligiúnach/ schism

eile. Tá cosc ar Mhoslamaigh alcól a ól nó muiceoil a ithe.

Creideamh a chleachtann timpeall 400 milliún duine atá sa *Hiondúchas*. Tá siad le fáil den chuid is mó san India agus i dtíortha máguaird. Deirtear gur fhás an creideamh seo thar thréimhse cúig mhíle bliain, agus é ag bailiú chuige i gcónaí traidisiún éagsúil. Buntéama an chreidimh ná athchollú an anama tar éis bháis. Tá mórán déithe acu, ar a bhfuil Bráma, Visniú, Síve, Crisne.

D'fhás an *Búdachas* san India sa séú céad RCh. Tá mórán leaganacha de ann, amhail Búdachas Zen na Seapáine. Tá timpeall 500 milliún Búdach ann, san India, i Srí Lanca, i Neipeál agus sa tSeapáin. Creideann na Búdaigh nach bhfuil aon °réaltacht nithiúil ann. Lorgann siad an mhoráltacht, eagna agus bua na trócaire tríd an mheabhrúchán.

Creideamh eile atá sa tSeapáin is ea an *Sinteochas*. Ba é seo reiligiún stáit na Seapáine go dtí deireadh Chogadh Domhanda II. Na gnéithe a bhaineann leis ná umhlaíocht don traidisiún agus do na háiteanna naofa, adhradh na sinsear, agus ridireacht mhíleata. Tá mórán sprideanna dúlra acu.

Bhunaigh Confucius (551-479 RCh) an *Confúiseachas*, reiligiún oifigiúil na Síne go dtí an Réabhlóid Chultúrtha (1966-68) faoi Mhao Ze Dong. Cé go mbaineann coincheap ar an diagacht (*ming*) leis an chreideamh seo, díríonn an teagasc ar dhualgais an duine i leith a chomharsan, dualgais atá le comhlíonadh de réir rialacha beachta.

An dara reiligiún Síneach is ea an *Taochas*. Cuspóir an chreidimh seo ná comhréir mhisteach a bhaint amach leis an chruinne. Is in Oileán Taiwan is mó a

máguaird: thart timpeall/ round about
athchollúchas: imirce an anama tar éis bháis go dtí colainn eile/ transmigration of the soul
eagna: críonnacht/ wisdom
meabhrúchán: machnamh/ contemplation
ridireacht: nós cúirtéise idir ridirí/ chivalry
comhréir: comhfhreagairt/ harmony

an Hiondúchas
is é an Hiondúchas an ceann is líonmhaire de na creidimh eile. Tá 720 milliún Hiondúch ann, nó timpeall 13% de dhaonra an domhain. Meastar go bhfuil iarsmaí sa chreideamh seo de reiligiún bunaidh na nInd-Eorpach, agus déantar iarrachtaí ar é seo a chinntiú trí chomparáid a dhéanamh idir é agus a bhfuil ar eolas againn i dtaobh chreideamh na gCeilteach. Baineann deacrachtaí leis an ghnó seo, áfach, agus a laghad eolais atá ar fáil i dtaobh na sean-Cheilteach. Ach tá cosúlachtaí áirithe ann. Sa *Rig-Veda* (cnuasach dánta Hiondúcha ó 2000 RCh, nó níos luaithe) cuirtear síos ar an dia Hiondúch Savatár mar 'an dia leis an lámh mhór dá ngéilleann cách'. Dar leis an tOllamh Maolmhuire Ó Diolúin, dealraíonn sé gur ionann an dia seo agus °Lú Lámhfhada

an Búdachas
tá 327 milliún de lucht leanúna an chreidimh seo ann, sin 6% den daonra dhomhanda iomlán faoi láthair. Bhí siad beagáinín níos líonmhaire ag tús an chéid, beagnach 8%. Meastar go bhfuil an codán ag titim i gcónaí, agus nach mbeidh iontu ach 5.7% den daonra domhanda um an bhliain 2000

mhaireann an reiligiún seo tar éis géarleanúna ar an mhórthír. Baineann an saothar *I Ching* leis an chreideamh seo.

an Síceachas
Tá 18 milliún Síceach ann, san India den chuid is mó. Bhí a líon faoi bhun 3 mhilliún ag tús an chéid, ach meastar go mbeidh 23 mhilliún díobh ann ag a dheireadh

Creidimh eile de chuid an Oirthir is ea an *Séanachas*, a d'eascair ón Hiondúchas; an *Síceachas*, leagan leasaithe den Hiondúchas, a chreideann in aon Dia agus a thosaigh sa séú céad déag; agus an *Zoróstrachas*, creideamh a bhí forleathan sa Pheirs tráth (bunaíodh é timpeall an séú céad RCh) ach nach bhfuil ach dornán á chleachtadh anois, san India den chuid is mó.

rialtas
an dream sin daoine a chuireann cumhacht °fheidhmitheach an stáit i ngníomh

I gcúrsaí gnó is ag an bhord[178] stiúrthóirí atá an chumhacht chun polasaí comhlachta a chumadh. Is ag an phríomhfheidhmeannach agus a fhoireann bhainistíochta atá an chumhacht chun an polasaí a chur i bhfeidhm; tá cumhacht ghníomhaíochta acu. Is féidir le príomhfheidhmeannach bearta nua a mholadh dá bhord, ach caithfidh sé cead an bhoird a fháil chun iad a chur i bhfeidhm.

I gcúrsaí polaitíochta is ag an pharlaimint (Tithe an Oireachtais inár gcásna) atá an chumhacht chun polasaí a dhéanamh: tá cumhacht °reachtaíochta acu. Is ag an rialtas atá an chumhacht chun feidhmiú thar ceann an stáit. Is féidir leis an rialtas bearta (billí de ghnáth) a mholadh don Oireachtas. Nuair a ghlactar leis na moltaí sin is é cúram an rialtais iad a chur i bhfeidhm. Cuireann an 'rialtas' na 'rialacha' i bhfeidhm.

De réir an bhunreachta is gá seachtar ar a laghad, agus cúig dhuine dhéag ar a mhéad[179], a bheith sa rialtas. Tá an Taoiseach ina cheann ar an rialtas. Ní foláir dó, agus don Tánaiste, agus don Aire Airgeadais, bheith ina gcomhaltaí de Dháil Éireann. Is gá do na hairí rialtais eile bheith ina mbaill den Dáil nó, i gcás beirte acu ar a mhéad, bheith ina mbaill den Seanad. Bíonn gach aire i gceannas Roinne Stáit nó, ar uaire, cúpla ceann. Ach tagann an rialtas le chéile i gcomhúdarás, mar °chomh-aireacht, agus is amhlaidh a ghníomhaíonn siad leis. Tá siad go léir freagrach le

Tithe an Rialtais, Sráid Mhuirfean, Baile Átha Cliath

chéile don Dáil as °riar na seirbhíse poiblí. Nuair a °lánscortar an Dáil, leanann na hairí in oifig go dtí go gceaptar a °gcomharbaí tar éis olltoghcháin, nó go dtí go gcumtar rialtas nua.

rialtas áitiúil
córas na n-údarás áitiúil a chuireann i ngníomh °réimse leathan feidhmeanna atá tugtha dóibh le déanamh ag an Oireachtas

San am a chuaigh thart bhíodh an rialtas lárnach ag brath ar na húdaráis áitiúla chun feidhmeanna áirithe a chur i gcrích ina gceantar féin thar a cheann. Cuireann modhanna °cumarsáide an lae inniu ar chumas an rialtais láir feidhmiú ar fud na tíre anois trí oifigí áitiúla a oscailt (faoi mar atá déanta ag an Roinn Leasa Shóisialaigh). Lena chois sin, tá oifigí áitiúla ag cuid de na comhlachtaí °státurraithe, mar An Post, Bord Soláthair an Leictreachais, Telecom Éireann. Fágann sin nach iad na húdaráis áitiúla amháin a dhéanann freastal ar riachtanais an phobail go logánta.

---

lárnach: láir/ centralised
logánta: áitiúil/ local

comhairle
tá dhá bhrí leis an fhocal seo: (a) treoir, atá bunaithe ar an tuiscint, nó ar an chríonnacht, a thabhairt do dhuine, (b) tionól ina ndéanann daoine cúrsaí nó gnóthaí a phlé agus a chinneadh. Sin mar atá sa Bhéarla chomh maith, ach go ndéantar dhá fhocal dhifriúla de, a litrítear ar dhá dhóigh éagsúla, (a) *counsel* agus (b) *council*, faoi seach. Sa dán 'Múscail do mhisneach, a Bhanba', tugann Pádraigín Haicéad 'an Chomhairle' ar Chomhdháil Chill Chainnigh (1642-49). Mhair Haicéad in aimsir na Comhdhála, agus is cosúil nach raibh aon téarma cinnte acu ag an am ar an Chomhdháil, mar in áit eile cuireann sé síos air mar 'an corp Catoilice ar a dtugtar an *Confederation*'. In áit eile is é 'an Chomhairle Ard' a thugann sé ar ardchomhairle (*supreme council*) na Comhdhála

Is iad na haonaid is mó i ngréasán na n-údarás áitiúil ná na seacht gcomhairle chontae[180] is fiche (tá dhá chomhairle chontae ag Tiobraid Árann – Theas agus Thuaidh), agus na cúig chontaebhuirg. Tá, lena gcois siúd, sé bhuirg, naoi gcinn is daichead de chomhairlí uirbeacha ceantair agus tríocha baile a bhfuil coimisinéirí baile acu.

Is de bharr toghcháin a thoghtar comhaltaí gach údaráis díobh. Tagann na comhairleoirí (mar a thugtar orthu) le chéile go rialta chun polasaithe comhairle a °chinneadh. Riarann an bainisteoir contae, agus an fhoireann atá faoi, obair na comhairle ó lá go lá. Bunaíodh an córas bainistíochta contae ar shamhail Mheiriceánach. Baineadh triail as an chóras seo den chéad uair in Éirinn i gCorcaigh i 1929. Cuireadh i bhfeidhm é ar fud an stáit uile i 1942.

Tá na húdaráis áitiúla faoi cheannas Roinn an Chomhshaoil (thar aon roinn eile) toisc go mbaineann an chuid is mó dá gcúraimí leis an timpeallacht ábhartha. Bíonn na húdaráis áitiúla freagrach as tithíocht phoiblí, as tógáil agus cóiriú bóithre, as soilsiú poiblí, as cinntiú soláthairtí uisce agus séarachais, as riar na forbartha fisicí ina gceantar, agus as go leor rudaí eile, mar an timpeallacht a chosaint ó thruailliú, seirbhísí caithimh aimsire agus saoráidí a chur ar fáil (a leithéid seo: leabharlanna, músaeim, faichí imeartha), coistí gairmoideachais a cheapadh. Láimhseálann siad scata mór dualgas eile, ceadúnú feithiclí, mar shampla, cóiriú na dtithe cúirte, ainmhithe ar strae a chur sa phóna, agus mar sin de.

gréasán: mogalra/ network
contaebhuirg: cathair nó baile a bhfuil bardas aige/ county borough
samhail: rud a ndéantar aithris air/ model
ábhartha: fisiceach, inbhraite/ physical, tangible
séarachas: an córas draenacha/ sewerage
truailliú (sa chomhthéacs seo): éilliú, milleadh sa chiall fhisiceach/ pollution
saoráid: áis/ facility
póna: clós, buaile oifigiúil/ pound for stray animals

riarachán poiblí
riar chúrsaí an stáit ina n-iomláine, agus na hinstitiúidí °tánaisteacha san áireamh; nó, an réimse seo mar ábhar staidéir

Focal dúchasach is ea 'riarachán' (rud a láimhseáil, a stiúradh agus a chur i ngníomh), ach tagann 'poiblí ón Laidin *populus*, a chiallaíonn 'pobal', nó 'na daoine i gcoitinne'. Baineann an riarachán poiblí le gnóthaí airí rialtais agus le hobair na seirbhíseach poiblí.

Mar ábhar staidéir, is cúrsa idirdhisciplíneach[181] é an riarachán poiblí: tá baint aige leis an dlí, le polaitíocht, le stair, le °heacnamaíocht, le socheolaíocht, le bainistíocht.

Sna Stáit Aontaithe tugtar an 'Riarachán' ar an rialtas.

---

riarachán: administration
tánaisteach: sa dara háit/ secondary
disciplín: oiliúint de réir córais áirithe/ discipline
socheolaíocht: staidéar ar fhorbairt agus ar ghníomhaíocht sochaithe daonna/ sociology ['sochaí daonna', sin comhluadar sóisialta/ human society]
bainistíocht: riar, córas eagraithe gnó/ management

S

saoltachas
teagasc nó dearcadh a mheasann gur ceart iompar morálta (idir phríobháideach agus go háirithe phoiblí) a bhunú ar leas °ábhartha an duine gan aird ar °reiligiún

Is ionann 'saol' (nó 'saoghal' mar a litrítí é roimh chaighdeánú déanach na Gaeilge san aois seo) agus *saeculum* na Laidine. Tá dhá chiall ag an téarma sa dá theanga: tréimhse mhaireachtála; agus an domhan mór. Is féidir a rá faoi fhéileacán 'ní bhíonn ach saol lae aige'; nó d'fhéadfaí a rá 'ó thús an tsaoil', is é sin, ó cruthaíodh an cosmas i dtús ama. Is mór an difríocht atá ag an fhocal 'saol' sa dá chomhthéacs sin. Ach tá rud i bpáirt ag an dá úsáid, go mbaintear feidhm as an fhocal chun tagairt a dhéanamh don chruinne nithiúil a mhothaímid lenár °gcéadfaí[1] colanda.

I gcúrsaí an lae inniu úsáidtear 'saolta' agus 'saoltachas' mar théarmaí atá °i gcodarsnacht le 'diaga' agus le 'diagantacht'. Tig leis an dearcadh saolta bheith i gcontrárthacht le creideamh nó le cúrsaí reiligiúin; nó tig leis bheith i ngleic leo, faoi mar a bhí i gcás an Mharxachais. Chum Marx an saoltachas ba °radacaí riamh. D'fhéach sé le °heispéireas creidimh agus an spioradáltacht go léir a mhíniú i dtéarmaí nithiúla de chuid an domhain seo, de chuid an tsaoil seo, amhail an °geilleagar, an pholaitíocht agus mar sin de.

Is dócha, maidir le hÉirinn, gurb é an rud is mó is ciall le 'saoltachas' ná an ghluaiseacht chun an Eaglais agus an Stát a scaradh ó chéile, ar an bhonn nár chóir don Eaglais lámh a chur isteach i gcúrsaí an Stáit. Dar le saoltaithe, níl i gcreideamh reiligiúnach ach seachrán earráideach intinne nach mbaineann le hábhar an tsaoil; nó is gnó príobháideach pearsanta é

---

saoltachas: secularism
féileacán: feithid eitilte, dallán Dé/ butterfly
cosmas: an chruinne mar chóras eagraithe/ cosmos
colanda: corpartha/ bodily
diagantacht, an: an naofacht/ the sacred, the divine
contrárthacht: difríocht mhór/ contrast, contrariety
i ngleic: in achrann/ in conflict
saoltaí: duine a chreideann sa saoltachas/ secularist

nár chóir a tharraingt isteach sa saol phoiblí. Níl sé inmholta mar chleachtadh, b'fhéidir, ach ní dhéanfaidh sé mórán dochair fad is nach ligtear cead a chinn leis.

An °t-idirdhealú daingean docht seo idir an saol príobháideach agus an saol poiblí, eascraíonn sé ó dhearcadh ar an saol a bhaineann le gnéithe den liobrálachas. Ach tá an t-idirdhealú idir an naofacht agus an tsaoltacht le sonrú fiú ó laethanta luatha na hEaglaise.

Baineann an Stát le riachtanais na beatha seo – mar sin, tá sé saolta. Baineann an Eaglais le slánú an chine dhaonna idir anam agus chorp. Uime sin, tá an saol seo i gceist; ach tá saol eile i gceist freisin. Fágann sin go mbreathnaíonn an Eaglais ar gach gné de shaol an duine i gcomhthéacs 'shaol na saol'. Éilíonn an Stát ceannasaíocht chathartha i leith a chuid saoránach go léir i réimsí leathana den saol. Éilíonn an Eaglais ceannasaíocht dhiaga ar bhonn shainordú[49] Chríost chun an domhan mór a iompú ar bhealach an tSoiscéil. Is léir go mbeidh ábhar cointinne anseo, ó am go chéile, i dtaobh ceisteanna áirithe, agus i dtaobh cé acu is córa buachan, dearcadh morálta na hEaglaise nó dearcadh °feidhmiúil[144] an Stáit. Agus an scéal amhlaidh, d'fhéach an Eaglais agus an Stát le bealach comhréitigh – ceart dom, ceart duit – a °aimsiú trí chaschoill achrannach na n-athruithe sóisialta a thagann le gach aois.

Bhí Impireacht na Róimhe i réim nuair a tháinig an Eaglais ar an saol. Bhí na Rómhánaigh réchúiseach maidir le cúrsaí creidimh. Maidir le déithe, glac siad leis an phrionsabal, dá mhéad díobh atá ann is ea is

ceist
ón Laidin, *quaestio* (ceist, iniúchadh), don fhocal seo. Ciallaíonn sé rudaí eile le hais na bunbhrí sin anois: 'ábhar le plé', 'fadhb', 'cúram'. 'Cad tá i gceist agat?': is ionann sin agus a rá 'Cad tá ar intinn agat?'

---

eascairt: teacht ó, fás as/ to spring from
cathartha: a bhaineann le cúrsaí poiblí/ civic
réimse: earnáil, fairsinge/ sector, range
cointinn: achrann, aighneas/ contention, dispute
buachan: an bua a fháil/ to win
comhréiteach: socrú a nglacann gach taobh in argóint leis/ compromise
caschoill: fás coille ar deacair gabháil tríd/ thickets
réchúiseach: fulangach/ relaxed, tolerant, easy-going

coinníoll
seo gnó nó gníomh is gá a dhéanamh chun conradh nó comhréiteach a chomhlíonadh. Mar shampla, 'má dhéanann tú seo, déanfaidh mé siúd'; nó cuir i gcás, 'Má gheallann tú cíos bliana dom, geallaim cead cónaithe duit sa teach le haghaidh na tréimhse sin'. Is ionann socrú mar sin agus 'comhgheall'. Litrítí é sin mar 'coimhgheall' ar dtús agus ansin deineadh 'coingheall' agus 'coinghíoll' de. Uaidh sin tháinig 'coinníoll' an lae inniu. 'Acht', 'cuntar', is focail eile iad sin ar 'choinníoll'

fearr é, agus fáilte roimh chách. Ghlac siad le déithe úra ó gach cearn, agus thóg Teampall na nDéithe Uile sa Róimh in onóir na ndéithe go léir, cibé ar bith iad féin. Ach leag siad síos coinníoll amháin. Ar mhaithe le dílseacht don Stát a dhaingniú d'éiligh siad go nglacfadh a gcuid saoránach go léir páirt i gcultas reiligiúnach na Róimhe, agus an t-impire féin a adhradh mar dhia. Níor dhein siad °eisceacht de aon duine ón riail dhocht seo ach amháin na Giúdaigh. Glacadh leis gur dhream beag ceanndána docheansaithe iad, a raibh an nóisean fíoraisteach acu nach raibh ann ach aon Dia amháin. Ach ós rud nach raibh an Dia áirithe seo le feiceáil áit ar bith, agus nach gceadódh na Giúdaigh íomhánna de a dhéanamh, ghlac na Rómhánaigh leis nár bhaol dóibh an aistíl reiligiúnach seo.

Níor dhein na Rómhánaigh idirdhealú idir Giúdaigh agus Críostaithe i dtús ama. Ach faoi aimsir Néaró (54-68 AD) aithníodh na Críostaithe mar dhream ar leith. Agus measadh go raibh siad ina gcontúirt don Stát mar go raibh siad ag craobhscaoileadh creidimh aondiachúil (nach dtugfadh ómós diaga don impire) ar bhonn idirnáisiúnta. Dhéantaí géarleanúint orthu dá bharr sin ó am go chéile ar feadh cúpla céad bliain.

Bhí an dá thuairim san Eaglais faoi cad ba chóir dóibh a dhéanamh i dtaobh an Stáit. San *Apacailips* (saothar le hEoin Soiscéalaí[182], ach a cuireadh sa riocht a bhfuil aithne againn air timpeall 90-100 AD) cuirtear síos ar an 'bheithíoch agus ar an Bhablóin Mhór, máthair striapacha agus uafáis an domhain, a bhí ar meisce le fuil na naomh agus le fuil fhinnéithe Íosa'. Stát na Róimhe a bhí i gceist ag an scríbhneoir. Ach i

---

cearn: áit/ place
cultas: cleachtas creidimh/ cult, rite
docheansaithe: dosmachtaithe/ unruly, intractable
íomhá: macasamhail, dealbh/ image
aistíl: iompar ait/ eccentricity
aondiachúil: a mhaíonn nach bhfuil ann ach aon Dia amháin/ monotheistic
striapach: meirdreach/ prostitute, harlot

sásúil
is ionann 'sáith' agus 'dóthain', 'go leor'. Tá sé gaolmhar le *satis* na Laidine, a bhfuil an chiall chéanna aige. Is ón bhun sin a thagann na focail 'sásamh', 'sású', 'sásta'. I dtaca le 'go leor', ghlac an Béarla leis mar aidiacht (*galore*) sa seachtú céad déag. Is é nós na Gaeilge idir aidiachtaí agus dhobhriathra mar 'go leor', 'go maith', a chur i ndiaidh an fhocail a cháilíonn siad. Déanann an Béarla a mhalairt i gcás aidiachtaí (cuireann sé iad roimh an ainmfhocal de ghnáth), ach i gcás *galore* leanann an Béarla nós na Gaeilge. Mar shampla, tá *Whisky Galore* ina theideal ar leabhar cáiliúil grinn le Compton Mackenzie (1883-1972) – deineadh scannán den leabhar faoin ainm chéanna. Ach idir an dá linn, ó fuair an Béarla an focal ar iasacht, ghlac an Ghaeilge leis mar nós an téarma 'go leor' a úsáid mar ainmfhocal, agus é a chur *roimh* an fhocal a ngabhann sé leis. Mar shampla, déarfadh duine 'tá go leor airgid agam', nó fiú 'tá go leor fuisce ólta aige'. Ní déarfadh sé anois 'tá fuisce go leor ólta aige', faoi mar a déarfaí sa Bhéarla. Is léiriú barrúil é seo ar an chaoi a n-athraíonn teangacha ar uaire (dobhriathar: adverb; barrúil: grinn, ait/droll, odd)

scríbhinní Naomh Pól nochtar dearcadh Críostaí atá níos coitianta, go bhfeidhmíonn an Stát faoi thoil Dé, agus gur cóir bheith umhal dó. Dúirt Naomh Peadar: 'Bíodh uamhan[183] Dé ionat; tabhair onóir don rí.' Leanadh den dearcadh seo d'ainneoin na géarleanúna. Is léir mar sin nárbh eagras réabhlóideach polaitiúil í an Eaglais.

Ghlac an tImpire Constaintín leis an Chreideamh Chríostaí sa bhliain 312, agus thug na pribhléidí céanna don Eaglais a bhí cheana ag an reiligiún phágánach amháin. D'imigh an págánachas as ansin de réir a chéile, agus glacadh leis an Chríostaíocht mar reiligiún oifigiúil na hImpireachta ina áit.

Ach d'ardaigh seo fadhb eile. Faoin seanchóras bhí an t-impire ina phríomhshagart i dtaca lena stádas diaga. Cén °ról[31] ba dhual dó mar Chríostaí? Ní raibh aon amhras ar Chonstaintín faoi seo, ná ag na himpirí Críostaí a lean é: oifigigh Dé a bhí iontu le maoirseoireacht a dhéanamh ar an Eaglais.

Ní raibh sin róshásúil ó thaobh °chomharba Pheadair de, easpag na Róimhe, ar Bhiocáire Chríost ar talamh é. Suimiúil go leor, lean iarsma den ghaolmhaireacht seo idir an stát agus an eaglais go dtí ár lá féin, sa Rúis, mar a raibh an Eaglais Cheartchreidmheach faoi cheannas na Sár, agus ansin faoi cheannas an rialtais Shóivéadaigh mar chomharbaí orthu.

D'fhéach San Ambrós (340-397), easpag Mhilano, le ceist na gaolmhaireachta a réiteach. I gcúrsaí creidimh, ar sé, caithfidh an t-impire géilleadh don Eaglais; i gcúrsaí saolta, caithfidh an Eaglais géilleadh don impire. Ach an smaointeoir ba mhó tionchar sna cúrsaí seo ná San Agaistín (354-430). D'fhéach seisean, ina shaothar, *Cathair Dé*, le comhréiteach a aimsiú idir róil chontrártha an Chríostaí: sa chéad áit, a ról mar °neach polaitiúil i dtimpeallacht shaolta a linne; agus

uamhan: eagla/ fear
dual: nádúrtha, dúchasach/ natural, inclining towards
Ceartchreidmheach: Orthodox

oilithreach
is cosúil go bhfuarthas an focal seo ó *peregrinatio* na Laidine, a chiallaigh 'taisteal ó thír iasachta'. (Ba ionann 'ailithir' sa Ghaeilge tráth agus tír iasachta.) Sna meánaoiseanna ba mhinic a théadh daoine ar oilithreachtaí fada, mar shampla, go dtí an Róimh agus go dtí Iarúsailéim. Ón naoú céad ar aghaidh, ar feadh na gcéadta bliain, ba í an áit ba mhó oilithreacht in Iarthar na hEorpa ná scrín San Séamas (duine den Dáréag Aspal) in Santiago de Compostella in iarthuaisceart na Spáinne. Bhí aithne ag na Gaeil ar ionad na scríne seo faoin ainm Cathair San Séam

coisreacan
ach féachaint air go cúramach, is féidir an bunfhocal, *consecratio* (*-nis*) na Laidine, a aithint san fhocal seo

sa dara háit, a ról mar oilithreach ar thuras go dtí an saol atá le teacht.

Le titim na Róimhe d'fhás an córas °feodach. Ach bhí an córas seo freisin faoi anáil na Róimhe sa mhéid gur measadh gur ó Dhia a fuair na ríthe a gcumhacht. Choisrictí ríthe dá bharr mar chuid den searmanas corónaithe, faoi mar a dhéantar go foill i gcás mhonarc Shasana. Bhí de dhualgas ar an rí prionsabail agus cleachtais na Críostaíochta a chosaint. Lean an scéal i bhfad ar an bhonn seo. Agus le himeacht aimsire thóg teoiriceoirí polaitiúla prionsabal áisiúil ar an bhonn chéanna, a bhain le 'ceart diaga na ríthe'. Tháinig as sin prionsabal áisiúil eile: 'Ní féidir leis an rí (i.e. an stát) °coir a dhéanamh'. Níor bhain na prionsabail seo leis an chóras dhúchasach polaitíochta in Éirinn áfach.

Scoilt an Reifirméisean sa séú céad déag an saol Críostaí. I mórán tíortha Protastúnacha glacadh leis an rí mar cheann na hEaglaise in áit an Phápa. Ansin, le Réabhlóid na Fraince, °díchuireadh an rí agus a chearta diaga. Cuireadh údarás na ndaoine ina áit. Chuidigh na hathruithe seo go mór le °forbairt °sochaithe °iolraíocha an lae inniu.

Áit ar bith ar bunaíodh an saoltachas radacach, díbríodh gach rian den reiligiún – idir phearsanra, chleachtais, cheiliúrthaí – as amharc agus as ionaid phoiblí. Díbríodh freisin ón saol phoiblí aon tagairt do choincheap morálta a bheadh bunaithe ar phrionsabail reiligiúnacha. Faoin saoltachas, is é an t-aon tionchar amháin a cheadaítear i gcúrsaí sóisialta, polaitiúla agus dlíthiúla ná tionchar an tsaoltachais féin. Tá an saoltachas °éadulangach[184] ó bhun, faoi mar a bhíonn de ghnáth nuair a mheasann daoine go bhfuil cinnteacht shimplí dhoshéanta dhosheachanta[92] ina seilbh acu.

---

oilithreach: duine ar thuras deabhóide/ pilgrim
coisreacan: naomhú, beannú/ to consecrate
díchur: cur as áit/ to displace, dislodge
coincheap: rud a chumtar san intinn/ concept
dosheachanta: nach féidir éalú uaidh, nach bhfuil neart air/ inevitable

Áit a mbíonn an Eaglais agus an Stát i gcomhcheangal lena chéile, is nós le gníomhaithe polaitiúla a mhaíomh gurb ionann éileamh go scarfaí an ceangal agus éileamh ar an saoltachas a chur i réim. Ní gá gurb amhlaidh a bheadh, ná ní cóir glacadh leis mar chomhartha go bhfuil saoltachas radacach á lorg, nó go bhfuil deireadh ré buailte le creideamh agus le cleachtadh reiligiúin. Is cuid intuigthe den iolrachas éilimh den sórt.

Nuair a dhéanann socheolaithe tagairt don phróiseas saoltachais ní gá gur chuig an °idé-eolaíocht radacach atá siad. Go minic, is é a bhíonn i gceist acu ná laghdú i gcreideamh reiligiúnach i measc pobail áirithe, agus an °bhéim a ghabhann leis sin ar nithe de chuid an tsaoil seo amháin.

scaradh cumhachtaí
°sannadh cumhachtaí °príomhúla rialtais ar institiúidí difriúla atá neamhspleách ar a chéile

Feictear do na heolaithe polaitíochta go bhfuil trí shainchumhacht phríomhúla rialtais ann, mar atá: an chumhacht °reachtaíochta, an chumhacht fheidhmitheach, agus an chumhacht bhreithiúnach. Tuigtear anois gurb é an bealach is fearr chun na cumhachtaí sin a choimeád faoi smacht daonlathach ná iad a scaradh óna chéile, is é sin, trí gach sainchumhacht[49] díobh a shannadh ar institiúid faoi leith atá neamhspleách ar na hinstitiúidí eile.

Forbraíodh an foirceadal seo um scaradh na gcumhachtaí i scríbhinní an °fhealsaimh Fhrancaigh, Montesquieu[185] (1689-1755), a d'fhoilsigh a mhórshaothar, *De l'esprit des lois* ('Intinn na nDlíthe'), i 1748. Nuair a bhíothas[186] ag dréachtadh Bhunreacht Stáit Aontaithe Mheiriceá i 1787, tugadh cluas do theagasc Mhontesquieu agus glacadh lena phrionsabal mar chuid bhunúsach den bhunreacht.

In Éirinn, faoi réir an bhunreachta, sanntar an chumhacht reachtaíochta ar an Oireachtas, an

---

socheolaí: eolaí i gcúrsaí sochaithe/ sociologist
scaradh cumhachtaí: separation of powers
forbairt: cur chun cinn/ to develop
foirceadal: teagasc/ doctrine

chumhacht fheidhmitheach ar an rialtas, agus an chumhacht bhreithiúnach ar na cúirteanna. Go praiticiúil, i gcúrsaí ó lá go lá, bíonn an rialtas i gceannas an Oireachtais. Ach más ea, níl cumhacht gan teorainn acu. Is féidir leis an Oireachtas °iallach a chur ar rialtas éirí as oifig; ní miste do na Teachtaí Dala (agus is Teachtaí Dála airí an rialtais i gcónaí, beagnach), a mheabhrú i dtólamh gur féidir leis na vótálaithe iad a bhriseadh i dtoghchán amach anseo; agus ní féidir reacht a chur i bhfeidhm más í breith na °Cúirte Uachtaraí go bhfuil sé in éadan an bhunreachta.

Seanad Éireann
ceann de Thithe an Oireachtais

Tagann an focal 'Seanad' ó *senatus* na sean-Róimhe. Is éard a bhí sa seanad i dtús ama ná coiste comhairleoirí a bhíodh ag na ríthe Rómhánacha. An chomhairle ab fhearr, cheaptaí, is ó na seandaoine a gheofaí í. *Senex* an focal sa Laidin ar 'seanduine'. Tá sé gaolmhar le 'sean' sa Ghaeilge. Is ionann brí díreach do *senior* na Laidine agus '(níos) sine' na Gaeilge. Ceann de na dánta is cáiliúla san Fhiannaíocht, is 'Agallamh na Seanóirí' atá air.

Nuair a deineadh poblacht den Róimh fadó, leanadh leis an seanad mar °phríomhfhoras reachtaíochta, breithiúnais agus reiligiúin an stáit. Sa bhliain 390 RCh bhris na Ceiltigh faoi Bhrennus ar arm na Róimhe agus den aon uair amháin i stair fhada na seanchathrach sin leagadh í faoi shála a naimhde. Creachadh agus dódh an baile. Fuair na hionróirí garbha na Seanadóirí ina suí rompu sa Seanad, gach duine acu ina ionad féin, iad feistithe go sollúnta faoina róbaí, agus iad go tostach, uaibhneach, díniteach. Nuair nach bhféadfadh na Ceiltigh meabhair a bhaint as an radharc os comhair a súl, thug siad, le teann mire, bás le faobhar do na Seanadóirí uile.

Ach d'fhan garastún beag gan géilleadh ar feadh seacht mí i ndúnfort na cathrach ar Chnoc an

i dtólamh: i gcónaí/ always
reachtú: dlí a dhéanamh/ to legislate

Fóram na Róimhe, ceann de láithreacha móra seandálaíochta an domhain (seandálaíocht: archaeology)

Chaipeatóil go dtí gur thuirsigh na Ceiltigh agus gur ghlan siad leo.

Ghlac na Meiriceánaigh leis an teideal 'Caipeatól' mar ainm don ionad mar a dtagann Oireachtas na Stát Aontaithe le chéile.

Focal Laidine is ea *capitol*, a thagann ó *caput, capitis* ('ceann' nó 'cloigeann'). Is ionann *capitulum* agus 'ceann beag', agus is uaidh sin a thagann 'caibidil' na Gaeilge, *chapitre* na Fraincise, agus *chapter* an Bhéarla. Dála an scéil, is deacair a shamhlú go bhfuil gaol sinseartha idir *head* an Bhéarla agus *caput* na Laidine. *Heafod* a bhí sa Sean-Bhéarla; shíolraigh sin ó *hobid* na Sacsainise; roimhe sin bhí *houbit* ag na Sean-Ard-Ghearmánaigh. Focal é sin atá an-chóngarach do *caput* na Laidine, nuair a thuigtear nach bhfuil sa 'h' tosaigh sna teangacha Gearmánacha sin ach 'c' séimhithe.

Tar éis an olltoghcháin in Éirinn i Mí na Nollag 1918, na teachtaí Sinn Féineacha a toghadh (iad siúd nach raibh ar a dteitheadh), tháinig siad le chéile i dTeach an Ard-Mhéara i mBaile Átha Cliath i Mí Eanáir 1919. Dhein siad an Chéad Dáil Éireann díobh féin. Aon teach reachtaíochta amháin a bhí iontu. Ghlac an Dáil le Bunreacht Shaorstát Éireann i 1922. Faoin socrú sin bunaíodh dhá theach san Oireachtas, socrú atá ann fós. Is iad an Dáil agus an Seanad an dá theach sin. Nós coitianta go leor a leithéid, dhá theach reachtaíochta a bheith ann. Rud eile de in Éirinn, bhí i gceist beart a dhéanamh i bhfabhar Aontachtaithe an Deiscirt, trí ionaid a chur ar fáil dóibh sa Seanad de bhreis ar a líon.

Faoi bhunreacht 1937 tá seasca suíochán sa Seanad. Ainmníonn an Taoiseach duine dhéag díobh; toghann Ollscoil na hÉireann triúr[187] agus Coláiste na Tríonóide triúr. Toghtar an trí dhuine is daichead eile ag toghlach faoi leith. Is iad na daoine atá sa toghlach sin teachtaí na Dála úire, °comhaltaí an tSeanaid atá ag dul as, agus comhaltaí na gcomhairlí contae agus na °gcontaebhuirgí. Rangaítear na hiomaitheoirí de réir painéal. Tá cúig phainéal ann: Cultúr agus Oideachas; Talmhaíocht; Saothar; Tionscal agus Tráchtáil; °Riarachán.

Toisc go bhfuil bonn cúng toghchánach ag an Seanad, tá teorainn leis na feidhmeanna atá aige mar ghléas comhairleach don Dáil. Táthar ann a deir, áfach, go bhfuil ról fiúntach ag an Seanad maidir le reachtaíocht a chur chun cinn, agus a mbíonn de bhrú ar na Teachtaí Dála féin a chur san áireamh.

I gcás stáit fheidearálaigh mar na Stáit Aontaithe, is gnách neart sonrach a bheith ag Seanad na tíre. Bíonn ar na seanadóirí cúram a dhéanamh de leas a stáit féin, agus bíonn cumhacht acu dá réir. Sna Stáit Aontaithe, mar shampla, toghtar beirt seanadóirí le haghaidh gach stáit, cuma beag mór é. Bíonn focal tábhachtach ag na seanadóirí i gcúrsaí idirnáisiúnta

deisceart
an chuid ó dheas. Is ionann 'deas' agus 'ar an taobh chontrártha de chlé'. Tá bríonna eile ag an fhocal leis, agus is dea-bhríonna iad uile: 'taitneamhach', 'oilte', 'áisiúil', 'oiriúnach', 'i dtreo na gréine'. A mhalairt de scéal ar fad é maidir le 'clé': is féidir leis 'tútach', 'amscaí' a chiallú; nó má úsáidtear é mar réimír, 'droch-' is ciall leis. Tá an scéal níos measa i gcás 'ciotach', is é sin '(duine) a úsáideann an lámh chlé'. Is ionann an focal seo freisin agus 'tútach', 'útamálach'; murar leor sin, is ionann 'ciotaí' agus 'trioblóid' nó 'constaic'; is ionann 'ciotrainn' agus 'timpiste', agus is ionann 'ciotrúntacht' agus tútacht', 'easpa oilteachta', 'ceanndánacht'. Tá gaol ag 'deas' le *dexter* na Laidine. Nuair a ghlac an Béarla leis an fhocal sin, dhein sé *dextrous* de. Ach nuair a ghlac an Béarla leis an fhocal Laidine ar 'chlé', níor athraigh sé ach a bhrí: *sinister* an focal sin. I gcúrsaí teanga, is mionlach faoi mhíbhuntáiste iad na ciotóga!

---

toghlach: ceantar toghcháin/ constituency
rangú: aicmiú/ to classify, categorise
iomaitheoir: iarrthóir/ candidate, contender
toghchánach: a bhaineann le cúrsaí toghcháin/ electoral
feidearálach: a bhaineann le córas rialtais faoina roinntear an chumhacht idir rialtas láir agus rialtais stát/ federal
sonrach: sainiúil, áirithe/ specific

agus i gceapacháin áirithe a dhéanann an tUachtarán. Caithfear comhairle agus cead an tSeanaid a fháil i gcásanna mar seo.

seirbhís phoiblí, an ts–
na heagraíochtaí atá i mbun obair an stáit, agus iad á meas mar aonad amháin; seirbhísigh phoiblí a thugtar ar na daoine atá ag obair iontu

Dhá fhocal Laidineacha atá againn sa téarma seo. Tagann 'seirbhís' ó *servus*, daor nó sclábhaí, amhail Pádraig Naofa agus é ag aoireacht caorach ar Shliabh Mis. Ach fiú nuair a cuireadh deireadh leis an daoirse mar ghné den saol shóisialta bhí gá fós le téarma chun an cineál oibre a dhéanadh daor a chur in iúl, mar mhair gá leis an chineál sin oibre i gcónaí, agus gá le focal a chuirfeadh in iúl an sórt duine a bheadh i mbun na hoibre sin. Coimeádadh an focal *servus* mar sin, agus is mar gheall air sin a tháinig 'seirbhís' chugainn sa Ghaeilge anuas trí *service* na Sean-Fhraincise. Tagann an aidiacht 'poiblí' ó *populus*, focal a chiallaíonn 'pobal', nó 'na daoine i gcoitinne'.

Is éard atá sa tseirbhís phoiblí ná: (1) an státseirbhís (idir na ranna stáit agus na hoifigí a ghabhann leo – ar nós na gCoimisinéirí Ioncaim, oifigí an Uachtaráin, na Dála, an tSeanaid, na gcúirteanna); (2) na húdaráis áitiúla (amhail comhairlí contae); na boird sláinte; na comhlachtaí °státurraithe (seachas na cinn atá i mbun gnóthaí tráchtála); na Fórsaí Cosanta; an Garda Síochána; an tseirbhís phríosúin; na hollscoileanna agus na hinstitiúidí oideachais státmhaoinithe eile ar an tríú leibhéal; agus múinteoirí an chéad leibhéil agus an dara leibheál.

Tá tuairim is 270,000 duine ar fostú sa tseirbhís phoiblí (as líon iomlán de thuairim is 1,100,000 duine ar fad atá ag obair sa stát). Nuair a áirítear na comhlachtaí státurraithe atá i mbun gnóthaí tráchtála (amhail Aer Lingus, Bord Soláthair an Leictreachais, an Bord Gáis) i dteannta leis an tseirbhís phoiblí, tugtar an 'earnáil phoiblí' ar an líon iomlán sin.

---

státmhaoinithe: a fhaigheann cabhair airgeadais ón stát/ state-funded
ar fostú: ag obair ar pá/ in employment, employed
earnáil: teascóg/ sector

Níl aon sainmhíniú cruinn beacht dlíthiúil ar an 'tseirbhís phoiblí'. Níl ann ach garthéarma úsáideach. Ní áirítear, mar shampla, mar sheirbhísigh phoiblí na múinteoirí dara leibhéal atá ag múineadh sna meánscoileanna[188] príobháideacha, cé gurb é an stát a íocann a dtuarastal leo go léir beagnach, díreach mar a íocann i gcás múinteoirí eile (sna gairmscoileanna, abair), atá ag múineadh na n-ábhar céanna.

Siónachas
gluaiseacht Ghiúdach chun a dtír dhúchais a athbhunú sa Phalaistín

Sión, sin ainm an chnoic ar ar tógadh cathair Iarúsailéim. Sa Sean-Tiomna ba ionann Sión agus áit chónaithe an Tiarna Dia. Sa Tiomna Nua úsáidtear an téarma chun na flaithis a chur in iúl.

Tar éis éirí amach na nGiúdach sa bhliain 70 AD scrios na Rómhánaigh Iarúsailéim go hiomlán. Theith formhór mór an phobail Ghiúdaigh ón tír nó díbríodh iad i gcéin. Ach níor dhein siad dearmad. Chuimhnigh siad ar fhocail an tsalmaire: 'Cois sruthanna na Bablóine a shuíomar ag sileadh deor/ ag cuimhneamh dúinn ar Shión.' Scriosadh an chathair sé chéad bliain roimhe sin, sa bhliain 586 RCh, agus díbríodh a muintir chun deoraíochta den chéad uair. An t-am sin canadh focail an tsalmaire i gcéaduair. Agus tá siad á gcanadh ó shin:

Conas a chanfaimis amhrán an Tiarna
I dtír na gcoimhthíoch?
Má dhéanaim dearmad ort, a Iarúsailéim,
Go gcrapa mo dheaslámh!
Go gceanglaí mo theanga do mo charball
Mura gcuimhním ort!

Ar feadh dhá mhíle bliain ní raibh sa dúil fillte ar an Phalaistín ach súil Uí Dhubhda le hArd na Ria[189],

garthéarma: neastéarma/ approximation ['gar-', sin neas- , cóngarach, ach gan bheith cruinn/ approximate]
Siónachas: Zionism
salmaire: cumadóir salm (dán naofa)/ psalmist
coimhthíoch: eachtrannach, strainséir/ foreigner, stranger
crapadh: searg, feo/ to wither
ceangal: snaidhmeadh/ to cleave to, stick to
carball: díon an bhéil/ roof of mouth, palate

aisling athshealbhaithe gan chomhlíonadh. Théadh roinnt Giúdach deabhóideach ann lena seanaois a chaitheamh ann ag guíodóireacht roimh bhás dóibh, ach ar éigean ar tharla aon rud éifeachtach chun an mhian a chur i ngníomh. Giúdach Ungárach, Theodor Herzl (1860-1904), a chomhghairm an Chéad Chomhdháil Shiónach Dhomhanda le chéile in Basle na hEilvéise sa bhliain 1897, chun an scéal sin a athrú. Tamall de bhlianta roimhe sin bhí Eliezer Ben Yehuda[190] (1858-1922), Giúdach Liotuánach, tar éis filleadh ar an Phalaistín chun °lonnú ann agus an Eabhrais a chur á labhairt arís. An °frith-Ghiúdachas a nochtadh sa Fhrainc nuair a ciontaíodh oifigeach óg airm, Alfred Dreyfus, go héagórach in 1894 as rúin mhíleata a scaoileadh leis na Gearmánaigh, b'in an rud a spreag Herzl. An frith-Ghiúdachas a bhí ag géarú in Impireacht na Rúise san am chéanna an rud a spreag Ben Yehuda, agus na mílte eile, chun tearmann slán náisiúnta dá gcuid fein a athbhunú sa Phalaistín.

Chaim Weitzmann

Ní raibh mórán daoine, Giúdaigh nó Arabaigh, ina gcónaí sa Phalaistín an uair sin. Ach thosaigh Giúdaigh ó oirthear na hEorpa ag plódú isteach ó thús na haoise seo anall. San am sin ba chuid de impireacht amscaí na Tuirce an Phalaistín. Thaobhaigh na Turcaigh leis an Ghearmáin i gCogadh Domhanda I. Thapaigh an cogadh sin °deis ar son na nGiúdach, ar bhealaí éagsúla. Chaim Weitzmann (1874-1952), mar shampla, a bhí ina chéad uachtarán ar Iosrael níos deanaí, tharla go raibh sé ag obair mar eolaí i Sasana le linn an chogaidh, agus an gcreidfeá – nár °aimsigh sé bealach níos simplí chun aicéatón a dhéanamh? Chuidigh sin go mór le déantúsaíocht ceimiceán le

guíodóireacht: guí go rialta, go leanúnach/ practice of prayer
comhghairm: cruinniú le chéile/ to convoke, call together
ciontú: daor/ to convict
tearmann: áit shábháilte/ refuge, sanctuary
plódú: brú isteach/ to throng, crowd in
amscaí: ciotach, raingléiseach/ awkward, ramshackle
tapú: brostú/ to hasten, speed
aicéatón: leacht ceimiceach (CH_3COCH_3)/ acetone

haghaidh an chogaidh. Ní nach ionadh, bhíothas an-bhuíoch de. Sa bhliain 1917 foilsíodh Dearbhú Bhalfour, inar gealladh tearmann náisiúnta sa Phalaistín do na Giúdaigh tar éis an chogaidh.

Palaistín
an Philiste ba ainm don tír seo ar dtús; ainmníodh í as na Filistínigh, an cine neamh-Sheimíteach a bhí ina gcónaí ann sular tháinig na hEabhraigh an treo. Bhí siad in adharca leis na hEabhraigh le fada, agus is iad a bhain radharc na súl de Shamsón, an laoch mór láidir de chuid na nGiúdach. Maireann an t-ainmfhocal 'Filistíneach' mar ainm ar bhúr gan chéill gan chultúr. Ait go leor, tá focal eile sa Ghaeilge, 'filistíneach' le 'f' beag: 'duine beag éadrom' is ciall dó

Fuair an Bhreatain ceannas ar an Phalaistín, faoi shainordú[49] Chonradh na Náisiún, i 1918. Ar bhonn na geallúna a tugadh dóibh, thosaigh Giúdaigh ó oirthear na hEorpa ag bailiú isteach sa tír tar éis an chogaidh, agus go háirithe tar éis 1924, nuair a chuir na Meiriceánaigh stop le hinimirce go dtí na Stáit. Ach de réir Dhearbhú Bhalfour níor ceadaíodh aon chur isteach ar chearta na Moslamach (500,000 díobh) agus na gCríostaithe (60,000) a bhí sa tír ó dhúchas. Chuir siadsan go láidir in aghaidh inimirce na nGiúdach. Ach faoi 1931 bhí 175,000 Giúdach ann. De thoradh ghéarleanúint fhrith-Ghiúdach na Naitsithe theith na Giúdaigh ón Eoraip ina mílte. Um 1937 bhí 400,000 díobh sa Phalaistín. Faoin am seo freisin bhí timpeall milliún Arabach sa tír.

San Uileloscadh[147] – an sléacht uafásach mire a d'imir na Naitsithe ar Ghiúdaigh na hEorpa – díothaíodh sé mhilliún Giúdach; b'in trian de dhaonra iomlán na nGiúdach ar domhan. Dá bharr sin, mhéadaigh ar fhlosc na nGiúdach chun na Palaistíne. Faoi 1948 bhí milliún díobh ann, agus iad ag cruinniú isteach in aghaidh an dlí. Bhí ina spairn dhearg treallchogaíochta[191] idir arm na Breataine agus trodairí Giúdacha. Bhí ag dul de na Sasanaigh an tír a rialú nó an tuile inimirceach a choimeád amach. Chinn na Sasanaigh ar chúlú as an tír. Ba í breith na Náisiún Aontaithe go roinnfí an tír ina dhá cuid, idir

---

Uileloscadh: an t-ár a d'imir na Naitsithe ar na Giúdaigh/ the (Jewish) Holocaust
sléacht: ár/ slaughter
díothú: dísciú, scrios go hiomlán/ to exterminate
flosc: sruth láidir tréan/ torrent
treallchogaíocht: troid a chuireann dreamanna mírialta (polaitiúla) ar bun/ guerrilla warfare
dul de: teip/ to fail
tuile: díle, rabharta/ flood

Campa géibhinn Belsen 1945, tar éis scrios an Tríú Reich

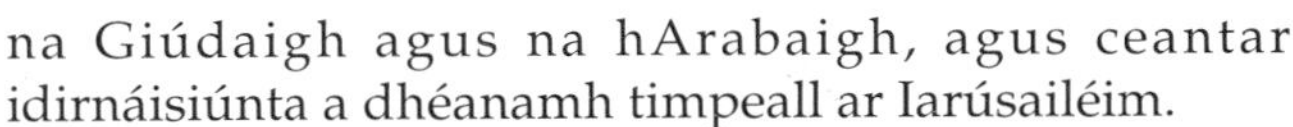

na Giúdaigh agus na hArabaigh, agus ceantar idirnáisiúnta a dhéanamh timpeall ar Iarúsailéim.

Ghéill na Giúdaigh don bhreith, ach ní ghlacfadh na hArabaigh leis. I Mí na Bealtaine 1948 d'imigh arm Shasana, agus d'fhógair David Ben-Gurion Stát Iosrael. D'ionsaigh airm sé thír Arabacha an stát nua, ach níor éirigh leo an lámh in uachtar a fháil ar na hIosraelaigh. Faoi Earrach 1949 bhí 75 faoin gcéad den tír i seilbh na nIosraelach. Theith leathmhilliún Arabach ó na críocha sin, go dtí Stráice Gháza agus na tíortha °máguaird. Sa Chogadh Sé Lá (1967) ghabh na hIosraelaigh an chuid eile den tír, is é sin, Stráice Gháza agus an Bruach Thiar de Abhainn na hIordáine. Tá siad ann ó shin. Tá na hArabaigh a °díchuireadh nó a theith óna mbailte, agus a sliocht, ag síoréileamh a gceart chun filleadh. Is fadhb í ar dheacair le Rí Solamh a réiteach. Is minic a deirtear gurb iad na Palaistínigh atá ag íoc as na héagóracha

David Ben-Gurion

fuilteacha a d'imir an Eoraip, agus na Naitsithe go háirithe, ar na Giúdaigh.

sluaghairm
rosc catha, nó gáir ghonta chun tacaíocht a mhúscailt in am na práinne, ar son cúise nó in aghaidh namhad

Béarla
ar dtús, Sacs-bhéarla (ó 'Sacsan' agus 'béarla'). Is ionann 'béarla' agus modh cainte faoi leith. Tagann 'béarla' ó *béalra*, an chaint a thagann as béal duine. Tugtar 'Béarla Chríost' ar an Laidin; tugtar 'Béarla Féine' ar an chineál Sean-Ghaeilge ina scríobhtaí Dlíthe na mBreithiúna

Fuair an Béarla an focal seo in Albain, ón Ghaeilge, faoin leagan *slogan*, sa séú céad déag. Is ionann 'gairm' agus 'gáir'. Sluaghairm[192] mar sin an gháir faoi leith a bhíodh ag slua nó ag arm faoi leith. Téann an nós i bhfad siar. San *Íliad* le Hóiméar, an chéad mhórshaothar i litríocht na hEorpa, a scríobhadh san ochtú haois RCh, tugtar 'máistir na sluaghairme' mar theideal onóra ar chuid de na laochra is mó i gCogadh na Traí[193], amhail Eachtar, Aichilléas agus Agamamnón.

Rud praiticiúil ba ea an tsluaghairm chun do chairde a aithint, nó cabhair a lorg uathu, i lár an ghráscair lámh. Sula mbíodh sainéadach[49] inaitheanta á chaitheamh ag saighdiúirí, bhí sé riachtanach go mbeadh duine in ann a chairde a aithint go héasca le linn na troda; mar sin bhí gá le bratacha agus le sluaghairmeacha faoi leith ag gach aicme. 'Crom abú' an gháir chatha a bhíodh ag Gearaltaigh na Mumhan, Iarlaí Dheasmumhan; 'Lámh láidir in uachtar' a bhí ag muintir Bhriain. Inniu tá 'Scaoil amach an bobailín' ag lucht leanúna fhoireann iománaíochta na Gaillimhe.

Is féidir le sluaghairm pholaitiúil an-tionchar a imirt chun an pobal a bhíogadh agus chun iad a chur i mbun gnímh, faoi mar a tharla aimsir Réabhlóid na Fraince, nuair a chorraigh *'Liberté! Egalité! Fraternité!* na sluaite. Tharla an rud céanna arís i Meiriceá le linn Chogadh na Saoirse, nuair a spreagadh daoine leis an °mhana *'No taxation without representation'* (James Otis, 1725-83, a chum).

---

sluaghairm/ slogan
Traí: Troy
gráscar lámh: sciúchas catha/ hand-to-hand fighting
bobailín: starraicín, cochaillín, amhail an dos de bhréidín a chaitheadh fir Árann mar ornáid ar a gcaipíní traidisiúnta/ pompon
bíogadh: corraí, múscailt/ to stir, awaken

An lá atá inniu ann, breactar sluaghairmeacha, agus go leor rudaí eile, ar bhallaí agus in áiteanna poiblí, mar ghraifíní. Maireann ceann amháin acu go buan ina theideal ar an dráma *Who's afraid of Virginia Woolf?* le Edward Albee (1928–). An focal 'graifín' (scríbhinn ghairid), tagann sé tríd an Iodáilis ón fhocal Gréigise, *graphein*, a chiallaíonn 'scríobh'.

sochaí iolraíoch
°sochaí a ghlacann le héagsúlachtaí i gcultúr agus i gcreideamh dreamanna agus daoine atá ina gcodanna nó ina gcomhaltaí den tsochaí sin

Focal seanbhunaithe sa Ghaeilge is ea 'sochaí'. Is éard is ciall leis ná 'aontacht sheasmhach daoine ar mhaithe le cuspóir coiteann a bhaint amach'. Mar sin, is sochaí pholaitiúil é an stát. Is ionann an °réimír 'il, iol' agus 'mórán' (féach go bhfuil sé san fhocal 'iolra' féin). Tá sé gaolmhar le '*polus-*' na Gréigise agus an 'p' tosaigh curtha chun siúil mar ba nós le sinsir na nGael a dhéanamh cúpla míle bliain ó shin. Is rud inscoilte sochaí dhaonna toisc go mbíonn ceisteanna úra ag teacht chun cinn an t-am ar fad a spreagann freagraí difriúla ó dhaoine. Toradh coitianta a d'fhéadfadh tarlú mar gheall ar na difríochtaí sin ná go spreagfaí difríochtaí i modhanna iompair agus eile i gcúrsaí an tsaoil. D'fhéadfaí achrann nó deacrachtaí éagsúla poiblí a theacht dá bharr. Ábhar imní don stát a leithéid de rud.

Dá bhrí sin d'fhéachadh an stát go minic leis an aontacht pholaitiúil a chinntiú trí cosc a chur ar shaoirse intinne nó ar shaoirse ghníomhaíochta na saoránach i gcoitinne. I gcás stáit le creideamh oifigiúil b'fhéidir freisin go ndéanfadh an stát amhlaidh ar mhaithe le leas anama an phobail. Nuair a tharlaíonn sin, fágtar go gcuirtear srianta ar na °mionlaigh nach nglacann le °fiúntais an °tromlaigh. Is minic freisin a bhíonn °forálacha bunreachtúla ann leis na srianta a chinntiú. Stáit a ghlacann le ceangal creidimh mar seo is stáit fhoirceadlacha iad amhail na stáit Mhoslamacha nach nglacann leis an iolrachas.

---

sochaí iolraíoch: pluralist society
seanbhunaithe: atá ann le fada/ long-established
inscoilte: inbhriste/ fissionable, breakable
cinntiú: deimhniú/ to ensure

Go dtí an saol atá inniu ann, beagnach, ba stáit fhoirceadlacha an chuid ba mhó de stáit na hEorpa. Mar shampla, ceileadh cearta poiblí éagsúla ar Chaitlicigh in Éirinn agus sa Bhreatain i dtús na haoise seo caite. Níor ceadaíodh dóibh eaglais a thógáil ar phríomhshráid, nó clog eaglaise a bhualadh, nó suí i dTeach na dTeachtaí i bparlaimint na Ríochta Aontaithe. Go fóill, tá dornán beag post oifigiúil sa Bhreatain atá ceilte ar Chaitlicigh, agus tá laincisí áirithe ar shéiplínigh neamh-Anglacánacha i gCabhlach Ríoga na Breataine: is iarsmaí[76] iad seo de sheanréim atá imithe anois, beagnach.

Mar sin féin, tá reiligiúin stáit ag trí thír den Chomhphobal Eorpach: an Ríocht Aontaithe, an Danmhairg, an Ísiltír. Agus sa Ghréig, ní ceadaithe de réir dlí ach an leagan Ceartchreidmheach den Bhíobla.

Tá na daonlathaigh liobrálacha i bhfabhar cúrsaí Eaglaise agus cúrsai Stáit a scaradh ó chéile, ar mhaithe leis an tsaoirse agus leis an chaoinfhulaingt[194]. Is minic a cheaptar gurb ionann an scaradh seo is an dlí agus an mhoráltacht a scaradh ó chéile. Tá fiúntais áirithe, idir chinn phoblachtacha agus chinn dhaonlathacha, le fáil i mbunreacht na hÉireann. Ach cé go bhfuil éirim liobrálach sa bhunreacht, feictear do líon áirithe daoine go bhfuil sé faoi anáil theagasc sóisialta agus morálta chreideamh Caitliceach an tromlaigh. An 'chrosáid bhunreachtúil' a thionscain an Dr Gearóid Mac Gearailt, bhí de chuspóir aige an tréith fhoirceadlach seo, mar a chonacthas dó, a bhaint den bhunreacht.

Inniu, gné °shuntasach de shochaithe an Iarthair is ea an t-iolrachas. Tá an t-iolrachas le feiceáil i ngach °cearn den saol, beagnach – an pholaitíocht, reiligiún, dlí, an mhoráltacht, °geilleagar, cultúr. Nuair a

clog
ciallaíonn an focal seo 'gléas miotail a dhéanann cling', nó 'gléas chun an t-am a chur in iúl'. Is sa chéad chiall a tháinig sé isteach sa Ghaeilge ar dtús, mura raibh sé ann i gcónaí. Mar is ó fhoinse Cheilteach a fuair an Laidin *clocca*, as ar tháinig *cloche* na Fraincise, a thug *clock* don Bhéarla. Maidir leis an ghléas tomhaiste ama, is mór an spéis a cuireadh san aireagán nua-aoiseach seo nuair a tháinig sé isteach i gceantair thuaithe ar dtús. Seo scéal ó Chúil Aodha i gContae Chorcaí: 'Shíl na daoine críonna ná féadfadh éinne an t-am a aithint ar an gclog ach duine go mbeadh léann nó tabhairt suas air nó, ar a bheag, duine go mbeadh Béarla aige. Shamhlaíodar nárbh fhéidir é a aithint as Gaoluinn. D'airíos fear críonna á rá le fear óg: "A Sheáin, ós agat atá an Béarla, féach ar an gclog"'. Sin mar a bhí in óige Dhomhnaill Bháin Uí Chéileachair (rugadh é in 1872) (críonna: sean, aosta)

foirceadlach: le brí nó le polasaí a bhaineann le cúrsaí creidimh/ confessional
iarsma: iarmharán, fuílleach/ remnant
caoinfhulaingt: in ann glacadh le dearcadh, le creideamh srl daoine eile gan cur isteach orthu/ tolerance
éirim (sa chomhthéacs seo): brí/ tenor
tionscain: tús a chur le/ to initiate

chleachtann an stát an t-iolrachas, tá sé ag staonadh d'aon ghnó ó °choincheap ar leith den dea-shaol a chur i réim mar bharrshamhail oifigiúil. Féachann sé leis an chaoinfhulaingt a chothú (cé gur féidir le lucht an iolrachais bheith claonta ar bhealaí eile chomh maith le cách). Agus cothaíonn sé idirghníomhaíocht thairbheach idir daoine den uile dhearcadh agus le cineálacha éagsúla taithí. Ligeann timpeallacht mar seo cead a cinn do °éirim chaidéiseach an duine, a bhíonn de shíor ag fiosrú bhrí na beatha. (Déantar grinnscrúdú ar chlaonta áirithe an iolrachais sna míreanna a bhaineann le 'liobrálachas' agus le 'saoltachas.')

sóisialachas
teagasc polaitíochta a mhúineann gur neach sóisialta é an duine, agus go mbaineann sé an lándaonnacht amach trí caidreamh agus trí gaolmhaireacht fhíréanta a dhéanamh le daoine eile. Dá bhrí sin leagtar béim ar dhualgas an phobail féachaint le riachtanais a mball a shásamh. Táthar ann (ar nós na gcumannach agus na sóisialaithe daonlathacha) a deir nach féidir é seo a dhéanamh mura mbíonn na °hacmhainní °táirgthe i seilbh an stáit, agus

Focal Laidine is ea *socialis*; 'baint le cairde nó le compánaigh' is ciall leis. Le himeacht aimsire leathnaíodh a bhrí chun 'an tsochaí i gcoitinne' a chlúdach chomh maith. Anois is féidir an focal 'sóisialta' a cheangal le gné ar bith de shaol sochaí. Tá sé i gcontrárthacht[195] le °'leithleach' agus 'príobháideach'. Tháinig an focal 'sóisialachas' ar an saol go luath sa naoú haois déag. Cuireann an sóisialachas béim ar dhualgas an phobail aire a thabhairt dá mbaill go léir; cuireann sé i gcoinne sprid na coimhlinte geilleagraí a bhaineann leis na liobrálaigh.

De réir mar a chuaigh an réabhlóid thionsclaíoch chun cinn san Eoraip le linn an naoú céad déag, bhí an chosúlacht air go gcruinneofaí na hacmhainní táirgthe go léir i lámha dreama bhig, dream a bheadh ag dul i saibhreas agus i gcumhacht de réir mar a bhéidis ag dul i laghad. D'fhágfadh sin go ndaorfaí an chuid ba

barrshamhail: idéal, cuspóir idéalach/ ideal
idirghníomhaíocht: plé idir daoine nó idir smaointe srl/ interaction
tairbheach: torthúil, le buntáiste/ fruitful, advantageous
caidéiseach: fiosrach/ enquiring
grinnscrúdú: cíoradh mion/ critical examination
sóisialachas: socialism
neach: dúil le héirim intinne/ intelligent being
fíréanta: iontaofa, barántúil/ authentic, genuine

smacht ag an stát ar an chóras dáileacháin; tá tuilleadh ann (ar nós na ndaonlathach sóisialta) a deir gur fearr a bhainfear an cuspóir amach ach saormhargadh a bheith ann maidir le táirgeadh agus dáileachán, agus smacht poiblí a bheith ag an stát ar an dá °réimse sin.

mhó den phobal chun staid °dhearóil na prólatáireachta; agus iad ag síorsclábhaíocht agus gan ach an chaolchuid féin le saothrú acu – cuid Pháidín den mheacan – acu féin agus ag a gclann. Chuaigh an sóisialachas chun troda le stop a chur leis sin. Ghléas an teagasc nua é féin chun catha sna tíortha ba thúisce inar tharla an réabhlóid thionsclaíoch – an Fhrainc, an Ghearmáin, an Ríocht Aontaithe.

Dúirt na sóisialaithe go raibh an caipitleachas tionsclaíoch go héagórach ó bhonn. Sa chéad áit, thug sé tuilleamh thar na bearta do úinéirí na n-acmhainní táirgthe, agus níor thug sé ach an ghannchuid don lucht saothair a dhein an obair tháirgiúil dóibh. Sa dara háit, dhaingnigh sé an éagothroime mar bhuanghné den saol shóisialta, trí aicmí éagsúla sóisialta a chumadh. Lena chois sin, bhain se an dínit[196] den duine trína chur ar leibhéal an innealra. Agus toisc gur chuir sé béim ar an féinleas[201] leithleach a chúiteamh, stróic sé ceangal tábhachtach daonna, an ceangal sin a chothaíonn an comhar sóisialta idir daoine.

Éilíonn na sóisialaithe gníomh ón phobal a chuirfeadh idir mhaoin agus chumhacht chun oibre ar son cách. Feictear dóibh gurb iad an chothroime shóisialta agus an ceart os comhair an dlí na fiúntais is tábhachtaí. Tá siad tar éis bealaí éagsúla a léiriú go mion chun a gcuspóirí a bhaint amach. Go ginearálta, táthar tar éis dhá chóras a chur i bhfeidhm. Sna tíortha cumannacha cuireadh na hacmhainní táirgthe agus dáileacháin i lámha áisíneachtaí lárnacha pleanála. Is léir anois gurb é is toradh air sin ná geilleagar na dtíortha sin a chraplú. An dara córas a úsáideadh ná an bealach a glacadh sna tíortha sin in Iarthar Eorpa mar ar tháinig páirtithe sóisialacha i gcumhacht de bharr toghcháin.

---

dáileachán: dáileadh/ distribution
dínit: seasamh agus fiúntas an duine ina shúile féin/ dignity
comhar: comhoibriú/ cooperation
craplú: cúngú, cur ó mhaith/ to stultify, constrain

carn
seo cnap nó meall mór rudaí atá caite le chéile ina gcnocán. Fuair an Béarla an focal, mar *cairn*, sa cúigiú haois déag. Bhí brí reiligiúnach le cuid de na cairn chloch fadó; ionaid adhlactha a bhí iontu; lasadh na draoithe a dtinte cnámh sollúnta orthu Lá Bealtaine. Tá cineál cloiche scothluachmhaire a dtugtar *cairngorm* uirthi sa Bhéarla. Tá an chloch seo le fáil in Albain i gceantar Shliabhraon na gCarn Gorm (adhlacadh: cur faoi chré/ to bury; scothluachmhar: leathluachmhar/ semi-precious)

Sa Bhreatain bhain Páirtí an Lucht Oibre úsáid as an náisiúnú chun codanna den tionsclaíocht a chur i lámha an stáit. Chun torthaí an táirgthe a dháileadh go cothrom ar chách d'fhorbair siad an stát leasa shóisialaigh. Chun cosc a chur le carnadh na maoine príobháidí ghearr siad dleachtanna troma báis agus cánacha oidhreachta agus comharbais. D'úsáid siad airgead stáit chun láithreacha cultúrtha agus áiseanna scíthe a chur ar fáil don phobal. Deineadh tromaíocht ar an sóisialachas lárnach seo ar an ábhar gur theip air fás fuinniúil a bhaint amach sa gheilleagar. Is mó dá réir an luí atá anois ann leis an daonlathas shóisialta, an leagan sin den sóisialachas a théann i muinín an gheilleagair mheasctha.

Tá blas idirnáisiúnta ar an sóisialachas: maíonn sé gur gníomh chun leasa na n-oibrithe gach áit é an caipitleachas a chloí. Ach is minic a bhaineann blas an náisiúnachais leo chomh maith, amhail Páirtí Lucht Oibre na Breataine.

Tá cineálacha éagsúla sóisialachais ann, ón Mharxachas go dtí an daonlathas sóisialta. Is cuid thábhachtach é an sóisialachas de chúrsaí polaitíochta Iarthar Eorpa. Go deimhin, is iad na sóisialaigh – d'ainneoin a n-ilchineálacha – an grúpa is mó i bParlaimint na hEorpa. Is mór idir an sóisialachas daonlathach (a fhéachann lena chuspóirí a bhaint amach in iomaíocht le páirtithe eile sa chóras pharlaiminteach) agus an sóisialachas réabhlóideach, a deir nach bhfuil aon bhealach ar aghaidh ag an sóisialachas ach ar bhonn na troda.

Is é an Marxachas an t-aon leagan den sóisialachas réabhlóideach ar baineadh triail as. Cuireann sé an bhéim ar ról an stáit, agus é faoi smacht na

carnadh: cnuasach/ to accumulate
cáin oidhreachta: cáin ar oidhre/ inheritance tax
cáin chomharbais: cáin ar chomharba/ succession tax
áis: gléas/ facility
scíth: caitheamh aimsire/ leisure
tromaíocht: aithisiú, lochtúchán/ denigration
luí: claonadh/ inclination
cloí: briseadh ar/ to overcome

'prólatáireachta' (.i. an pártí cumannach), mar uirlis chun an sóisialachas a chur ar bun in áit an chaipitleachais. Dar leis na Marxaigh, níl sa sóisialachas ach an chéim dheiridh ar aghaidh sa stair sula dtabharfaidh an cumannachas – an fíorshóisialachas – bás an stáit. Ansin riarfaidh saineolaithe gach rud ar mhaithe le cách.

In Éirinn faigheann na páirtithe sóisialacha (Lucht Oibre, an Eite Chlé Dhaonlathach, Páirtí na nOibrithe) tacaíocht ó 15 faoin gcéad beagnach, de na toghthóirí.

sóivéid
comhairle rialtais ag leibhéal áitiúil, ag leibhéal réigiúin nó ag leibhéal náisiúnta faoi mar a bhíodh in Aontas na bPoblachtaí Sóivéadacha Sóisialacha

Focal Rúiseach is ea *sovyet* a chiallaíonn 'comhairle'. In aimsir na Sár ceanglaíodh é le coiste comhairleach ar bith. Le linn réabhlóid 1905 tugadh sóivéidí ar chomhairlí na n-oibrithe, a d'fhás as coistí stailce. Tar éis an Sár a threascairt i 1917, bunaíodh sóivéidí oibrithe agus saighdiúirí ar fud na Rúise. Ghabh siad chucu an chumhacht pholaitiúil agus na feidhmeanna °riaracháin agus °geilleagracha. Ansin thogh siad toscairí[197] chuig Comhdháil Uile-Rúiseach. As sin a tháinig an Ard-Sóivéid, a raibh dhá roinn di ann: Sóivéid an Aontais agus Sóivéid na Náisiúntachtaí. Bhíodh Ard-Sóivéid dá cuid féin ag gach poblacht san Aontas.

Bunaíodh sóivéid i Luimneach agus i gcúpla áit eile in Éirinn i 1921, ach níor mhair siad ach seal.

Spartach
géar dian tréan ar nós na sean-Spartach

Bhí na Spartaigh ar na saighdiúirí ba thréine agus ba chrua sa tsean-Ghréig. Bhris siad ar na Héalótaí, treibh ba líonmhaire go mór ná iad, agus choinnigh i ndaoirseacht iad trí ghníomhaíocht éifeachtach póilíneachta rúnda, agus trí feallmharú a imirt ar aon

Sár: Impire na Rúise/ Czar (ó *Caesar* sa Laidin)
treascairt: cloí/ to overthrow
toscaire: ionadaí, teachta/ delegate, spokesperson
seal: tamall gairid/ short spell
póilíneacht: maoirseoireacht gardaí/ policing
feallmharú: dúnmharú polaitiúil/ assassination

°damhna ceannaireachta a thagadh chun cinn i measc na Héalótaí. Ba é Sparta, cathair sa Pheilipinéis, an t-aon chathair Ghréagach gan ballaí cosanta. Nuair a rinne cuairteoir iontas den easpa sin, duirt taoiseach Spartach leis – de réir an tseanchais – 'Sin iad ár mballaí!', agus é ag díriú airde ar ghardaí míleata na cathrach. 'Is bríce gach duine díobh.' Is uaidh sin – deirtear – a thagann an nath molta sa Bhéarla, *'He's a brick'*. (Is ó *'brique'* sa tSean-Fhraincis a tháinig an focal sin sa cúigiú céad déag nó sa séú céad déag.)

Bhunaigh na Spartaigh a modh maireachtála le príomhchuspóir amháin a chur i gcrích: an bua a bhaint i gcónaí sa chogaíocht. Chleacht siad saol fíorchumannach ina raibh gach duine comhionann lena chéile. Bhíodh ceapach talaimh ag gach duine acu agus roinnt Héalótaí aige chun é a shaothrú dó. Chónaíodh na fir i mbeairicí agus d'ithidís a mbéilí i gcuibhreann. Ní bhíodh teach ná saol teaghlaigh dá gcuid féin acu. Thugaidís cuairt faoi choim na hoíche ar a mná agus ansin d'fhillidís ar an bheairic. Chleacht siad an dea-ghinic: is é sin, ar bhreith linbh, thugadh an mháthair an naíonán i láthair na seanóirí. Dá mbeadh cuma na sláinte air, deiridís léi, 'Oiltear é!' Mura mbeadh, d'fhágtaí é in ailt sléibhe chun bás a fháil.

Thógtaí na buachaillí chun bheith ina ngaiscígh den scoth. Bhí orthu dianréim a chleachtadh ionas go mbeidís neartmhar, seiftiúil, in ann pian a fhulaingt, gan spéis sa tsócúlacht. Choinnítí iad ar ghanntanas bia i dtreo is go n-éireoidís oilte ar bia a ghoid – cleas a bheadh tábhachtach ar fheachtas fada cogaíochta. Oiliúint phraiticiúil bhunúsach a fuair siad agus b'in

buachaill
'aoire bó', 'tréadaí', 'giolla', ba chiall leis an fhocal seo ar dtús. Tá gaol aige le *boukolos* (aoire) sa Ghréigis, agus le *boukaios* (duine a threabhann le cuingir damh) sa teanga chéanna; agus freisin le *bucolicus* (fear tuaithe) sa Laidin. Tagann na focail seo go léir ó 'bó'. *Bous* atá ar 'bó' sa Ghréigis, agus *bos* sa Laidin (cuingir damh: a team of oxen)

---

aird: aire, suntas/ attention
comhionann: ar comhleibhéal/ equal
ceapach: paiste talún/ plot of ground
cuibhreann: bord comónta chun ite/ mess-table
faoi choim: faoi cheilt/ under cover
dea-ghinic: córas chun síolrú a riar/ eugenics
ailt: scailp/ cleft
dianréim: nós crua beatha/ hardy regimen
sócúlacht: compord/ luxury

an méid. Níor bhac siad le forbairt intleachtúil ar nós na nGréagach eile.

D'ainneoin sin uile bhí lé acu chun an uaslathais i gcúrsaí rialtais. Faoi dheireadh, d'fhear siad cogadh mór ar an Aithin[198] agus ar a comhghuaillithe daonlathacha, agus bhris siad orthu. Ach lagaíodh na Gréagaigh go léir an oiread sin de bharr na cogaíochta nárbh fhéidir leo an fód a sheasamh i gcoinne an eachtrannaigh Pilib, Rí na Macadóine, nuair a tháinig sé ionsorthu. Mac le Pilib ba ea Alastar Mór.

Bhí tionchar mór ag cleachtais na Spartach ar an °smaointeoireacht atá le fáil i bpríomhshaothar Phlatóin, *An Phoblacht*.

Sráid Mhuirfean
lárionad an rialtais

Ar feadh na gcianta, roimh 1921, ba as Caisleán Bhaile Átha Cliath a rialaítí Éire. San am sin ba théarma gonta 'an Caisleán' a chiallaigh 'cumhacht Shasana in Éirinn'. Ach ó 1921 i leith tá lárionad na cumhachta polaitiúla bailithe leis míle soir ón Chaisleán go dtí Sráid[199] Mhuirfean Uachtarach. Is ann atá na foirgnimh ar a dtugtar Tithe an Rialtais. Tá Roinn an Taoisigh agus an Roinn Airgeadais suite i dTithe an Rialtais anois.

Treibh a raibh cónaí orthu idir Maigh Life agus an Charraig Dhubh, tugadh na Muirfin orthu toisc go raibh siad ina gcónaí cóngarach don mhuir, agus tugtar Muirfin ar chuid den cheantar sin go fóill. (Foirm iolra, a chiallaíonn treibh daoine, atá i 'Muirfin' amhail Laighin, Ulaidh, Connachta, Sasana. 'Sacsan' an uimhir uatha a bhíodh ann ar dtús ar 'Sasanach', agus 'Sacsana' an t-iolra. Ginideach iolra mar sin atá dáiríre i Sráid *Mhuirfean*.)

---

lé: claonadh/ tendency
uaslathas: uasaicme/ aristocracy
fearadh: cur ar siúl/ to wage
comhghuaillí: duine tacaíochta/ ally
ionsar: i dtreo, chun/ towards
bailiú leis, léi: glanadh leis, léi, imeacht/ to go away
foirgneamh: struchtúr buan amhail teach/ building

Caisleán Bhaile Átha Cliath

Fuair Strongbó stiall fhial den stráice seo talún sa dara céad déag, agus ba lena chomharbaí, Eastát Mhic Liam, na tailte seo ina dhiaidh sin. Ainmníodh Sráid Mhuirfean agus Cearnóg Mhuirfean de bharr an cheangail stairiúil seo.

Úsáideann na meáin chumarsáide 'Sráid Mhuirfean' agus iad ag tagairt do pholasaí agus do chúrsaí rialtais ar an leibhéal is airde, amhail agus a d'úsáididís 'an Caisleán' fadó.

Tá na Ranna Stáit eile scaipthe in áiteanna eile i lár na cathrach, agus i gcúrsaí iriseoireachta leantar den nós iad a ainmniú as an áit a bhfuil siad. Tá an Roinn Oideachais, mar shampla, i Sráid Maoilbhríde. Ionann 'Sráid Maoilbhríde' agus lucht déanta polasaí oideachais.

Tá ceanncheathrú na Roinne Comhshaoil lonnaithe i dTeach an Chustaim, cois Life. Úsáidtear 'Teach an Chustaim' chun lucht déanta polasaí i dtaobh rialtais áitiúil a lua.

Tá an Roinn Gnóthaí Eachtracha le fáil i dTeach Uíbh Eachach, i bhFaiche Stiabhna. Bhronn muintir Guinness an foirgneamh seo ar an Stát, agus is as ceann dá dteidil uaisleachta a ainmníodh é: 'Uíbh Eachach'. Is ceantar stairiúil é i gContae an Dúin (amhail 'Uíbh Laoire' i gCo Chorcaí, agus 'Uíbh Fhailí') a mbíodh muintir Mhic Aonghusa (Guinness) ina dtaoisigh air tráth. Ach anois is ionann 'Teach Uíbh Eachach' agus lucht déanta polasaí i dtaobh gnóthaí eachtracha.

Tá an Roinn Tionscail agus Tráchtála le fáil i Sráid Chill Dara. Folaíonn an téarma 'Sráid Chill Dara' lucht déanta polasaí i gcúrsaí tionsclaíochta agus tráchtála.

---

stiall: píosa fada/ slice
stráice: píosa fada réidh, amhail talamh cois mara nó aerstráice/ strip
comharba: duine a leanann duine eile i bpost/ successor
Roinn an Chomhshaoil: an roinn stáit atá i mbun rialtais áitiúil agus na timpeallachta/ Department of the Environment
lonnú: cur faoi, cónaí a dhéanamh/ to reside, inhabit

Lonnaítear na Coimisinéirí Ioncaim i gCaisleán Bhaile Átha Cliath. Maireann an téarma 'an Caisleán' mar thagairt don lucht ceannais i gcúrsaí ioncaim agus cánach.

Tá Áras an Uachtaráin, áit chónaithe an Uachtaráin, i bPáirc an Fhionnuisce i mBaile Átha Cliath. Téann an Taoiseach 'chun an Árais' (*'to the Park'* i mBéarla), arna thoghadh ag Dáil Éireann, chun a shéala feidhmeannais a fháil ón Uachtarán.

muintir
ar dtús, an líon duine a chónaigh faoi scáth mainistreach. Tagann 'muintir' agus 'mainistir' araon ó *monasterion* na Gréigise

iarla
ar dtús, duine a fuair céim uaisleachta ó rí Lochlann: *jarl*

cill
ar dtús, áit chónaithe manaigh, ón Laidin *cella*

Tagann Tithe an Oireachtais (Dáil Éireann agus Seanad Éireann) le chéile i dTeach Laighean. Ba le Cumann Ríoga Bhaile Átha Cliath (RDS), an foirgneamh seo roimh 1921. Fuair siadsan é ó mhuintir Iarlaí Chill Dara. Tógadh an t-áras san ochtú haois déag mar theach cathrach ag Gearaltaigh Chill Dara, ar díobh an Tiarna Eadbhard Mac Gearailt agus Tomás an tSíoda. Is astu, Diúic Laighean, a ainmníodh an t-áras seo agus an tsráid lasmuigh, Sráid Chill Dara. Nuair a úsáideann na meáin chumarsáide an téarma 'Teach Laighean', ciallaíonn sé Oireachtas Éireann. Agus is ionann 'an Teach' agus ceachtar den dá Theach (an Dáil nó an Seanad), de réir an chomhthéacs.

státchiste
an ciste náisiúnta; sparán an rialtais

Caithfear íoc as gach rud, agus as seirbhísí rialtais chomh maith le rud ar bith eile. Is é an duine atá i mbun an státchiste ná an tAire Airgeadais. Faigheann sé roinnt den airgead a theastaíonn uaidh, chun costais an stáit a ghlanadh, ó tháillí a ghearrtar ar sheirbhísí a chuireann an rialtas ar fáil – °eisiúint pasanna mar shampla. Ach tagann an chuid is mó den airgead sin ó chánacha nó ó iasachtaí.

Foilsíonn an Roinn Airgeadais ráiteas – Tuairisceán an Státchiste – gach ráithe[200] a léiríonn conas tá ag éirí le cúrsaí bailithe cánach agus caiteachais rialtais. Is ábhar mórspéise an doiciméad

---

an státchiste: the exchequer
pas: doiciméad oifigiúil chun taisteal thar lear/ passport
ráithe: an ceathrú cuid de bhliain/ quarter of year

seo do eacnamóirí, do institiúidí airgeadais (a thugann iasachtaí don rialtas), agus do infheisteoirí aonair.

Is é Cuntas an Státchiste príomhchuntas an rialtais. Cuirtear fáltais chánach i dtaisce sa chuntas seo, agus déantar íocaíochtaí as i leith caiteachais rialtais. Coimeádtar an cuntas sa Bhanc Ceannais. Má bhíonn easnamh sa bhuiséad tarlaíonn Riachtanas Iasachta Státchiste. Chun forlíonadh[5] a chur le fáltais an Státchiste, i gcúiteamh an easnaimh sin, lorgann an rialtas iasachtaí, sa bhaile ('iasachtaí intíre') agus i gcéin ('iasachtaí eachtracha'). Bíonn idir iasachtú gearrthéarmach agus iasachtú fadtéarmach i gceist.

Bealach amháin ag an rialtas chun iasachtaí gearrthéarmacha a fháil ná trí billí Státchiste a °eisiúint. Eisítear iad in aghaidh na seachtaine, ar thairiscintí chuig na bainc agus chuig institiúidí airgeadais eile. Bíonn tréimhsí éagsúla aibíochta acu, mí b'fhéidir, nó °ráithe, nó sé mhí. Eisítear iad ar lascaine (luach £100 tar éis aibíochta, ar phraghas £97 abair). Is °bannaí sealbhóra iad, is é sin le rá, ní choimeádtar clár úinéireachta. Mar sin, nuair a aistrítear iad ó úinéir go chéile, ní gá ach formhuiniú a shíniú ar a gcúl.

Taitníonn billí Státchiste leis na bainc agus leis na hinstitiúidí airgeadais eile. Tugann sé °deis dóibh ús a ghnóthú ar airgead nach acmhainn dóibh a chur in infheistíochtaí fadtéarmacha (mar gheall ar riachtanas a n-eagraíochtaí féin maidir le leorshreabhadh airgid a chinntiú).

formhuiniú
comhfhocal é seo, a cumadh le 'for' (sa chiall 'an taobh amuigh') agus le 'muin' (droim). Nuair a shíníonn duine a (h)ainm ar chúl seic nó doiciméid déanann sé nó sí amhlaidh i bhfianaise gurb é/í an té lena mbaineann an gnó go fírinneach. Is ionann 'formhuiniú' agus *endorse* sa Bhéarla. Is éard is ciall go litriúil le *endorse* ná 'ar a chúl'. Fuair an Béarla an focal sin ó *en* ('in') agus ó *dos* ('droim'), a thagann ó *dorsum* na Laidine óna dtagann *dorsal* sa Bhéarla. Tá an dá fhocal, 'droim' agus *dorsum*, gaolmhar lena chéile. Tá gaol freisin ag 'muin' le *monile* (muince) sa Laidin. Tá baint ag 'muin' le 'muineál' ar ndóigh. *Mānyâ* an focal sa tSainscrait ar 'muineál' (muince: slabhra nó crios ornáideach timpeall an mhuiníl/ necklace; féach lch 36)

infheisteoir: duine a infheistíonn airgead i ngnó nó a dhéanann infheistíocht/ investor
fáltas: airgead isteach/ receipt, item of income
Riachtanas Iasachta an Státchiste: an méid airgid is gá don rialtas a fháil ar iasacht in aon bhliain amháin/ Exchequer Borrowing Requirement (EBR)
tairiscint: rud a shíneadh do dhuine nó a ofráil dó/ offer
aibíocht: an dáta nuair is gá bille nó banna a aisíoc/ maturity
lascaine: lacáiste/ discount
sealbhóir: duine a bhfuil banna nó bille in-aisíoctha ina sheilbh/ bearer
formhuiniú: droimscríobh/ endorsement
sreabhadh airgid: an ghluaiseacht airgid i ngnó (isteach is amach) ó lá go lá/ cash-flow

Faightear iasachtaí fadtéarmacha trí urrúis rialtais (urrúis órchiumhsacha nó sárurrúis) nó trí stoc rialtais a eisiúint. Tig leis na hurrúis nó an stoc seo seasamh ar feadh tréimhse fiche bliain, abair, sula dtagann siad chun aibíochta. Eisítear iad, ó am go chéile, de réir mar is gá. Uaireanta, tugtar stoc státchiste ar na hurrúis seo.

stát leasa
stát a dhéanann cúram de riachtanais °gheilleagracha agus shóisialta dreamanna cleithiúnacha amhail na bochtáin, na heasláin, seandaoine

William Beveridge

Is ionann leas sa chomhthéacs seo agus dea-bhail an phobail. Lenár leas pearsanta a dhéanamh ní foláir nó go mbeidh teacht againn ar réimse leathan seirbhísí, idir breith agus bás dúinn. Is mian leis an stát chroíúil chaithiseach seirbhísí den chineál seo a leanas a chur ar fáil: sláinteachas, tithíocht, oideachas, cúnamh °dífhostaíochta, liúntas teaghlaigh, liúntas baintrí, liúntas °dílleachta, pinsean seanaoise.

Tógadh an chéad chéim shuntasach maidir le °reachtaíocht leasa sa Ghearmáin, faoi Bhismarck (1815-98). Lean tíortha Eorpacha eile a threoir siúd. Cuireadh go mór le °forbairt an stáit leasa sa Bhreatain, faoi rialtas Chlement Attlee (1945-51). Bunaíodh an córas ar bhonn mholtaí an eacnamaí, Sir William Beveridge (1879-1963), a chuir tuarascáil iomráiteach ina leith ar fáil ar iarratas °chomhrialtas[177] cogaidh na Breataine i 1942.

De bharr an dlúthghaoil atá idir Éirinn agus an Bhreatain, agus go háirithe de bharr a éasca is atá sé do Éireannaigh taisteal ó thír go chéile, ní hionadh é gur dhein °reachtaíocht na hÉireann aithris cuid mhór ar an reachtaíocht thall. °Déanta na fírinne, is féidir stáit leasa a thabhairt ar an chuid is mó de stáit

urrús: urraíocht, teastas úinéireachta i leith iasachta srl/ security
urrús órchiumhsach: urrús a bhfuil geallúint rialtais tugtha maidir le hús agus le haisíoc/ gilt-edged security
stát leasa: welfare state
cleithiúnach: bheith i dtuilleamaí/ dependent
liúntas: cúnamh rialta airgid/ allowance
suntasach: fiú le rá, suaithinseach/ noteworthy
aithris: bréagshamhail/ imitation

fhorbartha an lae inniu. Na Stáit Aontaithe féin, thosaigh siad ar 'bhóthar a leasa' faoi F.D. Roosevelt (1882-1945), an duine a chuir tús leis an Bheartas Nua sa bhliain 1933. Ó aimsir °cheannródaíochta an Iarthair i Meiriceá san aois seo caite, tá cultúr polaitíochta na Stát Aontaithe go mór i bhfabhar an neamhspleáchais dhiongbháilte agus na féinmhuiníne[201], ach cuireadh fáilte mhór mar sin féin roimh pholasaí Roosevelt a thug cabhair do lucht gnó, do fheirmeoirí agus do dhaoine dífhostaithe.

státseirbhís
na ranna stáit agus na hoifigí atá á riar go díreach ag comhaltaí (airí) an rialtais, maille le °háisíneachtaí bunreachtúla eile

Siolraíonn an státseirbhís sa tír seo ó chóras °riaracháin na Breataine. Roimh 1922 bhí codanna tábhachtacha den státseirbhís faoi cheannas díreach ó Londain (e.g. ioncam agus cánacha an stáit; Oifig an Phoist), ach bhí codanna eile le ceanncheathrúna áitiúla dá gcuid féin i mBaile Átha Cliath (e.g. Oideachas; Talmhaíocht; Rialtas Áitiúil). Ag an am sin bhí Sasanaigh ag obair sa státseirbhís in Éirinn, agus bhí Éireannaigh sa státseirbhís thall. Tugadh rogha dóibh go léir i 1922 fanacht mar a raibh siad nó aistriú go dtí an stát nua nó an Bhreatain. Roghnaigh 21,000 díobh teacht nó fanacht faoin Saorstát. An smacht a bhíodh ag Oifig Státchiste na Breataine ar an státseirbhís in Éirinn go dtí sin, tugadh é don Aire Airgeadais abhus. Reachtaíodh achtanna nua chun é seo a dhéanamh agus chun cóir nua a chur ar an státseirbhís dhúchasach: Acht na nAirí agus na Rúnaithe 1923, agus Achtanna Rialacháin na Státseirbhíse 1923, 1924 agus 1926.

Faoi láthair tá seacht gcinn déag de ranna rialtais ann (Airgeadas, Sláinte, Oideachas srl). De réir an bhunreachta ní féidir ach cúig aire rialtais déag ar a mhéad a bheith ann. Mar gheall air sin tá beirt aire agus cúram dhá roinn orthu araon. Le cois na ranna, atá faoi stiúir[202] dhíreach aire, tá oifigí eile a bhfuil státseirbhísigh iontu (na Coimisinéirí Ioncaim; Oifig

---

Beartas Nua: *New Deal* an Uachtaráin Roosevelt
diongbháilte: daingean, docht/ sturdy, rugged

na nOibreacha Poiblí; oifigí an Uachtaráin, na Dála, an tSeanaid, na gcúirteanna). Tá timpeall 28,000 státseirbhíseach ar fad ann. Tagann an chuid eile den tseirbhís phoiblí (amhail na húdaráis áitiúla, na boird sláinte, na comhlachtaí státurraithe) faoi réir ghinearálta ranna éagsúla den státseirbhís. Áirítear Rúnaí na Roinne Airgeadais mar an phríomhdhuine sa státseirbhís.

stocmhalartán
ionad mar a dtagann daoine le chéile chun stoic agus scaireanna a dhíol agus a cheannach; nó cumann daoine a mbíonn an gnó sin ar siúl acu

Thagadh daoine saibhre le chéile fadó i dtithe caife le haghaidh caidrimh agus cúrsaí gnó. Chuiridís airgead le chéile chomh maith chun longa trádála a cheannach agus a chur thar sáile. Nuair a bhíodh aistear tairbheach trádála curtha di ag long mar seo, roinntí an °brabús ar na hamhantraithe de réir an mhéid airgid a bhí curtha ag gach duine díobh san fhiontar. Uaireanta, theastaíodh airgead tirim ó dhuine de na ceannaithe seo, sula dtagadh an long abhaile. Ansin dhíoladh sé a scair sa long le duine eile i gcomhluadar na dtithe caife[203], dá bhfaigheadh sé praghas sásúil. Tosaíodh ar fhiontair eile, ar nós monarchana agus mianach guail agus miotail, a mhaoiniú ar an dul céanna.

De réir a chéile chuaigh an ghníomhaíocht seo i méid agus i líonmhaireacht. Chun na gnóthaí a riar i gceart san aon áit amháin bunaíodh stocmhalartán i Londain i 1773. Sa bhliain 1793 dhein ceannaithe Bhaile Átha Cliath an rud céanna. Bhunaigh siad cumann deonach stocbhróicéirí. (Bróicéir, sin gníomhaire a fheidmhmíonn thar ceann duine eile (príomhaí), chun earraí nó °urrúis a dhíol nó a

stocmhalartán: stock exchange
amhantraí: duine a cheannaíonn nó a dhíolann urrúis i ndúil le brabús/ speculator
airgead tirim: airgead réidh/ ready money
scair: sciar, cuid/ share
maoiniú: airgead a chur i ngnó/ to fund, finance
gníomhaire: duine a fheidhmíonn thar ceann duine eile/agent
príomhaí: an té a mbíonn duine eile aige chun gníomhú ar a shon/ principal

an Stocmhalartán, Baile Átha Cliath

cheannach ar a shon. Íoctar táille leis an bhróicéir de réir gach birt a dhéanann sé. 'Coimisiún' a thugtar ar an táille seo.) Tugadh seasamh dlíthiúil don chumann seo i mBaile Átha Cliath le hacht a rith Parlaimint na hÉireann, tamall gairid sular °scoireadh í. Tá an t-acht i bhfeidhm go fóill.

Tá stocmhalartán i mBéal Feirste freisin, agus tá comhoibriú agus ceangal idir é agus an ceann i mBaile Átha Cliath, agus idir an dá cheann Éireannacha sin agus na cinn i Londain, i nGlaschú, agus i Learpholl. Ar ndóigh, bíonn na stocmhalartáin ar fud an domhain i dteagmháil rialta lena chéile chomh maith.

Más mian le comhlacht breis airgid a fháil ar mhaithe le forbairt, tig leis scaireanna a dhíol sa mhalartán. Nó má theastaíonn iasacht ón rialtas, nó ó údarás áitiúil nó ó chomhlacht státurraithe chun ospidéil nó bóithre nó aerfoirt nó eile a thógáil, is féidir leo an t-airgead a fháil ach °urrúis a chur ar fáil a gheallann ráta áirithe úis in aghaidh na bliana.

Nuair a chuireann daoine airgead i dtaisce i gcumann foirgníochta, nó sa bhanc, nó i gcomhlacht árachais, bíonn baint indíreach acu leis an stocmhalartán, gan a fhios dóibh féin, b'fhéidir. Mar is nós leis na hinstitiúidí sin an t-airgead sin a °infheistiú i stoic agus i scaireanna. Is féidir le daoine aonair an rud céanna a dhéanamh. Tá comhlachtaí gairmiúla ann a thugann comhairle airgeadais maidir le hairgead a infheistiú.

Téann praghsanna scaireanna i méid nó i laghad ('luainíonn' siad) de réir mar atá ag éirí – nó a mhalairt – leis na comhlachtaí lena mbaineann siad. Tá daoine ann a fhéachann le °brabús a ghnóthú as scaireanna a dhíol nuair a bhíonn an praghas go hard, i ndúil go dtitfidh an praghas níos déanaí agus go mbeidh siad in ann na scaireanna a cheannach ar ais ar phraghas níos ísle. Tugtar 'béar' ar an sórt seo ainmhí, agus 'béarmhargadh' ar an chineál margaidh is fearr leis .i. margadh mar a mbíonn praghas scaireanna i gcoitinne ag titim. 'Bullaí' a thugtar ar dhaoine a cheannaíonn nuair atá na praghsanna ag dul i méid (agus súil acu go mbeidh siad in ann iad a dhíol nuair a théann siad i méid tuilleadh), agus 'bullamhargadh' a thugtar ar an stocmhargadh nuair a bhíonn na praghsanna ag méadú i gcoitinne.

Tá daoine eile ann a cheannaíonn scaireann nua, díreach nuair a thagann siad ar an mhargadh, i ndúil go dtiocfaidh luachmhéadú orthu, agus go mbeidh siad in ann brabús mear éasca a ghnóthú. 'Staga' a thugtar ar a leithéid de dhuine.

ospidéal
le hais a ghnáthcéille (°'otharlann') bhí dhá bhrí eile ag an fhocal seo fadó, 'áit dídine do lucht taistil' agus 'scoil'. Maireann an dá chiall sheanda seo sna hainmneacha, *The Royal Hospital* (an Brú Ríoga i gCill Mhaighneann i mBaile Átha Cliath a tógadh mar áit chónaithe le haghaidh seansaighdiúirí), agus *The King's Hospital* (scoil sheanbhunaithe i gContae Bhaile Átha Cliath). Is ó 'ospidéal' a ainmníodh an Spidéal i gContae na Gaillimhe. Ní bhaineann an riail 'caol le caol agus leathan le leathan' leis an chéad chuid den fhocal seo

---

státurraithe: le tacaíocht fhoirmiúil an stáit/ state-sponsored
árachas: socrú gnó chun cosaint airgeadais a cheannach in aghaidh caillteanais/ insurance
luaineacht: athrú éiginnte/ fluctuation

slat
is í Slat an Rí an réaltbhuíon is breátha sa spéir. Tugtar an Fiagaí ar an réaltbuíon seo sa Laidin. Tá cuma gharbhchearnóige ar an bhuíon, le réalta den chéad ghrád nó den dara grád solais ag gach cúinne, agus an tslat (nó crios an Fhiagaí) i lár baill. Líne dhíreach de thrí réalta atá sa chrios. Ach treo an líne a leanúint leis an tsúil, tiocfar ar Réalta an Mhadra (*Sirius*). Is í seo an réalta is áille sa spéir, agus í ag spréacharnach go hildaite, bán, dearg, buí, gorm. Cheaptaí go raibh tionchar mire ag an réalta seo ar mhadraí. Scríobh Yeats *'Seven dog-days we let pass, counting queens in Glenmacnass'*. Bíonn na 'laethanta madrúla' i mí Lúnasa (mire: gealtachas/ madness)

Tá slata tomhais ann a léiríonn ó lá go lá conas mar atá na praghsanna i gcoitinne ar an stocmhargadh – an bhfuil siad ag éirí nó ag titim. I gcás na tíre seo tá Luachan Stocmhalartán na hÉireann (LSÉ) againn; sa Bhreatain tá an *Financial Times* (*FT*) *Index*, agus tá Innéacs *Dow Jones* i Meiriceá.

Tá cineálacha éagsúla °urrúis ann. De bharr luaineacht an mhargaidh baineann éiginnteacht le luach scaireanna de ghnáth. Ach tá 'urrúis °órchiumhsacha' nó 'sárurrúis' ann. Is iadsan urrúis atá faoi rathaíocht ag an rialtas. Agus tá 'gormshliseanna' (nó 'scothscaireanna') ann chomh maith. Scaireanna iadsan a bhfuil ardmheas orthu, agus ardéileamh, mar gheall ar sheasamh rímhaith a bheith acu i gcúrsaí tionsclaíochta. (Tagann an téarma 'gormshlis' ón chluiche cártaí pócar.)

An mana Laidine atá ag Stocmhalartán Bhaile Átha Cliath ná *'Meum Verbum Pactum'*. Is ionann sin agus mana na Féinne in Éirinn fadó, 'Beart de réir ár mbriathar'.

Luachan Stocmhalartán na hÉireann (LSÉ): Irish Stock Exchange Quotation (ISEQ)
rathaíocht: banna, geallúint/ guarantee
gormshlis: infheistíocht a bhfuil ardmheas uirthi ó thaobh ioncaim agus sábháilteachta caipitil de/ blue chip
mana: nath nó rá gairid a thugann spreagadh do dhream faoi leith/ motto

T

táirgiúlacht
an coibhneas idir aonad ionchuir agus aonad aschuir

Duine a chuireann ar fáil rud nach raibh ann cheana, °táirgeann sé é (scríbhneoir, mar shampla, a scríobhann leabhar; nó siúinéir a dhéanann troscán): tá sé táirgiúil.

I gcúrsaí tionsclaíochta agus tráchtála is minic a úsáidtear an táirgiúlacht mar shlat tomhais ar bhrabúsacht an ghnó. An luach saothair a fhaigheann an gnó nuair a dhíolann sé na hearraí nó na seirbhísí a chuirtear ar fáil, más mó é ná na costais a bhain leis an obair, is féidir a rá go bhfuil sé táirgiúil. Mura mbaineann comhlacht leibhéal sásúil táirgiúlachta amach, ní mhairfidh sé. Mar bíonn comhlachtaí in iomaíocht le chéile. Dá mhéad táirgiúlacht a bhaineann comhlacht amach, sea is saoire is féidir leis a chuid earraí a dhíol ar an mhargadh. Is mó an t-éileamh a bheidh orthu dá réir. Is fearr as a bheidh an comhlacht sin dá bharr i gcúrsaí iomaíochta.

Áirítear an táirgiúlacht ar bhonn mhéid agus chineál na n-ionchur (idir thalamh, shaothar agus chaipiteal) is gá a chur isteach sa phróiseas táirgthe. Baineann cumas agus costas °bainistíochta leis an scéal chomh maith. An bhfuil na scileanna cuí ag an lucht oibre agus fonn ceart chun saothair orthu? An bhfuil an t-innealra ó mhaith nó den déanamh is úire agus is éifeachtaí? An bhfuil an próiseas táirgthe féin á riar le héifeacht? Is gá ceisteanna den chineál seo a chur, agus a fhreagairt, nuair a bhíonn táirgiúlacht tionscail á meas.

---

táirgiúlacht: productivity
ionchur: méid de acmhainn a chuirtear isteach i bpróiseas/ input
aschur: an méid a chuirtear ar fáil as foinse laistigh de thréimhse áirithe/ output
siúinéir: saor adhmaid/ carpenter
troscán: trioc/ furniture
brabúsacht: cumas chun brabús a ghnóthú/ profitability
iomaíocht: comórtas/ competition

Uaireanta déantar comhaontaithe táirgiúlachta idir na hoibrithe agus an bhainistíocht. Tarlaíonn ó am go chéile gur mian leis an bhainistíocht breis táirgiúlachta a bhaint amach trí athruithe a dhéanamh sna modhanna oibre, nó trí innealra nua a chur in úsáid. Agus tharlódh go n-aontódh na hoibrithe leis na hathruithe sin dá bhfaighidís féin a sciar de thorthaí na táirgiúlachta breise sin, trí breis tuarastail a thuilleamh nó trí feabhas a chur ar °thosca a gcuid oibre. Nuair a chinntítear ar shocrú den sórt sin a chur i bhfeidhm, tugtar *comhaontú táirgiúlachta* air.

obair
obra an focal ar 'obair' sa Phortaingéilis. Tá an focal *oeuvre* sa Fhraincis beagnach mar an gcéanna, ach go séimhítear an 'b' sa teanga sin

Tá go leor cineálacha oibre ann nach féidir an táirgiúlacht a bhaineann leo a thomhas go díreach. Tá cuid mhór de obair na seirbhíse poiblí ar an dul seo. Tá sé deacair, mar shampla, táirgiúlacht múinteora a thomhas. Is féidir ionchuir na múinteoireachta a thomhas, ar ndóigh – an méid ama a chaitheann an múinteoir ag ullmhú le haghaidh ranga, agus an méid ama a chaitheann sé nó sí i mbun ranga. Ach conas is féidir aschur a chuid saothair – oideachas – a thomhas? I gcásanna mar seo bíonn daoine réidh glacadh le bealaí tomhais indíreacha – líon na bpasanna nó na n-onóracha a ghnóthaíonn na daltaí, mar shampla. Ach is féidir le slata tomhais indíreacha duine a chur ar strae. Ceart go leor, b'fhéidir go dtabharfaidh córas na scrúdúchán an chraobh dóibh siúd is dílse a chloíonn le córas na scolaíochta. Ach an é sin cuspóir an oideachais? Táthar ann a déarfadh gur phríomhghnó an oideachais féith na °cruthaitheachta a spreagadh sna mic léinn, a bhféiniúlacht mar dhaoine a fhorbairt, agus muinín as a gcumas féin a mhúscailt iontu. Ach conas is féidir na nithe sin a thomhas?

Tánaiste
ionadaí an Taoisigh

An bhfuil a fhios agat gur tháinig an focal seo, faoin leagan *tanist*, isteach sa Bhéarla chomh fada siar leis

sciar: scair, cuid/ share
craobh a thabhairt: luach saothair a thabhairt nó duais a bhronnadh/ to reward
féith: tallann, bua nádúrtha/ talent, natural bent

an séú céad déag? Ba nós i measc na gCeilteach rí nua a thoghadh nuair a fhaigheadh an seanrí bás.

Mhair an traidisiún seo in Éirinn go dtí tar éis teacht na Normannach. Ach ní raibh sé sásúil mar nós. Mar bhí gach gaol fir leis an rí, síos go dtí an tríú glúin, i dteideal a °thofa mar rí. Ní nach ionadh, chothaíodh sin éad agus aighneas. Dhéanadh na Normannaigh agus naimhde eile béal dorais an t-aighneas seo a shéideadh d'fhonn na ceantair Ghaelacha a lagú agus a chur faoina smacht. Chun teacht timpeall ar an fhadhb seo, thosaigh na Gaeil ar °chomharba[204] an rí a thoghadh agus an rí ina bheatha fós. Tugadh tánaiste ar an chomharba, focal a chiallaíonn an dara (nó an tarna) duine ba thábhachtaí sa ríocht. °Comhréiteach a bhí sa chóras seo idir an córas dúchasach agus an córas °feodach, a bhí bunaithe ar cheart sinsearachta. Inniu tá aitheantas dlí ag post an tánaiste faoi bhunreacht na hÉireann.

Taoiseach
príomh-aire

De Valéra

Sa seansaol chiallaigh 'taoiseach'[205] ceannaire nó flaith. Bhíodh an *taoiseach* ar *thús* a mhuintire in am catha agus is é is *túisce* a d'fhaigheadh onóir in am fleá. Ciallaíonn 'taoiseach' mar sin an té atá chun *tosaigh* ar dhaoine eile. Is ionann fréamh do na focail seo go léir. Baintear úsáid as an téarma i mbunreacht na hÉireann mar theideal ar cheannaire an rialtais, nó ar an phríomh-aire. I mBunreacht Shaorstát Éireann (1922-37) thugtaí Uachtarán na Comhairle Feidhmithí ar an phríomh-aire.

Caithfidh an Taoiseach bheith ina bhall de Dháil Éireann. Ainmníonn an Dáil an duine agus ceapann an tUachtarán é. Ansin ainmníonn an Taoiseach °comhaltaí eile an rialtais, na hairí, agus ar aontú na Dála lena chuid moltaí ceapann an tUachtarán iad sin chomh maith. Sannann an Taoiseach gach aire ar roinn

---

aighneas: easaontas/ dispute
séideadh: spreagadh/ to incite
feidhmitheach: freagrach as gnó a chur i gcrích/ executive
sannadh: tabhairt go foirmiúil de réir modha dhlíthiúil/ to assign, appoint

Ó Coisdeala

Lemass

Ó Loingsigh

Mac Cosgair

Mac Gearailt

Ó hEochaidh

rialtais faoi leith. Ainmníonn sé nó sí duine amháin acu mar Thánaiste, chun feidhmiú thar a c(h)eann mar Thaoiseach má tharlaíonn go mbíonn an Taoiseach féin faoi éagumas[184] nó má tharlaíonn nach mbíonn sé nó sí ar fáil chun dualgais a (h)oifige a chomhlíonadh.

Ainmníonn an Taoiseach an Príomh-Aturnae Stáit (comhairleoir dlí an rialtais), agus ceapann an tUachtarán an duine sin. Tig leis an Taoiseach a mholadh don Uachtarán glacadh le mian aire chun éirí as oifig. Tig leis an Taoiseach a áitiú freisin ar aire éirí as oifig. Mura ngéilleann an t-aire don achainí sin, cuireann an tUachtarán deireadh lena cheapachán ar mholadh an Taoisigh. Má éiríonn an Taoiseach féin as oifig, glactar leis go ndéanann airí eile an rialtais mar an gcéanna.

Cuirtear clár °reachtaíochta an rialtais chun cinn faoi stiúir an Taoisigh, agus déanann sé nó sí obair na ranna stáit go léir a chomhordú[177] trí cruinnithe rialta comh-aireachta a reachtáil agus trí chaidreamh pearsanta leis na hairí. Glacann an Taoiseach páirt i gcruinnithe le cinn rialtais eile an Chomhphobail Eorpaigh; is ionadaí an rialtais é nó í ar ócáidí thar lear; bíonn plé ag an Taoiseach leis na °comhpháirtithe[177] sóisialta; cuireann sé nó sí mórpholasaithe an rialtais i

éagumas: easpa cumais/ disability
áitiú: spás a líonadh/ to occupy space
achainí: iarraidh nó impí go foirmiúil/ to petition
comhordú: comheagrú/ to coordinate

Mac Raghnaill

láthair do na °meáin chumarsáide, agus cothaíonn eagar agus meanma a p(h)áirtí pholaitiúil féin. Agus lena chois sin go léir déileálann an Taoiseach le ceisteanna a chuireann toghthóirí a d(h)áilcheantair féin faoina b(h)ráid.

Ochtar Taoiseach a bhí againn go nuige seo: Éamon de Valéra (1938-48, 1951-53, 1957-59); Seán A. Ó Coisdeala (1948-51, 1954-57); Seán Lemass (1959-66); Seán Ó Loingsigh (1966-73, 1977-79); Liam Mac Cosgair (1973-77); Gearóid Mac Gearailt (1981-82, 1982-87); Cathal Ó hEochaidh (1979-81, 1982, 1987–92); Ailbhe Mac Raghnaill (1992–).

tírghrá
dílseacht duine dá thír féin agus bheith aireach faoina leas

Scríobh an file Rómhánach Horáit[206] (nó Quintus Horatius Flaccus (65-68 RCh), chun a ainm ceart a lua) líne chlúiteach filíochta a mhaireann fós: *Dulce et decorum est pro patria mori* ('Is milis agus is cóir é bás a fháil ar son do thíre'). *Patria*, sa Laidin, sin 'tír dhúchais' nó 'athartha'. Tagann sé ón fhocal *pater* (athair). (Is ionann 'athair' na Gaeilge agus *pater* na Laidine, agus an 'p' fágtha ar lár, mar ba nós leis na Q-Cheiltigh.)

Ait go leor, níl aon fhocal dúchasach sa Ghaeilge ar an tsuáilce chumhachtach seo. Níl againn ach °cumasc nuadhéanta – tírghrá. Conas sin? Cheap na Francaigh téarma ar an tírghrá nuair a bhí siad i ngleic leis na Sasanaigh sa Chogadh Céad Bliain. I dtús an chogaidh (1339) ní raibh a leithéid de rud agus °náisiúntacht °chomhfhiosach ag an Fhrainc. Ní raibh de spéis ag an rí agus ag na tiarnaí (na *seigneurs*) ach leas a n-eastát féin a chosaint. Um dheireadh an chogaidh, áfach, agus tar éis inspioráid Jeanne d'Arc (1412-31), bhí athrú ar an scéal. Glactar le hathghabháil Pháras ag na Francaigh sa bhliain 1436 mar dháta bhúnú na Fraince mar stát aonadach.

Bheadh ciall agus bheadh gá acu le focal mar 'tírghrá' feasta. San aois dár gcionn, an séú céad déag,

---

tírghrá/ patriotism
athartha: athairthír/ fatherland
suáilce: bua morálta/ virtue

Jeanne d'Arc. Ainmníodh í mar naomhphátrún an tírghrá nuair a canónaíodh í sa bhliain 1920

nuair a bhí feachtas aontaithe, idir mhíleata agus pholaitiúil, ar siúl ag na Túdaraigh i Sasana agus in Éirinn, ghlac siad leis an choincheap ó na Francaigh, agus thóg an focal *patriotism* ar iasacht uathu.

Ní raibh focal ag na hÉireannaigh ar an mhothú láidir seo go dtí i bhfad ina dhiaidh sin. Ní hamhlaidh nach raibh an mothú i gcroíthe Éireannach. Bhí, go daingean. Ach sa chéad áit, níor oir téarma a chuir *atharthacht* in iúl do na Gaeil. Bhí, agus tá, an traidisiún go láidir in Éirinn gur *máthairthír* í Éire. Is léiriú é ar chumhacht thionchar an traidisiúin a dheacracht agus a bheadh sé, fiú sa Bhéarla, agus fiú go dtí an lá inniu, *fatherland* a thabhairt ar Éirinn.

Bhí an dara cúis leis an mhoill freisin. Ón chianaimsir anall bhí coincheap phearsantacht leithleach na hÉireann chomh láidir sin nár leor téarma neamhphearsanta chun í a chur in iúl. Pearsanaíodh Éire mar bhanríon (de chine finscéaltach Thuatha Dé Danann), nó mar ainnir álainn na n-aislingí san ochtú céad déag.

Nuair a bhí an tír á ciapadh agus an seanchóras Gaelach á scrios sa seachtú céad déag, nochtadh an crá a chuir na tubaistí sin ar na filí amhail agus dá mba dhuine gaoil leo a bhí á céasadh. I ndán clúiteach amháin deir an file faoi Éirinn:

Tá mo anam istigh i ngean ort; is ní inné ná inniu
A d'fhág tú lag anbhann mé i ngné is i gcruth;
Ná feall orm is mé i ngean ort, a Róisín Dubh.

Go deimhin, ba ar éigean a d'fhéadfadh focal neamhphearsanta mar 'thírghrá' mothúchán den chineál seo a chur in iúl. Ach i °dtosca ár linne, i dtír dhaonlathach de chuid an lae inniu, oireann an

---

a dheacracht agus: cé chomh deacair agus/ how difficult (it is)
leithleach: scartha ó chéile/ apart, separate
pearsanú: tréithe daonna a chur i leith ruda neamhbheo/ to personify
finscéaltach: a bhaineann le seanscéal nach fios an bhfuil bunús fíor bréagach leis/ legendary
ciapadh: crá/ to torment
anbhann: fann, an-lag/ feeble

téarma go feilmeanta. Is tábhachtaí pobal beo ná pearsanú finscéaltach.

tríú domhan, an
na tíortha neamhfhorbartha

gorta
'féar gorta', b'in cineál féir ar na móinteáin nó ar na sléibhte a chuireadh laige mhillteanach ocrais ar dhuine, dá seasfadh sé air. Mura mbeadh blúire éigin bia ag an duine lena ithe láithreach, gheobhadh sé bás gan mórán moille. Áiteanna a luaitear ach go háirithe leis an chontúirt seo ba ea Sliabh Bhréanainn i gContae Chiarraí agus Sléibhte Ó Méith i gContae Lú. Nuair a d'ití lón amuigh faoin spéir cheaptaí gur chóir roinnt den chonamar bia a fhágáil i gcóir 'na ndaoine maithe' (an slua sí) nó chuirfidís mallacht an fhéir ghorta ar an áit. Bhí bunús substaintiúil taobh thiar den phiseog seo. Fadó, nuair ba mhinic easpa bia nó cóir cheart ar dhaoine, d'fhéadfadh lagachar teacht orthu agus iad amuigh ag aoireacht nó ag baint móna in áit iargúlta, agus mura bhfaighidís cabhair, ba bheag teacht aniar a bheadh iontu chun teacht slán as an ghá, go háirithe dá mbeidís sínte ansin thar oíche

Is iad an chéad agus an dara domhan an dá phríomhghrúpa de thíortha °forbartha. An chéad domhan, sin iad tíortha na saor°fhiontraíochta agus na Stáit Aontaithe ina gceann; agus an dara domhan, b'in í an Rúis agus na tíortha sóisialacha a bhí ag géilleadh dá teagasc.

Is iad comharthaí sóirt na dtíortha sa tríú domhan ná: leibhéal fíoríseal gníomhaíochta sa °gheilleagar; róspleáchas ar cheann nó dhó de thráchtearraí príomhúla; °bonneagar teoranta; easpa litearthachta; seirbhísí easnamhacha leasa shóisialaigh agus sláinteachais.

Tá géarghá ag tíortha an tríú domhan le cabhair ó na tíortha forbartha – chun faoiseamh a thabhairt dóibh ó thubaistí móra, amhail gorta, tuilte, creathanna talún go minic, agus, i dtólamh, chun a ngeilleagar féin a fhorbairt.

Tá sprioc ann a aithnítear go hidirnáisiúnta maidir leis an leibhéal cabhrach oifigiúil is cóir do na tíortha forbartha a thabhairt dá mbráithre sa tríú domhan. Is é 0.7 faoin gcéad den olltáirgeacht náisiúnta (OTN) an sprioc sin, agus tá sé lasmuigh de aon chabhair dheonach neamhoifigiúil. Sáraíonn cuid de na stáit Arabacha (a bhfuil saibhreas ola acu) an sprioc. Tá dornán beag eile a bhaineann é amach, an Ísiltír agus

feilmeanta: dearfa láidir/ powerful
comhartha sóirt: tréith aitheantais/ feature, characteristic
róspleáchas: bheith ag brath an iomarca ar/ over-dependence
tráchtearra: ábhar tráchtála/ commodity
príomhúil: príomha, bunúsach/ primary
litearthacht: cumas léimh agus scríofa/ literacy
i dtólamh: i gcónaí/ always, perpetually
sprioc: targaid/ target
olltáirgeacht náisiúnta (OTN): iomlán na n-earraí agus na seirbhísí a chuirtear ar fáil i náisiún i dtréimhse bliana/ gross national product (GNP)
Ísiltír, an: the Netherlands

Seán Ó hÉigeartaigh, saineolaí Éireannach i gcúrsaí gairneoireachta, le mic léinn ag Ionad Oiliúna Feirmeoireachta, Ndola sa tSaimbia (gairneoireacht: horticultural)

an Iorua, mar shampla. Ach ar a mheán, ní thugtar ach 0.36 faoin gcéad.

Sa bhliain 1987 thug Éire IR£39 milliún de chabhair oifigiúil. B'in 0.226 faoin gcéad den OTN. Bhí timpeall IR£22 mhilliún den mhéid sin i bhfoirm cabhrach iltaobhaí a tugadh tríd an Chomhphobal Eorpach, na Náisiúin Aontaithe agus tríd an Bhanc Dhomhanda. Tuairim is IR£18 milliún a tugadh mar chabhair dhéthaobhach. Cuireadh an chabhair seo ar fáil le haghaidh scéimeanna forbartha sa tSaimbia agus le haghaidh tionscadal a bhí á riar faoi scéimeanna seirbhíse pearsanta. Timpeall ceithre chéad caoga de speisialtóirí agus de oibrithe forbartha ó Éirinn a bhí í mbun na dtionscadal seirbhíse seo. Is tríd an Áisíneacht um Sheirbhís Phearsanta Thar Lear a dhéantar an obair seo a riar. Tugadh IR£1 mhilliún freisin do dhreamanna amhail Gorta, Coiste Athlonnaithe na nDídeanaithe, agus an Coiste Comhairleach um Chomhoibriú Forbartha.

Iorua, an: Norway
iltaobhach: le breis agus beirt i bpáirt/ multilateral
déthaobhach: le beirt i bpáirt/ bilateral
tionscadal: scéim atá le cur i gcrích/ project

Tugann Éire méid mór cabhrach go rialta ar bhonn deonach – timpeall IR£20 milliún i 1986. Lena chois sin tugtar bronntanais éadaigh, bia, leabhar, solatháirtí leighis srl. Lena gcois sin arís sa bhliain 1990 bhí 4,498 misinéir Caitliceacha ó Éirinn, 186 mhisinéir ó na hEaglaisí Críostaí eile in Éirinn, agus 237 nÉireannach eile de chuid °áisíneachtaí forbhartha ag saothrú i nócha tír ar fad, san Afraic, san Áis, i Meiriceá Theas, agus sa Mheán-Oirthear. Dá bhféadfaí luach airgid a chur ar a saothar siúd – de IR£10,000 an duine in aghaidh na bliana, abraimis (agus tá sin fíoríseal mar mheán), ba ionann é agus IR£50 milliún. Is méid °suntasach é sin, ar leibhéal comparáide idirnáisiúnta ar bith.

tromlach
líon níos mó ná leath; móramh; formhór; mórchuid

Is prionsabal bunúsach de chuid an daonlathais é go ndéantar ceisteanna a réiteach de réir thoil an tromlaigh. (Is ionann '-lach' san fhocal sin agus buíon daoine.) Tá an prionsabal imithe chomh domhain sa smior ionainn go nglacaimid leis gan cheist an chuid is mó den am. Feictear do dhaoine gurb é sin an bealach is cothroime chun ceisteanna a réiteach nuair a bhíonn malairtí tuairime ann.

Nuair a bhíonn rogha le déanamh idir beirt °iomaitheoirí nó idir dá chinneadh, tá sé soiléir go mbeidh breis is leath de na vótaí ag an té nó ag an taobh a bhuann. Tugtar *dearbhthromlach*, is é sin fíorthromlach, ar thromlach den chineál sin. Nuair a ghnóthaíonn taobh amháin níos mó ná 50 faoin gcéad de na vótaí, is féidir a rá go bhfuil tromlach na vótálaithe go dearfa ar son taoibh amháin.

Ach nuair atá níos mó ná dhá rogha i gceist – nuair atá triúr san iomaíocht le haghaidh poist, abair – ní gá don bhuaiteoir dearbhthromlach a bhaint amach. Déanfaidh tromlach simplí cúis dó sa chás sin. Má chaitear na vótaí ar an dul seo – 40 faoin gcéad, 30

---

tromlach: majority
sa smior: sa chnámh, ó nádúr/ intrinsic, innate
[smior: smúsach/ marrow, quintessence]

faoin gcéad, 30 faoin gcéad—tugtar tromlach simplí ar an 40 faoin gcéad sin. Ní dearbhthromlach é mar tá sé níos lú ná a leath de na vótaí go léir. (Faoin chóras toghchánaíochta atá againn in Éirinn ní fhéadfadh duine suíochán Dála nó eile a ghnóthachan le *tromlach simplí*: mínítear cad a tharlaíonn sa chás sin sa mhír a bhaineann le 'vóta'.)

Tá tromlach de shórt eile ann, an tromlach coinníollach. Tromlach é sin nach °n-áirítear ina thromlach mura sroicheann sé céatadán áirithe den iomlán. Nuair is gá, abair 66 faoin gcéad de vótaí na mball chun bunreacht cumainn pheile a athrú, tá *tromlach coinníollach* i gceist.

Chun go bhfeidhmeoidh an rialtas le héifeacht ní foláir, de ghnáth, go dtabharfaidh dearbhthromlach de na Teachtaí Dála tacaíocht dóibh. Ar uaire áfach, ar chúiseanna éagsúla, tig le rialtas nach bhfuil ach tacaíocht mhionlaigh den Dáil taobh thiar de, teacht slán agus fanacht i gcumhacht.

Ach fiú nuair atá dearbhthromlach ag an rialtas, tá teorainn lena gcumhacht. D'fhéadfadh °údarásúlacht nó fiú 'dlí an tslua' a theacht as dlí an tromlaigh mura raibh an teorainn sin ann. Chun mionlaigh agus daoine aonair a dhíon tugann °bunreacht na hÉireann, agus bunreachtanna liobrálacha eile, cosaint do réimse cearta °bunúsacha daonna trí mheán na gcúirteanna.

An *tromlach tostach*, sin coincheap Meiriceánach chun tagairt a dhéanamh don mhóramh a mheastar a bheith ann i gcónaí, an móramh coimeádach. Ní chloistear mórán uathu, ach is é a thuigtear ón téarma ná gur líonmhaire iad ná na liobrálaigh challánacha úd a mbíonn cluas na meán cumarsáide acu.

peil
b'fhéidir go bhfuil baint ag an fhocal seo le *pille* sa Mheán-Phléimeannais agus le *pila* sa Laidin ('liathróid'). Is ionann *pila* agus 'cluiche peile' chomh maith. (Áirítear an Phléimeannais agus an Ollainnis mar aon teanga amháin anois)

teorainn
tá roinnt bheag focal a chumann an ginideach uatha ar chonsan leathan. Timpeall an ceathrú cuid de na cinn is coitianta, is téarmaí geografacha iad, mar atá thíos:
abhainn, abhann
teorainn, teorann
Árainn, Árann (Tiobraid Árann, Oileáin Árann)
Albain, Alban
Éire, Éireann
(Dáil Éireann)
Londain, Londan
(Túr Londan)
Lochlainn, Lochlann
(Críocha Lochlann)
Manainn, Manann
(Oileán Mhanann)
Muirfin, Muirfean
(Sráid Mhuirfean)
Laighin, Laighean
(Teach Laighean)
Mumhain, Mumhan
(Cúige Mumhan)
Ulaidh, Uladh
Connachta, Connacht

céatadán: uimhir mar chodán de chéad/ percentage
díon: cumhdach, cosaint/ to protect
coimeádach: caomhnach/ conservative
callánach: glórach/ clamorous

U

uachtarán
an ceann stáit ar phoblacht

de hÍde

Ó Ceallaigh

de Valéra

Tá tosach ag Uachtarán[207] na hÉireann ar gach uile dhuine sa stát, agus ar chuairteoirí, dá oirirce, sa tír. Ach feidhmíonn an tUachtarán ar gach bealach, beagnach, de réir mar a dhíríonn an rialtas. Gach saoránach atá cúig bliana is tríocha d'aois, is intofa chuig oifig an Uachtaráin é nó í. Is féidir le duine atá nó a bhí ina (h)Uachtarán é féin nó í féin a ainmniú don oifig. Iarrthóirí eile, caithfear iad a ainmniú ag fiche duine ar a laghad atá ina °gcomhaltaí de cheann de Thithe an Oireachtais; nó is féidir iad a ainmniú ag ceithre cinn de chomhairlí contae nó de chomhairlí contaebhuirge. Fanann an tUachtarán in oifig go ceann seacht mbliana. Duine atá nó a bhí ina Uachtarán, is intofa chun na hoifige é nó í an dara huair, ach sin an méid. Gach duine a bhfuil ceart vótála aige nó aici in olltoghchán, tá ceart vótála aige nó aici i dtoghchán don Uachtarán, agus is ar an dul chéanna le holltoghchán a bhíonn an toghchán, is é sin, de réir na hionadaíochta cionmhaire.

An tOireachtas an t-ainm sa bhunreacht ar an pharlaimint náisiúnta. Is éard atá san Oireachtas ná an tUachtarán, Dáil Éireann agus Seanad Éireann. Is é an tUachtarán, ar chomhairle an Taoisigh, a ghaireann an Dáil le chéile, agus a lánscorann í ar an dóigh chéanna de ghnáth. Ceapann an tUachtarán an Taoiseach, arna ainmniú ag Dáil Éireann. Ansin ceapann an tUachtarán comhaltaí eile an rialtais, arna n-ainmniú ag an Taoiseach, le comhaontú na Dála. Ceapann an tUachtarán na breithiúna chomh maith, ar chomhairle an rialtais. Chun go ndéanfar reacht nó dlí de bhille ní

oirirc: céimiúil/ distinguished
ionadaíocht chionmhar: ionadaíocht ag páirtithe de réir an mhéid (.i. an cion) de na vótaí a chaitear ar a son/ proportional representation
gairm: tionól/ to summon, convoke
lánscor: críoch a chur le saol parlaiminte srl/ to dissolve

Childers

Ó Dálaigh

Ó hIrghile

Mhic Róibín

mór go síneoidh an tUachtarán é, agus go ndéanfaidh sé nó sí é a fhógairt.

Tá na fórsaí cosanta faoi ardcheannas an Uachtaráin, ach is é an tAire Cosanta a riarann an ceannas sin go praiticiúil thar ceann an rialtais.

Nuair a théann an tUachtarán i gcúram a (h)oifige, tugann sé nó sí dearbhú sollúnta go mbeidh sé nó sí ina t(h)aca agus ina d(h)ídean don bhunreacht is go ndéanfaidh sé nó sí a lándícheall ar son leas agus fhónamh mhuintir na hÉireann. Tá Comhairle Stáit ann chun cabhair agus comhairle a thabhairt don Uachtarán.

Seisear fear a bhí ina nUachtaráin ó bunaíodh an oifig. Is iad na daoine sin ná Dubhghlas de hÍde (1938-45), Seán T. Ó Ceallaigh (1945-52, 1952-59), Éamon de Valéra (1959-66, 1966-73), Erskine Childers (1973-74), Cearbhall Ó Dálaigh (1974-76), Pádraig S. Ó hIrghile (1976-83, 1983-90). Toghadh an chéad bhean, Máire Mhic Róibín, don oifig i 1990.

---

dearbhú: geallúint/ undertaking

V

vóta
bealach foirmiúil chun toil duine a chur in iúl maidir le hiarrthóir a thoghadh nó le ceist a réiteach

Síolraíonn na focail 'vóta' agus 'vótáil' ó *votum* na Laidine, a chiallaíonn 'mian' nó 'móid'. Sula raibh léamh agus scríobh ag an phobal i gcoitinne, ní fhéadfaidís a dtoil a chur in iúl aimsir thoghcháin ach trí labhairt amach, is é sin, trí 'guth'[208] a chaitheamh. Bhíodh an vótáil sin go hoscailte, rud a chur ar chumas daoine le cumhacht, tiarnaí talún agus a leithéid, brú a chur ar na gnáthdhaoine guth a chaitheamh ar mhaithe leis an iarrthóir a thaitin le dream na cumhachta. Anois is gnách vótáil faoi rún, trí vóta a chaitheamh laistigh de bhoth vótála, gan aon duine ag faire ort. In Éirinn déantar an vótáil trí uimhir nó trí uimhreacha in ord a chéile a chur ar pháipéar vótála. Ach tá stáit i Meiriceá ina ndéanann an toghthóir luamhán a oibriú a chláraíonn a vóta go meicniúil. Sna háiteanna sin is féidir torthaí toghcháin a fhógairt gan mhoill nuair a bhíonn an vótáil iomlán thart. Mar sin, ní bhíonn orthu comhaireamh de láimh a dhéanamh faoi mar a bhíonn againn in Éirinn.

Uaireanta, milleann, nó loiteann, toghthóirí a vótaí trí ainbhios nó mar chomhartha agóide. Tugtar an 'vótáil iomlán bhailí' ar iomlán na vótaí a chaitear i gceart. Roinntear an tír ina dáilcheantair le haghaidh olltoghcháin, agus ina toghlaigh (ceantair atá ar aon dul le dáilcheantair ach níos lú) i gcás toghcháin áitiúil. Modh na hionadaíochta cionmhaire atá i bhfeidhm againn in Éirinn. Tugann sin an deis is fearr is féidir ionas go mbeidh ionadaíocht ag mionlaigh éagsúla i measc na ndaoine a thoghtar. Is féidir é seo a mhíniú trí cúpla sampla a thabhairt.

---

luamhán: maide chun gléas a oibriú/ lever
agóid: gearán, soifniú/ protest
bailí: dlisteanach/ valid
dáilcheantar, toghlach: ceantar toghcháin/ constituency
cionmhar: gaolmhar ar bhonn coibhnis áirithe/ proportional
mionlach: níos lú ná leath/ minority

suíochán
ón bhriathar 'suí' ('suidhe' de réir an tseanlitrithe). Tá an focal gaolmhar le *sit* an Bhéarla, le *sedeo* na Laidine, agus le *sadas* na Sanscraite. Meastar gurbh é *sedó* an bunfhoinse Ind-Eorpach

I Sasana, mar shampla, níl ag daoine ach vóta singil neamh-aistrithe. Is é sin, níl ach suíochán amháin le líonadh i ngach toghlach, agus ní féidir le duine ach rogha amháin a dhéanamh. Mar sin, má théann triúr iarrthóirí, A, B agus C, in °iomaíocht leis an suíochán chéanna a bhaint amach, ní bhíonn de chead ag na vótálaithe ach vóta aonair amháin a chaitheamh ar son duine amháin den triúr. Má fhaigheann A 35 faoin gcéad de na vótaí, abair, B 34 faoin gcéad agus C 31 faoin gcéad, bíonn an lá ag A, cuma an é sin an té ab fhearr den triúr le móramh na vótálaithe. B'fhéidir go mbeadh an °tromlach glan ina éadan.

Ní mar sin in Éirinn. Sa chéad áit, is toghlaigh iolracha a bhíonn anseo: is é sin, bíonn roinnt suíochán le líonadh i ngach toghlach, idir trí agus cúig cinn de ghnáth. Leagtar síos cuóta ansin, agus ní foláir do iarrthóir an cuóta sin a ghnóthú lena thoghadh. Seo mar a aimsítear an cuóta. Má bhíonn ceithre shuíochán le líonadh, roinntear an 'vótáil iomlán bhailí' ar chúig (is é sin, an líon suíochán + aon), agus ansin cuirtear aon vóta eile leis an toradh. Sin an méid vótaí ar a laghad is gá do iarrthóir a ghnóthú le go dtoghfar é.

nuair
'an t-am (a tharlaíonn rud)' is ciall leis seo, nó 'an uair', agus is as dá fhocal deiridh seo a cumadh 'nuair'

Má tá cuma aisteach casta air seo, smaoinigh ar cad a tharlaíonn nuair nach mbíonn ach folúntas amháin le líonadh agus beirt san iomaíocht. Abraimis go bhfuil 100 vóta le caitheamh. Chun buachan caithfidh iarrthóir amháin 51 vóta ar a laghad a ghnóthú. Is ionann 51 agus 100÷2 + 1. Is rud a tharlaíonn sa chás seo ná go roinntear an 'vótáil iomlán bhailí' ar an 'líon suíochán (aon cheann) + aon (is é sin, dhá cheann), agus aon vóta eile a chur leis chun tromlach a chinntiú. Níl á dhéanamh, nuair atá níos mó ná aon suíochán le líonadh ach an cleachtas céanna a chur i bhfeidhm.

Ach cad a tharlaíonn nuair nach dtoghtar duine ar bith ar an chéad chómhaireamh faoin chóras seo? An

---

iolrach: níos mó ná ceann amháin/ multiple
cuóta: cion/ quota

cealaítear
cumtar an briathar saor, aimsir láithreach, sa Ghaeilge tríd an iarmhír '-tar'/ '-tear' a chur leis an bhriathar, faoi mar atá anseo. Tá an iarmhír chéanna le fáil i gceithre cinn de mhór-ranna teanga na hInd-Eorpaise. Ar na ranna sin tá an Cheiltic agus an Iodáilic (Laidin). Mar shampla, i gcás an bhriathair 'canaim' sa Ghaeilge agus *cano* sa Laidin (ar ionann ciall dóibh), is ionann brí do 'cantar' agus *canatur*; mar an gcéanna le 'creidim' agus *credo*: is ionann ciall do 'creidtear' agus *creditur*. Bhíodh an iarmhír le fáil freisin sa Hitis, teanga chine a thóg impireacht leathan sa Tuirc agus sa tSiria breis agus 3,500 bliain ó shin. Cailleadh an Hitis mar theanga labhartha timpeall 900 RCh. Bhí an iarmhír chéanna ag na Tocháirigh a chónaigh i gCúige Sinkiang, in iarthuaisceart na Síne, go dtí 800 AD nó mar sin. Ansin d'imigh siad as. Níorbh eol do aon duine iad a bheith ann ar chor ar bith go dtí gur thángthas ar a gcuid scríbhinní níos luaithe san aois seo. Meastar go bhfuil an-chosúlachtaí idir a dteangacha (bhí dhá cheann acu) agus na teangacha Ceilteacha

dara rud difriúil atá againn in Éirinn ná go bhfuil vóta inaistrithe ag an vótálaí anseo. Ní chailltear vóta aon duine sa chás seo, fiú na vótaí a caitheadh ar son an té is lú tacaíocht. Mar is féidir leis an vótálaí an oiread rogha a chur in iúl ar an pháipéar vótála (in ord a chéile, uimhir 1,2,3 ...) agus atá de iomaitheoirí sa toghchán. Mar sin, nuair nach sroicheann iarrthóir ar bith an cuóta de bharr an chéad chomhairimh, cealaítear an duine is lú vótaí. Ach cé go bhfuil sé as an rás, tugtar seans dá lucht tacaíochta a rá cé acu de na hiarrthóirí atá fós sa rás ab fhearr leo.

Déantar sin trí dara roghanna lucht tacaíochta an té a cealaíodh a roinnt ar na hiarrthóirí eile, de réir mar a léirítear iad le '2' ar na páipéir vótála. Seo an dara comhaireamh sa phróiseas toghcháin. Leantar ar aghaidh mar sin, de réir mar is gá, ag cealú iarrthóirí, ach ag roinnt na vótaí a tugadh dóibh de réir a roghanna na vótálaithe (3,4,5 ...) ar na daoine a mhaireann fós san iomaíocht, go dtí go n-éiríonn le hiarrthóir cuóta a bhaint amach. An té a bhaineann cuóta amach, tá sé tofa. Leantar go dtí go líontar na suíocháin go léir sa dáilcheantar.

Nuair a tharlaíonn go bhfaigheann iarrthóir níos mó vótaí ná mar is gá chun suíochán a bhaint amach (is é sin, nuair a bhíonn cuóta agus breis de vótaí aige), roinntear an farasbarr vótaí atá aige de réir na roghanna cuí a nochtar orthu sula gcuirtear aon iomaitheoir eile as an rás. Sa chaoi seo ní chuirtear aon iarrthóir as an iomaíocht go dtí nach bhfuil aon rogha eile ann.

Ar an dóigh seo féachtar le cothrom na Féinne a thabhairt do dhearcaidh mhionlaigh oiread agus is féidir i gcúrsaí toghchánaíochta.

---

farasbarr: fuíoll, barrachas/ surplus

Saibhreas Breise

1. na cúig chéadfa

céadfa, sin aon cheann de na cumais chorpartha atá ag an duine agus ag ainmhithe chun an saol thart timpeall orthu a aireachtáil. Is iad na céadfaí sin: radharc na súl, éisteacht na gcluas, bolú na sróine, blaiseadh béil, tadhall craicinn.

radharc: tá cumas an radhairc chomh beacht sin ag an duine gur féidir leis an tsúil is géire deich milliún de dhromchlaí daite éagsúla a aithint ó chéile gan chabhair.

éisteacht eascainne: éisteacht an-ghéar (eascann: *eel, snake*)

bolú: boladh na húire: tuar an bháis (*the smell of death*). Tá breis agus 17,000 boladh éagsúla aimsithe ag eolaithe go dtí seo.

blaiseadh: 'ní bhlaisim de' (*I don't touch it*), seo rud a déarfadh duine a staonann ón bhraon chrua (ón deoch alcólach).

tadhall: taidhleoir, sin, go bunúsach, duine a mbíonn teagmháil rialta aige le daoine eile; agus mar sin, oifigeach i bpost thar lear thar ceann a t(h)íre, ar nós ambasadóra nó ar nós baill dá f(h)oireann.

2. eaglais

tagann an focal ó *ekklesia*; b'in tionól saoránach sa tSean-Ghréigis. 'Glaoch' ba chiall leis an fhocal ar dtús; théadh teachtairí amach ag fógairt teacht le chéile ar ócáidí tábhachtacha. Focal eile ar eaglaiseach a tháinig ón Ghréigis tríd an Laidin is ea 'cléireach'. Is uaidh a thagann an sloinne Ó Cléirigh, an sloinne is sine san Eoraip, deirtear. Tá sé againn ón naoú céad.

3. tréimhseachán

nuachtán nó iris a thagann amach go rialta seachas gach lá, is tréimhseachán é, a leithéidí seo: seachtanán, coicíseán, míosachán, ráitheachán (gach trí mhí). Bliainiris a thugtar ar thréimhseachán bliantúil. Nuachtán laethúil a thugtar ar pháipéar nuachta a fhoilsítear gach lá. Is é an *Post och Inrikes Tidningar* an nuachtán reatha is sine ar domhan. Tá sé á fhoilsiú sa tSualainn ón bhliain 1644.

4. foilsiú

is ionann foilsiú agus rud a dhéanamh 'follas' nó soiléir. Thar aon táirgeoir eile, b'fhéidir, caithfidh foilsitheoir leabhar a chuid earraí a chur os comhair an phobail chun iad a dhíol. Chuige sin, ní foláir don fhoilsitheoir aird a thabhairt ar na cineálacha leabhar is

---

dromchla: craiceann seachtrach/ surface
tionól: teacht le chéile/ assembly

mó éileamh, ar bhearnaí sa mhargadh léitheoireachta, agus ar spéiseanna a d'fhéadfaí a mhúscailt le leabhair nua.

Is iad céimeanna na hoibre:

(1) Smaoiníonn an foilsitheoir ar théama leabhair a bheadh infhoilsithe, dar leis nó léi, nó faigheann sé nó sí lámhscríbhinn ó údar lena leithéid de smaoineamh ann.

(2) Scrúdaíonn an foilsitheoir an smaoineamh mar seo: cén sórt pobail a léifeadh leabhar den saghas áirithe seo? cé chomh líonmhar iad? cén sórt stíle a theastódh uathu (simplí, scolártha, teicniúil srl)? Má bhíonn freagraí sásúla le fáil ar na ceisteanna seo, caithfear cinn eile a chur i dtaobh na nithe seo: dearadh agus cruth an leabhair, fad, toirt, toisí, léaráidí, dathanna? cén sórt clúdaigh, bog nó crua? cén t-am is fearr foilsiú – san Earrach, roimh Nollaig, ar ócáid chomórtha éigin? cén praghas, mar ag deireadh thiar, caithfidh an díolachán na costais a ghlanadh agus brabach réasúnta a sholáthar?

(3) Murar tháinig smaoineamh an leabhair ó údar, aimsíonn an foilsitheoir údar cuí chun an leabhar a scríobh, agus déanann conradh leis nó léi.

(4) Nuair a bhíonn an téacs ar fáil, tugann an foilsitheoir é do shainléitheoirí chun fiúntas an ábhair a mheas; más gá ansin, pléitear a moltaí siúd leis an údar maidir le hathruithe a dhéanamh ar an téacs.

(5) Tugann an foilsitheoir an téacs leasuithe do eagarthóir lena oiriúnú le haghaidh an chlóchuradóra.

(6) Cuireann an clóchuradóir cló ar an téacs, de réir treoracha an eagarthóra.

(7) Ceartaíonn an t-eagarthóir na profaí go cúramach, agus tugann treoracha don chlóchuradóir faoi na ceartúcháin is gá a dhéanamh.

(8) Déanann an bainisteoir táirgthe socrú le clódóir chun an leabhar a fhoilsiú de réir saintreoracha an eagarthóra.

(9) Déanann an foilsitheoir plean díolacháin maidir leis an leabhar a dháileadh ar na siopaí; maidir le haird an phobail a tharraingt ar an leabhar trí na meáin chumarsáide, trí fhógraíocht, agus trí ábhar nó ócáidí a sholáthar le dúil an phobail a spreagadh chun an leabhar a cheannach.

(10) Nuair a fhaigheann an foilsitheoir stoc den leabhar ó na clódóirí déanann sé nó sí gníomh de réir na socruithe réamhdhéanta ag (9) thuas.

Má éiríonn leis na céimeanna seo go léir, beidh díol maith ar an leabhar agus léifear é. Gheobhaidh daoine luach a saothair as, idir fhoilsitheoir, údar, léitheoirí agus eile. Deirtear, agus is fíor an ráiteas é, 'ní leabhar go léamh'.

5. foraois

'foraighis', b'in áit uaigneach iargúlta mar a gcónaíodh beithígh allta. Le himeacht aimsire leathnaigh brí an fhocail agus simplíodh an litriú i dtreo is gur 'foraois' atá againn anois ar choill mhór. Cé go bhfuil roinnt cosúlachtaí idir 'foraois' agus *forest* an Bhéarla, ní dócha go bhfuil aon ghaol ag an dá fhocal lena chéile. Fuair an Béarla an focal *forest* ó *forestis* i Laidin na Meánaoise, a chiallaigh 'coill gan fál'. Níl aon bhaint ach oiread ag 'foraois' leis an réimír 'for-' cé go gciallaíonn an réimír sin 'tábhacht', 'tréine', 'méid'. Roinnt focal leis an réimír sin is ea:

forás (for-fhás), dul chun cinn leanúnach: development, progress

forlámhas, smacht: domination

forlíonadh, rud breise, breiseachán le nuachtán: supplement
forhalla, halla tosaigh: foyer
forsheomra: ante-room, lobby
fordhuilleog: fly-leaf
forimeall: periphery
forluí: to overlap
forbhríste: overalls
forléine: smock
foréileamh: requisition
forghabháil: usurpation
forghéilleadh: to forfeit
foréigean, forneart: violence
fordhaonna: superhuman
forógra (for-fhógra), ráiteas speisialta: proclamation, manifesto (mar shampla, Forógra na Cásca 1916; an Forógra Cumannach)
forleathadh, craobhscaoileadh: to broadcast
forlucht, forualach: excess load
formhór, an mhórchuid: greater part, majority
formhéadú: to magnify
formholadh: to extol, eulogise
formhúchadh: to stifle, smother
forshonach: supersonic
fortheach: annexe, extension to a building

6. gineadóir
tá 'ginim' (saolaím, beirim) na Gaeilge gaolmhar le *kin* an Bhéarla, *genus* na Laidine agus *genos* na Gréigise. Tagann siad go léir ó fhoinse Ind-Eorpach, *zena*. Síolraíonn an briathar 'déanaim' ó 'ginim'.

7. ailgéabar
córas matamaitice a úsáideann comharthaí ginearálta in áit figiúirí. Ón Araibis (*al-jabr*) a thagann sé. Bhí na hArabaigh chun tosaigh i gcúrsaí eolaíochta tráth na Ré Dorcha san Eoraip. D'fhág siad roinnt focal a thosaíonn le *al* sa chomhstór idirnáisiúnta téarmaíochta, amhail 'alcól', biotáille; 'Aldabarán', an réalta is gile i réaltbhuíon an Tairbh (Taurus); agus 'Altáir', an réalta is gile san Iolar (Aquila). 'An' is ciall le *al* sna focail sin. *Alcóran*, sin 'An Córan' nó 'An Leabhar'. Creideann Moslamaigh go bhfuair Mahamad an teagasc atá sa Chóran ón Ardaingeal Gaibrial.

córas: grúpa comhpháirteanna comheagartha/ system

8. leictreon
Éireannach eile, an t-eolaí G.J. Stoney, a d'fhorbair teoiric an leictreoin, agus a chum an téarma *electron* sa bhliain 1881. In 1897 dearbhaíodh go raibh leictreoin ann go cinnte. Bhí Stoney ina rúnaí oineach ar Chumann Ríoga Bhaile Átha Cliath (RDS) ó 1871 go dtí 1881.

9. teagasc polaitiúil
ba é Platón (429-347 RCh) an chéad duine a d'fhéach le córas idéalach polaitiúil a chur ar fáil (ina shaothar *An Phoblacht*). Bhunaigh sé an tAcadamh, foras léinn a mhair ar feadh 900 bliain. Seo roinnt foras oideachais fadsaolach:

An tAcadamh	385 RCh – 529 AD	tréimhse	914 bliana
Cluain Mhic Nóis	545 – 1552	tréimhse	1,007 mbliana
Ollscoil Pháras	c. 1150 – anois	tréimhse	842 bhliain
Ollscoil Oxford	c. 1249 – anois	tréimhse	743 bliana

10. briogáidí dearga
treallchogaithe uirbeacha a bhí suas san Iodáil, go háirithe sna seachtóidí. D'fhuadaigh agus dhúnmharaigh siad Aldo Moro (1916-78), státaire agus iar-phríomh-aire na tíre. A choir: bhí sé tar éis an bealach a réiteach le go nglacfadh Páirtí Cumannach na hIodáile páirt i gcomhrialtas.

11. Drong Baader-Meinhof
nó 'Faicsean an Airm Dheirg', grúpa sceimhlitheoirí san Iar-Ghearmáin a raibh de chuspóir acu an córas caipitleach a scrios leis an lámh láidir. Ainmníodh iad as a gceannairí, Andreas Baader (1943-77) agus Ulrike Meinhof (1934-76).

12. úrscéal
saothar fada próis i bhfoirm scéil ina gcuirtear síos ar mheon agus ar phearsantacht daoine, ar eachtraí, ar smaointe agus mar sin de. Stíl réasúnta nua é i stair na litríochta. Ba é an t-úrscéal an t-aon chineál litríochta nach raibh aimsithe ag na Gréagaigh. Sin an fáth go dtugtar 'úr-scéal' air. Ar na húrscéalta tosaigh bhí *Don Quixote* le Cervantes (1547-1616) agus *Pamela* le Samuel Richardson (1689-1761). *Castle Rackrent* (a foilsíodh in 1800) le Maria Edgeworth (1767-1849) an chéad úrscéal tábhachtach in Éirinn. *Stair Éamainn Uí Chléire* le Seán Ó Neachtain (1655-1728) an chéad iarracht i nGaeilge. Níor foilsíodh é go dtí 1918. Maidir le Maria Edgeworth foilsíodh aistriúcháin Ghaeilge ar dhá scéal léi, *Forgive and Forget* agus *Rosanna,* i mBéal Feirste in 1833. Sa bhliain 1991 foilsíodh staidéar cuimsitheach ar *genre* an úrscéil sa nua-Ghaeilge. Ina leabhar, *An*

---

sceimhlitheoir: duine a úsáideann imeagla (sceimhle) chun críche polaitiúla/ terrorist
cuspóir: aidhm, rún/ purpose
cuimsitheach: uileghabhálach/ comprehensive

tÚrscéal Gaeilge, pléann Alan Titley breis agus 150 ceann de úrscéalta Gaeilge a scríobhadh agus a foilsíodh ó 1901 i leith.

13. airgead
airgead bán, airgead geal: silver
airgead buí, ór: gold
airgead láimhe: honorarium
airgead na himeartha: stakes (i gcluiche cártaí srl)
airgead póca: pocket money
airgead síos, airgead boise: money down
airgead tirim, airgead réidh, airgead sa bhanc: ready money
gnáthóg, áit ina gcuirtear airgead i bhfolach: hidey-hole
pinginí fuara, airgead a íoctar go leisciúil drogallach: money from a stone

Cé nach miotal luachmhar é an t-iarann, is miotal tábhachtach é. Na Ceiltigh a chuir tús leis an iarannaois (800–500 RCh) in iarthar na hEorpa; focal Ceilteach is ea 'iarann'. Baineann *An Táin*, sága mór na hÉireann, leis an iarannaois in Éirinn, am éigin tar éis 500 RCh. Rud annamh i litríocht na hEorpa is ea *An Táin*, sa mhéid gur tuairisc í ar shaol phobail iarannaoisigh a thagann chugainn ó bhéal an phobail sin féin. Baineann an *Íliad*, an chéad eipic i litríocht na hEorpa (a cumadh timpeall an ochtú haois roimh Chríost), leis an tréimhse roimhe sin, an chré-umhaois: níl aon tagairt do uirlisí iarainn san *Íliad*.

14. bonn airgid
buaileadh na chéad bhoinn airgid sa Mheán-Oirthear timpeall 750 RCh. Sitric III, rí Dhubhlinne, a chuir na chéad bhoinn dhúchasacha ar fáil in Éirinn, timpeall 1000 AD. Tá an sloinne Mac Shitric (McKittrick) ann fós.

15. an cine geal
daoine le craiceann geal: whites
fíon geal: white wine
an cine gorm, daoine le craiceann dorcha: blacks
daiteánach, duine crón, duine nach geal ná gorm a chneas: coloured
duine rua: duine le gruaig rua: redhead
duine dearg, Indiach Meiriceánach: American Indian

16. maor
duine a chuireann rialacha i bhfeidhm, amhail maor oibre (nó saoiste), maor uisce (nó báille uisce), maor tráchta (a bhronnann ticéid pháirceála). Maorlathas, sin córas riaracháin atá bunaithe ar rannóga difriúla oibre agus ar leibhéil dhifriúla údaráis (*bureaucracy*). Uaireanta úsáidtear 'maor' mar théarma ar an phríomhdhuine i mbardas

---

bardas: comhairle baile nó cathrach/ corporation

baile nó cathrach. Ach is cirte 'méara' a úsáid sa chomhthéacs sin, focal atá sa Ghaeilge leis na céadta bliain. Nuair a fuair méara Ros Mhic Thriúin, Co. Loch Garman, cairt aitheantais don bhardas ó Shéamas II sa bhliain 1687, fáiltíodh roimhe abhaile le bratach ar a raibh na focail: 'Dé bheatha, a Mháistir Méara/ Agus fada buan go raibh Rí Séamas!'

17. staidreamh
fíric a bhailítear go rianúil i bhfoirm uimhreacha; mar shampla, an líon gluaisteán a chláraítear in Éirinn i mbliain faoi leith, is staidreamh é sin. Focal dúchasach is ea staidreamh. Focal eile leis an bhrí chéanna is ea 'staitistic'. Síolraíonn 'staitistic' ó *Statistik* na Gearmáinise, a chiallaigh 'eolaíocht a bhaineann le cúrsaí an stáit'. Bíonn daoine in amhras faoi staitisticí go minic mar is féidir iad a láimhseáil go claonta chun críche na caimiléireachta; mar a dúirt Mark Twain (1835-1910) faoina leithéid, 'Bréaga, deargbhréaga, agus staitisticí!'

18. normálta
an rud atá normálta, tá sé de réir na rialacha. Is ionann *norma* sa Laidin agus an riail a bhíonn ag saor adhmaid nó siúinéir chun tomhais. Tagann 'siúinéir' ó *joiner* an Bhéarla.

19. eagrú
seoda nó rudaí luachmhara eile ar nós péarlaí a chur in ord i sraitheanna ba chiall le 'eagrú' tráth. Anois is féidir é a úsáid i dtaobh ábhar ar bith a chur in ord.
Focail a shíolraíonn uaidh is ea:
eagar, ord, slacht: order
eagarthóir, duine a chuireann ábhar in ord foilsithe: editor
eagarfhocal, príomhalt: editorial
eagrán, leagan amach ar ábhar foilsithe: edition
eagras, eagraíocht, dream atá eagraithe chun cuspóir a bhaint amach: organisation
bonneagar, fostruchtúr: infrastructure

20. claon
an rud a bhíonn claon, bíonn sé 'ar fiar', is é sin, ag cromadh i dtreo áirithe. Ní bhíonn sé réidh, leibhéalta. Tá gaol ag 'claon' le *clinatus* na Laidine (a bhfuil an bhrí chéanna leis), agus leis an bhriathar *to lean* sa Bhéarla, nó *hlinian* mar a bhíodh air sa Sean-Bhéarla. Is ionann an 'h' tosaigh sin agus 'c' séimhithe. Tá an-chuid focal a bhfuil gaol acu lena chéile a thosaíonn le 'h' sa Bhéarla áit a bhfuil 'c' mar thúslitir ag an Ghaeilge agus ag an Laidin. Contrárthacht 'claon' is ea 'díreach'. Tá brí mhorálta le cois brí fhisiceach ag an dá fhocal. Tá 'díreach' gaolmhar leis an bhriathar *dirigere, directum* sa Laidin, a chiallaíonn 'cur i líne nó in ord'.

---

cairt: údarás foirmiúil i scríbhinn/ charter
fíric: fíoras/ fact
caimiléireacht: mí-ionracas, camastaíl/ trickery

21. feachtas
tagann an focal seo ó 'feacht', sin sruth nó sreabh aeir nó uisce a ghluaiseann go rialta i dtreo áirithe. Feacht tábhachtach dúinne is ea Sruth na Murascaille, a shníonn chugainn ó Mhurascaill Mheicsiceo agus a imríonn dea-thionchar ar aeráid na hÉireann.
sreabhadh airgid: cash flow
sreabhadh faisnéise: information flow
sreabhchairt: flow-chart
sreabhtháirgeadh: flow-production

22. teile–
ciallaíonn *tele* 'i bhfad', 'i gcéin' sa Ghréigis. Tá mórán focal idirnáisiúnta a thosaíonn le *tele*. Sular tugadh téarmaíocht na Gaeilge chun rialtachta bhíodh an-chuid cumadóireachta gan ord gan eagar ar siúl chun téarmaí Gaeilge a cheapadh ar fhocail mar iad. Bhí breis agus dosaen focal ar 'teileascóp', amhail 'ciandarcán' agus 'fadradharcán'. Ar an fhocal 'teilifís' bhí 'cianamharcaíocht'. Chuir an caighdeánú deireadh leis an fhiontraíocht phríobháideach neamh-inmholta seo.

23. Brussels
is comhréiteach an litriú coitianta seo idir 'Brussel' na hOllainnise agus 'Bruxelles' na Fraincise, dhá theanga oifigiúla na Beilge. Broucsella a bhíodh ar an bhaile fadó, 'an áit chónaithe sa riasc'. Bunaíodh an baile sa séú céad. Scriosadh go talamh é, beagnach, sa bhliain 1695, nuair a leag gunnaí léigir an Ghinearáil Villeroi 4,000 de fhoirgnimh an bhaile.

24. buirg
tá an focal 'buirghéis' ('buiríos' i litriú an lae inniu), atá ar aon bhrí le 'buirg', i bhfolach i roinnt ainmneacha áiteanna i ndeisceart na tíre, mar a bhfuair na Normannaigh greim. Seo cuid de na háiteanna sin: An Bhuiríos i gContae Ceatharlach, Buiríos Mór Osraí i gContae Laoise, Buiríos Léith, Buiríos Ó Luigheach agus Buiríos Uí Chéin i gContae Thiobraid Árann. Bhain tábhacht buirge leis na háiteanna seo tráth, nó bhí an dóchas ann go mbainfeadh le haimsir.

Maidir le Tiobraid Árann is ionann tiobraid agus tobar. Is í an Ára an abhainn ar a bhfuil baile Thiobraid Árann suite. Tá an t-ainm 'Ára' (ginideach Árann) le fáil freisin in ainmneacha oileán i gCuan na Gaillimhe, i gcontae Dhún na nGall agus in Albain. Ar uaire, úsáidtear 'lucht caite na gcloch' (*Tipperary stone-throwers*) mar leasainm ar mhuintir lách an chontae sin. Bealach clochach a bhíodh sa bhóthar atá idir Buiríos Léith i dTiobraid Árann agus Áth na nUrlainn i gContae Chill Chainnigh. Thagadh lucht faicseanaíochta anuas an bealach ó Chontae Thiobraid Árann le clocha mar lón cogaidh a ionsaí a gcéilí comhraic i gCill Chainnigh.

Sruth na Murascaille: Gulf Stream
tionchar: cumas chun dul i bhfeidhm/ influence
léigear: imshuí/ siege
comhrac: bruíon/ fight

25. ús
seo an táille – nó an cíos, d'fhéadfaí a rá – a íoctar ar airgead a fhaightear ar iasacht. Ó *usus* ('úsáid') na Laidine a tháinig an focal ag deireadh na meánaoiseanna. Is mí-úsáid é an iomarca úis a éileamh. Meastar go dtagann an focal 'gaimbín' ó mheascán den dá fhocal, 'gaimbín' (foirm díspeagtha searbhasach de 'gamba', cnap maith nó píosa mór), agus *cambio*, focal Iodálach a chiallaíonn 'malartú airgid'. D'aimsigh an foclóirí Tomás de Bháldraithe an chéad tagairt don fhocal '*gombeen*' i mBéarla sa nuachtán Sasanach, *The Times*, 18 Deireadh Fómhair 1845.

26. foirgneamh
tá Sí an Bhrú i mBrú na Bóinne ar cheann de na foirgnimh is sine ar domhan a bhfuil a dhíon féin slán air fós. Deirtear go bhfuil sé níos sine ná pirimidí na hÉigipte. Tógadh é cúig mhíle bliain ó shin. Bhí an Sí 2,500 bliain d'aois nuair a tháinig na Gaeil go hÉirinn. An cineál foirgnimh is coitianta is ea teach. Ba le tuí, a dhéantar as féar nó as luachair, a chlúdaítí na chéad tithe. Is ón fhréamh chéanna do na focail 'teach' agus 'tuí' sa Ghaeilge agus *thatch* sa Bhéarla.

27. peitreal
'petra-oleum', sin ola (*oleum* sa Laidin) a fhaightear ó charraig (*petra* sa Gréigis). Tá focal eile againn ar pheitreal, artola (art + ola). Is ionann 'art' agus 'cloch'. 'Chomh marbh le hArt', a deirtear. Is dócha gurb í an chloch atá i gceist sa nath seo dáiríre, ar aon dul le *stone dead* an Bhéarla.

28. institiúid
go bunúsach, seo rud nó nós atá 'suite go daingean'. Ó *in* agus *statuere* na Laidine a thagann an focal. Is ionann *statuere* agus rud a chur i gcrích, ina sheasamh go daingean. Déantar *stituere* den bhriathar nuair a chuirtear *in* roimhe. Is sampla é seo den riail 'caol le caol agus leathan le leathan' atá againn sa Ghaeilge. Tá go leor samplaí eile le fáil sa Laidin, teanga atá gaolmhar leis an Ghaeilge.

29. úinéir
formhór na bhfocal a tháinig isteach sa Ghaeilge ón iasacht, ní as ciste an bhun-Bhéarla a tháinig siad, ach tríd an Bhéarla, ó theangacha eile. Thosaigh siad ar a n-aistear chugainn in áiteanna eile, an Fhrainc, an Iodáil, an Ghréig, den chuid is mó. Ach an focal seo 'úinéir', is ón bhun-Bhéarla dó.

---

díspeagtha: dímheasúil/ belittling, derogatory
searbhasach: géar, goimhiúil/bitter, sarcastic
luachair: cineal féir láidir i mbogach/ rushes

30. conradh
(a) socrú foirmiúil a bhfuil ceangal dlí leis, nó (b) cumann neamhfhoirmiúil sóisialta. Nuair a bhunaigh Dubhghlas de hÍde Conradh na Gaeilge (in 1893), thug sé *Gaelic League* air i mBéarla. Ba ar éigean a d'fhéadfaí an *Irish League* a thabhairt air mar bhí dream polaitiúil, an *United Irish League*, ann cheana. Chuaigh de hÍde i muinín *Gaelic*, focal a cumadh in Albain, agus ar ghlac an Béarla leis sa naoú haois déag. Roimhe sin *Irish* a thugtaí sa Bhéarla ar an Ghaeilge agus ar Ghàidhlig na hAlban araon. *Erse* a thugtaí ar Ghàidhlig sa Lallainnis, canúint ísilchríocha na hAlban. Bhíodh fuath ag muintir na gceantar sin roimh na Gaeil. Mar gheall air sin baineann blas na tarcaisne leis an fhocal *Erse*; b'in ceann de na fáthanna ar glacadh le *Gaelic* i mBéarla. Maidir le hÉirinn, is féidir *Gaelic* a úsáid i dtaobh cultúir; is cirte *Irish* a úsáid i dtaobh na teanga.

31. ról
go bunúsach, an pháirt a bhíonn le himirt ag aisteoir. Leathnaíodh brí an fhocail chun cur síos ar an chaoi ar cóir do dhuine gníomhú in eagraíocht nó i gcomhthéacsanna eile. Focal Fraincise é *rôle*, a chiallaíonn an rolla páipéir ar a scríobhtaí an script a bhí le leanúint ag aisteoir.

32. sliogán
áit a bhfuil morán sliogán, tá sé sligeach. Sligeach an baile cois cuain a tógadh ar áit dá leithéid. 'Ruacain is sliogáin' a bhíodh á ndíol ag Mallaí Ní Mhaoileoin ar shráideanna Bhaile Átha Cliath sular buaileadh tinn í.

33. tobar na féile
tobar na flúirse nach dtéann i ndísc. Bhí a leithéid freisin i seanchas na Gréige. Chothaigh Amailté an leanbh Séas, príomhdhia Oilimpe, le bainne a gabhair. Bhí Séas buíoch di agus thug sé ceann de adharca an ghabhair di ag rá go mbeadh flúirse i gcónaí ag aon duine ar leis nó ar léi an adharc sin. Corn (nó adharc) an ghabhair sin, thug na Rómhánaigh *cornucopia*, 'corn na flúirse', air. Is ionann 'corn' na Gaeilge agus *cornu* na Laidine. Is é an focal céanna é *horn* an Bhéarla: is ionann an 'h' agus 'c' séimhithe.

34. William Blake (1757-1827)
an file Sasanach a scríobh *'Tiger, Tiger, burning bright'*

Lallainnis: canúint Bhéarla dheisceart na hAlban/ Lallans
ísilchríocha na hAlban: an chuid ó dheas de Albain/ Scottish Lowlands
tarcaisne: dímheas, masla/ contempt, insult
dul i ndísc: dul i dtirime, trá/ to dry up

35. cás
'rud a thiteann amach' is bunchiall don fhocal seo, ón bhriathar Laidine *cadere, casum* 'titim'. Tá brí eile leis, bosca nó rud ina gcoimeádtar nithe. Sa chás sin is ón bhriathar Laidine *capere, captum* 'gabháil,' 'coinneáil' dó. Focal níos sine sa Ghaeilge is ea 'cúis' (fáth, ábhar) a thagann ó *causa* na Laidine. Tá cosúlacht idir na focail seo go léir, agus tarlaíonn forluí brí eatarthu ar uaire; mar shampla, is féidir le rud bheith ina chás dlí nó ina chúis dlí. 'Caingean', sin téarma eile ar chúis dlí (*action at law* i mBéarla).

36. fuisce
sa séú haois déag fuair an Béarla *usquebaugh* ó 'uisce beatha' na Gaeilge. Ansin, san ochtú haois déag thóg an Béarla leagan eile den fhocal, *whiskybae*, ó Ghàidhlig na hAlban. Giorraíodh an focal seo sa Bhéarla go *whiskey* (in Éirinn agus i Meiriceá) agus go *whisky* (in Albain). Ansin tháinig an focal ar ais sa Ghaeilge mar 'fuisce'! Ar ndóigh tá an bunfhocal 'uisce beatha' againn i gcónaí.

Tá go leor leasainmneacha ar an deoch – idir olc is mhaith – sa dá theanga: 'sú na heorna' (*John Barleycorn*); drúichtín sléibhe (*mountain dew*); 'singlín' nó 'bolcán' (*rot-gut*). 'Poitín' an focal ar fhuisce neamhdhleathach, a dhíoltaí go minic i 'síbín'. Tá an dá fhocal sin sa Bhéarla anois (mar *poteen, shebeen*), go háirithe ó aimsir an Toirmisc Dí i Meiriceá ó 1920 go dtí 1933, nuair a coisceadh biotáille a dhéanamh, a dhíol nó a iompar, faoi réir leasú bhunreacht na Stát Aontaithe. Bhíodh na ribhínigh (féach nóta 37 thíos) ar thóir an phoitín. 'Fuisce gan bhaisteadh', sin fuisce lom, nó crua, gan aon uisce ann. 'Seán Báite' a thugtar ar fhuisce agus an iomarca uisce ann. Bíonn an-éileamh ar fhuisce den scoth. Sa bhliain 1991 d'íoc bainisteoir tí tábhairne sa tSeapáin £6,375 in airgead Sasanach as buidéal fuisce Albanaigh a driogadh i 1926. Sin an méid is mó a tugadh ar a leithéid go fóill.

37. Coimisinéirí Ioncaim
bailíonn na Coimisinéirí Ioncaim teacht isteach iomlán an stáit, beagnach. Is ó *income* an Bhéarla a thagann an focal 'ioncam'. Tá focal eile sa Bhéarla, *revenue*, a chiallaíonn 'teacht isteach an rialtais'. Tá an focal seo sa Ghaeilge i bhfoirm 'ribhíneach', is é sin, oifigeach rialtais a bhíodh ar thóir smuigléirí san ochtú agus sa naoú haois déag.

38. feighil
ó *vigilia* ('faire') na Laidine fuair an Ghaeilge trí fhocal mar a leanas:
(1) feighil: faire, aire, aird/ vigilance, watchfulness, attention.
(2) féile: lá ceiliúrtha, lá comórtha/ festival, feastday. Ar dtús, chiallaigh 'féile' an lá roimh lá comórtha naoimh. Dhéantaí faire an lá sin le troscadh. Ach d'athraigh brí an fhocail le haimsir, agus anois ciallaíonn 'féile' an lá mór féin (amhail Lá Fhéile Pádraig); ní lá troscaidh ach a mhalairt is ciall dó inniu. Nuair a tharla an t-athrú sin b'éigean

---

forluí: síneadh thar a chéile/ overlap
Toirmeasc Dí: an cosc a bhí i mbunreacht na Stát Aontaithe ar dheoch mheisciúil/ Prohibition

iasacht eile a lorg ó *vigilia* chun an bhunchiall a chur in iúl arís; an t-am seo glacadh leis an fhocal mar 'bigil'.
(3) bigil: an lá roimh lá féile eaglaise/ eve of feastday. (Ar lá bigile ba ghnách faire a dhéanamh le troscadh ó bhia nó le staonadh ó fheoil a ithe.)

Bhíodh trí mhórfhéile in Éirinn fadó, Samhain, Bealtaine agus Lúnasa. Tráth mór scéalaíochta agus seanchais ba ea an Geimhreadh. 'Scéal ó Shamhain go Bealtaine' a thugtar go fóill ar chuntas fada leadránach. Sa Samhradh cheiliúrtaí Féile Lú, dia mór na gCeilteach, le lúthchleasa agus le himeachtaí spóirt a mhair, in áiteanna, go dtí ár linn féin, beagnach (déanann an dráma, *Dancing at Lughnasa* le Brian Ó Frighil, tagairt do na himeachtaí seo). I ndeisceart na Fraince, i mbaile Lyon (ó 'Lugudunum', is é sin, 'Lúgh-dhún'), bhíodh cluichí móra ar siúl in onóir Lú. In Éirinn, go fóill, déantar Turas na Cruaiche i gContae Mhaigh Eo in onóir Phádraig Naofa, ar an Domhnach deiridh de Mhí Iúil, an Domhnach díreach roimh Fhéile Lú .i. an chéad lá de 'Lú-nasa'. Is mar sin a 'críostaíodh' an tseanfhéile phágánach.

Maidir le 'feighil' agus 'féile', tagann 'ceiliúradh' ón Laidin chomh maith, ó *celebrare*, a chiallaigh 'teacht le chéile', 'comóradh'. Ba é 'ceileabhradh' an seanlitriú. Tá áit i gCo Luimnigh leis an ainm aoibhinn Ceiliúradh na bPíobairí.

39. Laidin
Latium an ceantar ina mbíodh an Róimh, agus *Latini* a thugtaí ar an chine a bhíodh ina gcónaí ann fadó. Bhunaigh siad cathair na Róimhe, deirtear, i 753 RCh. De réir a chéile leathnaigh an chathair a cumhacht ar fud na hEorpa. Leathnaigh a dteanga, an Laidin, chomh maith. Is uaithi a shíolraíonn an Fhraincis, an Iodáilis, an Spáinnis, an Phortaingéilis, an Rómáinis. Cé nach bhfuil an Laidin ina teanga dhúchais ag aon duine le fada, leanadh dá húsáid mar theanga scríofa agus mar theanga smaointe go dtí aimsir an Reifirméisin. Mhair sí ina teanga oibre agus labhartha i bParlaimint na hUngáire go dtí lár an naoú céad déag, agus ina teanga oifigiúil ag an Eaglais Chaitliceach go dtí lár na haoise seo. Inniu, craoltar nuacht idirnáisiúnta sa Laidin ar Raidió na Fionlainne. Thosaigh sé mar ábhar grinn roinnt bliain ó shin, ach bhí an oiread sin éilimh air gur measadh nár mhiste leanúint de i ndáiríre.

40. tuata
níor ghnách an léann ag tuataí tráth. Bhí siad garbh, amscaí, 'tútach'. Bhain an tuata leis an 'tuath', is é sin, leis an ghnáthphobal. Stát beag nó fo-ríocht a chiallaigh an tuath in Éirinn fadó. Tá an focal gaolmhar le *Teutoni*, an t-ainm a thug na Rómhánaigh ar na treibheanna Gearmánacha. Is ionann *Teutoni* agus 'muintir na treibhe' – nó 'muintir na tuaithe' más mian leat. *Deut*, sin leagan eile de *Teut* nó de 'tuath'. 'Deutschland' an focal ar an Ghearmáin sa Ghearmáinis; an bhunchiall atá leis ná 'tír na tuaithe', an 'dúchastír'. In Éirinn cónaíonn mionlach den phobal 'faoin tuath' anois.

---

ceiliúradh: comóradh/ to celebrate
craoladh: craobhscaoileadh ar raidió srl/ to broadcast

41. Eastáit Ghinearálta
déanann Peadar Ó Doirnín (1702-69) tagairt do na Trí Eastát sa dán *Úrchnoc Chéin Mhic Cháinte*: 'Nuair bheidh uaisle is cléir is tuataí i néal', is é sin, nuair a bheidh cách ina chodladh.

42. leis an
sindos, sinda, san an cruth a mheastar a bheith ar an alt (firinscneach, baininsceach, neodrach) sa phróta-Ind-Eorpais, teanga réamhstaire a bhí á labhairt breis mhaith agus ceithre mhíle bliain ó shin. Is uaithi a shíolraíonn 'an' na Gaeilge. Tá an t-alt sna teangacha Lochlannacha an-chosúil leis seo, ach go gcuirtear é ag deireadh an fhocail. Seo mar a bhíonn sa tSualainnis: *gosse* ('gasúr'); *gossen* ('an gasúr'); *gossarna* ('na gasúir'). Is iontach an rud é go maireann an fhréamh *sind* ina hiomláine ach faoi cheilt i nGaeilge an lae inniu i gcásanna mar an cheann seo a leanas: 'leis an tseanbhean'; is ionann é sin agus 'le-*s in d*-sheanbhean'.

43. eile
sna teangacha Rómánsacha tagann an t-alt ó *ille* ('sin') na Laidine, mar shampla: *le, la* (sa Fhraincis), *il, la* (san Iodáilis). Sa Rómáinis ceanglaítear an t-alt, *-ul, -le,* le deirí na bhfocal, faoi mar a dheineann na Sualannaigh. Focal atá cosúil le *ille* is ea *alius*, an focal ar 'eile' sa Laidin, agus ar ndóigh is gaolta iad 'eile' na Gaeilge, *alius* na Laidine agus *else* an Bhéarla. Rudaí beaga mar seo a léiríonn go minic an gaol bunúsach Ind-Eorpach atá idir na teangacha seo.

44. imirce
dul ó áit go háit, siar agus aniar, ó am go ham: migration
eisimirce, dul as tír áirithe chun cónaí i dtír eile: emigration
inimirce, teacht ó thír eile chun cónaí i dtír áirithe: immigration
Is minic a úsáidtear 'im-' mar réimír chun 'thart timpeall' nó 'máguaird' a chur in iúl:
imeall, ciumhais: border, edge
imlíne, líne timpeall: outline, perimeter, circumference
imbhualadh, bualadh dhá rud in aghaidh a chéile: collision
imloscadh: to singe
imrothlú: to revolve
imchuairt, dul thart timpeall: circuit
imeagla, eagla ar dhaoine thart timpeall: panic
imchluiche, imirt cluichí cártaí i measc grúpa: card drive
imtheorannú: internment
iomrá, rud a deirtear thart timpeall: rumour, report, gossip

---

alt: focal a chuireann cinnteacht in iúl/ definite article
próta-: tosaigh; an chéad leagan de rud, mar a mheastar/ proto-
Lochlannach: Scandinavian
Sualainn, an tS- : Sweden (ó *Swedeland*, b'fhéidir)

45. caighdeán
an fad a bhíodh idir na cordaí i líon iascaireachta. Ní fhéadfaidís bheith róchóngarach dá chéile nó d'fheicfeadh na héisc iad; ní fhéadfaidís bheith rófhada óna chéile nó d'éalódh na héisc tríothú. Anois ciallaíonn caighdeán slat tomhais chun an cruinneas nó an fiúntas a bhaineann le rud, le duine, le gníomhaíocht, le cáilíocht, a mheas.

46. ciste
in aimsir na bpéindlíthe chuir Muiris an Chaipín, uncail Dhónaill Uí Chonaill, a chuid airgid i bhfolach nó i gnáthóg in uaigneas sléibhe, slán ó robálaithe lasmuigh agus laistigh den dlí. Com an Chiste a thugtar ar an áit ó shin. Tá an Com mar ainm freisin ar an cheantar chlúiteach i gceartlár Bhaile Átha Cliath mar a raibh cónaí ar Bhrídín Ní Mhaolagáin (*'the pride of the Coombe'*). Faightear an focal faoin leagan *-combe* go minic i logainmneacha sa Bhreatain – Ilfracombe, High Wycombe, Widecombe.

Focal Ceilteach is ea 'com' (log, cuas: hollow); *cwm* atá air sa Bhreatnais. Roinnt focal a léiríonn an ceangal atá idir an Ghaeilge agus an Bhreatnais is ea 'carraig' (*craig*), 'gleann' (*glyn*), 'abhainn' (*afon*), 'linn' (*llyn*), 'poll' (*pwll*), 'muir' (*mor*), 'tír' (*tir*), 'inis' (*ynys*), 'teach' (*ti*). Tagann cuid de na focail seo ón fhoinse Cheilteach chéanna; fuair an Ghaeilge cuid eile acu ón Bhreatnais mar iasachtaí.

47. cúis
de réir fhealsúnacht Arastotail is cúis aon cheann de cheithre riachtanas a bhaineann le rud a bheith ann: ábhar, nádúr, gníomhaí, cuspóir.

48. dlí
dlíthiúil, ceadaithe nó aitheanta ag an dlí: lawful
dleathach, bunaithe ar an dlí, de réir dlí seachas de réir na córa, ag baint le gairm an dlí: legal
dlisteanach, ceart agus cóir, de réir caighdeán agus modhanna aitheanta iompair nó réasúnaíochta: legitimate
dlite, ag dul (do dhuine) de réir dlí: legally due
dliteanas (ag duine), ceart aige rud a éileamh de réir dlí: legal claim
dliteanas (ar dhuine), freagracht de réir dlí: legal liability
dlíodóir, duine a chleachtann aon cheann de ghairmeacha an dlí: lawyer
aturnae (ó *atourné* na Sean-Fhraincise), dlíodóir a thugann comhairle maidir le ceisteanna dlí, a dhréachtann doiciméid dhlíthiúla, agus a ullmhaíonn ábhar cásanna do abhcóide: solicitor
abhcóide (ó *advocatus* na Laidine), duine atá cáilithe agus ceadaithe chun cásanna a phléideáil os comhair cúirte: barrister, counsel
cunsailéir, focal eile ar abhcóide. 'An Cunsailéir' a thugtaí ar Dhónall Ó Conaill.
dlí-eolaíocht, eolaíocht nó fealsúnacht an dlí: jurisprudence
dlínse, an ceart nó an chumhacht chun dlíthe áirithe a chur i bhfeidhm i réimse geografach áirithe nó ar leibhéal cúirte áirithe: jurisdiction

dlíthíoch, ró-thugtha do chúiseanna dlí a chur: litigious
dleachtanas (ag duine), ceart faoin dlí: legal right
dleachtanas (ar dhuine), dualgas faoin dlí: legal responsibility
dleathaíocht, ceart agus cóir faoin dlí: legal justice
dleacht, cáin is féidir leis an stát a éileamh de réir dlí: customs duty

49. sain-
réimír úsáideach is ea é seo le 'faoi leith', 'áirithe', 'speisialta' a chur in iúl:
sainaicme, aicme faoi leith: in-group, coterie, caste
sainainm, ainm faoi leith: designation, denomination
sainbhosca, bosca le haghaidh ruda faoi leith: special box
sainbhrí, brí faoi leith: particular meaning
saincháin, cáin ar leith: separate tax
saincheadúnas, ceadúnas ó chomhlacht gnó chun rud faoi leith a dhíol faoi ainm agus stíl faoi leith: franchise
saincheist, ceist faoi leith: point in question
sainchlár, beart oibre nó scéim faoi leith: specific programme
sainchoiste, coiste speisialta: specialist committee
sainchomhairleoir: comhairleoir le hoilteacht faoi leith: consultant
sainchónaí, áit chónaithe faoi leith de réir dlí: domicile
sainchumhacht, údarás faoi leith: separate power
sainéadach, culaith a bhaineann le dream faoi leith: uniform
saineolaí, duine le heolas faoi leith: specialist
sainionannas, féiniúlacht faoi leith: separate identity
sainleas, spéis faoi leith: special interest
sainléitheoir, léitheoir faoi leith: special reader
sainléiriú, cur síos ar rud faoi leith: identification, specific portrayal
sainmhíniú, míniú ar rud faoi leith: definition
sainoilteacht, scil nó cumas faoi leith: expertise
sainordú, ordú oifigiúil údarásach i dtaobh ruda faoi leith: mandate
sainriachtanas, riachtanas faoi leith: specific need
sainteanga, teanga faoi leith: distinctive language
saintréith, tréith nó airí faoi leith: distinctive trait

50. limistéar
stráice leathan tíre a mbaineann blas na hoifigiúlachta leis go minic, mar shampla 'limistéar forbraíochta' (*development area*), 'limistéar saorthrádála' (*free trade area*).
áit: ionad nó láthair nó céim éigin; an-ghinearálta, amhail 'áit tógála', 'muintir na háite', 'an chéad áit sa scrúdú'.
comharsanacht: áit mar a mbíonn cónaí ar dhuine, mar a bhfuil aithne réasúnta maith aige ar chuid mhaith de na daoine máguaird – na comharsana

---

stráice: réimse/ stretch, strip, slice

dúiche: ceantar atá níos leithne ná an chomharsanacht, amhail paróiste, nó leath-pharóiste, b'fhéidir. Baineann seanchas agus dílseacht le dúiche.
ceantar: ní bhaineann mothú croí leis seo. Gabhann blas neamhphearsanta leis. Aonad riaracháin áitiúil é de ghnáth, amhail ceantar poist, comhairle cheantair, dáilcheantar.
réigiún: limistéar leathan éiginnte, amhail na Réigiúin Artacha, réigiúin choimhthíocha (*foreign parts*), réigiúin na spéire (*the upper regions*). I gcúrsaí riaracháin phoiblí úsáidtear 'réigiún' chun limistéar atá níos leithne ná contae ach níos lú ná an tír go léir a chur in iúl. Mar sin bíonn 'ospidéil réigiúnacha' againn.

51. obair
tá an focal seo gaolmhar le *opus, operis* sa Laidin. 'Tús maith leath na hoibre', a deir an seanfhocal. Ach tá a mhalairt ann leis, 'bíonn gach tosach lag'.
obráid: sceanairt, nó dul faoi scian dochtúra. Sa ghnáthchaint, is ionann sceanairt a dhéanamh ar dhuine agus ionsaí gan trócaire a dhéanamh air, faoi mar a dhéanfadh léirmheastóir ar shaothar nár thaitin leis (*hatchet-job* sa Bhéarla).

Ní shamhlófá, b'fhéidir, go mbeadh an focal 'obair' le fáil mar logainm, ach tá. Ba í An Obair i gContae na Mí baile dúchais Thoirealaigh Uí Chearúlláin (1670-1738) ceoltóir agus file. File eile ón cheantar sin ba ea an tAthair Pól Ó Briain (1763-1820), a bhí ina chéad ollamh le Gaeilge i gColáiste Mhaigh Nuad ón bhliain 1804 go dtí go bhfuair sé bás. Ar bhealach éigin bhí Gaeilge Oileán Mhanann aige le cois a Ghaeilge dúchais féin. Shíolraigh sé ón Chearúllánach, a bhí ina shin-sin-seanathair dó. Peadar Ó Gealagáin (a fuair bás in 1860) an file deiridh de chuid an cheantair. Fuarthas scríbhinní leis san Obair, á gcoimeád slán sábháilte ag na Gaeilgeoirí dúchais ba dhéanaí san Obair, sa bhliain 1903.

Oifig na nOibreacha Poiblí: gníomhaireacht eastáit an náisiúin. Faoina cúram tá na Páirceanna Náisiúnta (Cill Airne srl), caomhnú an fhiadhúlra, slánú agus maisiú shealúchas an stáit, idir oifigí rialtais, Theach Laighean, Chaisleán Bhaile Átha Cliath, agus na séadcomharthaí náisiúnta (Brú na Bóinne, Cluain Mhic Nóis agus go leor eile).

52. clasaiceach
tagann an focal seo ó *classicus* ('ar fheabhas', 'den scoth') sa Laidin. Bhain an Ghréig agus an Róimh ardghradam amach sa sean-am faoi shaothrú na n-ealaíon agus na litríochta. Ciallaíonn 'clasaiceach' (a) an saothar sin, (b) aon saothar de chuid an lae inniu atá sármhaith. Na cúig phríomhrás sa Bhreatain le haghaidh capall trí bliana d'aois, tugtar na clasaicigh orthu chomh maith (Derby, Oaks, Saint Leger, An Míle Giní, An Dá Mhíle Giní).

---

léirmheastóir: criticeoir/ critic
gníomhaireacht: áisíneacht/ agency
séadchomhartha náisiúnta: foirgneamh nó láthair stairiúil a bhfuil tábhacht náisiúnta ag baint leis/ national monument

53. cófra
síolraíonn an focal seo ó *cophinus*, 'ciseán', 'cliabh' sa Laidin. Ón fhocal sin tagann *coffre* na Fraincise, *coffer* an Bhéarla agus 'cófra' na Gaeilge. Chun tagairt don sainbhosca ina gcuirtear corpán, chum gach ceann de na teangacha seo leagan eile den fhocal: *cofin* (anois *cerceuil, bière*) sa Fhraincis, *coffin* sa Bhéarla, 'cónra' sa Gaeilge.

54. abar
abar: deachracht, sáinn; 'riasc', 'bogach' is ciall bhunúsach don fhocal seo. Is cosúil gur úsáideadh é chun an áit bhog ag béal abhann a chur in iúl. Sa Bhreatain Bheag agus in Albain faightear an focal i logainmneacha mar Aberystwyth agus Abar Dheathain (Aberdeen). Ní fheictear an focal, áfach, ar léarscáil na hÉireann. Ina ionad sin faighimid an focal 'inbhear' (mar An tInbhear Mór i gContae Chill Mhantáin). Tá 'inbhear' le fáil freisin i logainmneacha i gceantair Ghaeltachta traidisiúnta na hAlban amhail Inbhear Nis (Inverness).

55. Seoirse III (1738-1820)
ghnóthaigh sé cáil ar bhealaí eile chomh maith. A stuacacht ba chúis le cailliúint cóilíneachtaí Mheiriceá ar Shasana. Níos déanaí chuir sé olc gan ghá ar Éirinn nuair a dhiúltaigh sé fuascailt creidimh a thabhairt do na Caitlicigh tar éis Acht an Aontais in 1800, rud a bhí geallta ag William Óg Pitt (1759-1806), príomh-aire Shasana. D'éirigh Pitt as oifig ar feadh tamaill (ó 1801 go dtí 1804) nuair nárbh fhéidir leis a gheallúint a chomhlíonadh. D'fhéadfaí an méid a dúradh i dtaobh Bhourbons na Fraince a chur i leith Seoirse III: 'níor dhearmad sé faic is níor fhoghlaim sé faic'.

56. taifead
cuntas oifigiúil i scríbhinn (*record* sa Bhéarla). Anois tá ciall bhreise leis: fuaimeanna nó íomhánna atá curtha ar téip srl (*recording*).
taifeadán, gléas taifeadta: recording machine
téipthaifeadadh, rud a thaifeadadh ar téip: to tape-record
ceirnín, diosca le taifead air: record, disk
caiséad, coimeádán téipe fuaime: cassette
caiséad closamhairc: audio-visual cassette
dlúthdhiosca, compact disk

57. rud
'an rud a bhíonn, bíonn sé': *que sera sera*
'na rudaí beaga', na leanaí: the little ones
'tá sé siúd chomh rud': 'he thinks he's the bee's knees'

---

stuacacht: ceanndánacht, stalcacht/ stubbornness
íomhá: samhail/ image

'níl sé chomh rud': 'he's not the full shilling'
'an rud', 'an rud sin eile': thingamajig, thingummy
'Mac Uí Rudaí', mo dhuine: whats-his-name
'an rud a bhíonn ag rudáil na rudaí!': freagra mífhoighneach is ea é seo ar an cheist 'Cén rud?'

58. foinse
gaolmhar le *fons* na Laidine. I gContae Lú atá Mellifont, 'foinse nó tobar na meala', an chéad mhainistir Chistéirseach a tógadh in Éirinn. An tArdeaspag Maolmhaodhóg Naofa (1094–1148), a bhunaigh í in 1142 mar chuid de leasuithe eaglaise na haoise sin. Ba uaithi a shíolraigh tríocha mainistir eile roimh an Reifirméisean. Níorbh aon áibhéil é mar sin an t-ainm a tugadh uirthi, 'an Mhainistir Mhór'.

59. ginearálta
focal is ea é seo atá sa Ghaeilge le breis agus 400 bliain: Tá sé le fáil in *Annála Uladh* a scríobhadh sa cúigiú céad déag. Síolraíonn sé ó *generalis* na Laidine a chiallaíonn 'sainchineál', 'cineál faoi leith'. 'Coiteann', 'comónta', 'coitianta' an smaoineamh a bhaineann leis anois.

60. údar
is ón Laidin *auctor* (an té is cúis le rud) a thagann an focal.
údarach, barántúil, fíor gan amhras: authentic
údaracht, barántúlacht: authenticity
údarás, seasamh, gradam; ceannas, cumhacht, gníomhaireacht oifigiúil, amhail Údarás na Gaeltachta
Údarás na gCaighdeán Fógraíochta: Advertising Standards Authority
Údarás Forbartha Tionscail, an t (UFT): Industrial Development Authority (IDA)
údarásach, le héifeacht nach féidir a shéanadh: authoritative
údarú, cumhacht nó cead oifigiúil a thabhairt: to authorise
údar agus ábhar, dhá riachtanas a bhaineann le scéal maith, deirtear

61. urra
urra ár leighis: Críost

62. caint
ciall fhorleathan atá ag 'caint' ar nós 'labhairt', 'comhrá'. Focail eile a bhaineann le caint:
friotal, caint, ráiteas, modh labhartha: mode of expression, utterance
cabaireacht, an-chuid cainte, an iomarca cainte: loquacity, prattle
urlabhra, cumas cainte, ráiteas: faculty of speech
urlabhraí: spokesperson
urlabhraíocht: articulation

agallamh, caint a chur ar dhuine le haghaidh cuspóra éigin: interview
balbh, bheith gan chaint: dumb.

Tá gaol Ind-Eorpach idir 'balbh', *balbus* na Laidine agus *barbaros* na Gréigise. Ciallaíonn *balbus* duine a bhfuil stad cainte air. Thug na Gréagaigh 'barbaraigh' ar neamh-Ghréagaigh toisc nár thuig siad a gcuid cainte.

63. doiciméad
is ábhar scríofa é doiciméad, a thugann eolas, go háirithe i dtaobh gnó oifigiúil. Ó *documentum* na Laidine, 'ceacht', a tháinig sé chugainn, tríd an Bhéarla. Tá focal eile againn, 'cáipéis', a thagann ó *copies* an Bhéarla. Sa Ghaeilge chiallaigh sé ar dtús 'comhaontú i scríbhinn' nó cóip dá leithéid. Tá an tríú focal againn freisin, 'meamram' (ó *membrum* na Laidine), a chiallaíonn ráiteas nó taifead nó teachtaireacht oifigiúil i scríbhinn.

Tá 'meamraiméis' ann chomh maith, is é sin, 'stíl fhoclach ardnósach is deacair a thuiscint', a luaitear leis an stíl a bhíonn i gcáipéisí oifigiúla uaireanta (*officialese* sa Bhéarla). Focal inspéise is ea 'meamraiméis', mar is sampla breá é de fhocal a chumtar as dhá fhocal eile trína gcóimheascadh le chéile .i. 'meamram' agus 'ráiméis', sa chás seo.

64. ionstraim
cáipéis oifigiúil dhlíthiúil; ón Laidin *instruere, instructum,* 'tógáil', 'cur in eagar', 'múineadh' a thagann sé. Ionann é sa Ghaeilge agus 'gléas riaracháin'. Úsáidtear an focal *instrument* sa Bhéarla sa chiall chéanna, mar shampla, *statutory instrument,* ach úsáidtear é freisin sa teanga sin chun tagairt do ghléas nó do uirlis de chineál ar bith.
Ionstraim Eorpach Aonair: Single European Act

65. tras-
trasnáisiúnta, a bhaineann le taisteal nó le gluaiseacht ó thír amháin go tír eile: transnational
idirnáisiúnta, a bhaineann le gnóthaí a bhíonn ar siúl idir dhá thír nó breis: international
osnáisiúnta, a bhaineann le heagrais; eagras osnáisiúnta is ea an Comhphobal Eorpach: supranational

66. sealadach
ciallaíonn an focal seo 'neamhbhuan': temporary, provisional.
seal, tréimhse theoranta ama: spell (of time)
gach re seal, gach re sea: turn and turn about
do sheal: your turn
fan le do sheal: wait your turn
sealaíocht, uainíocht a dhéanamh (ar a chéile): alternating
foireann sealaíochta: relay team

67. cros
tá cead crosta fós ar cheapachán Phatrarc na hEaglaise Ceartchreidmhí Gréagaí ag rialtas na Tuirce. Cónaíonn an Patrarc in Iostanbúl na Tuirce (Cathair Chonstaintín tráth). Tá paradacsa anseo, mar is Moslamaigh 98 faoin gcéad de phobal na Tuirce.

68. breithiúnas
ciallaíonn an focal seo rud a mheas nó a chinneadh de réir dlí: judgment.
breithiúnas achomair: summary judgment
breithiúnas easaontais: dissenting judgment
breithiúnas forchoimeádta: reserved judgment
Lá an Bhreithiúnais, Lá an tSléibhe: Day of Judgment

69. aimh-
réimír dhiúltach is ea 'aimh-'.
aimhleas, díobháil, dochar: harm, detriment
aimhghlic, míchiallmhar: imprudent
aimhréidh, casta, deacair a réiteach nó a chóiriú: entangled, dishevelled
aimhriar, easumhlaíocht: disobedience, disaffection

70. ardintinneach
is minic a mhalartaítear na litreacha 'r' agus 'l' sna teangacha Ind-Eorpacha, agus i dteangacha eile chomh maith. Mar is eol do chách, tá nós ag na Sínigh an litir 'r' a fhuaimniú mar 'l'. Sampla den nós is ea an focal 'ard'; is ionann é agus *altus* na Laidine. Sampla eile is ea *stella* na Laidine agus *star* an Bhéarla. I gcanúint Bhéarla Oileán Pitcairn d'athraigh sliocht ceannairceach an *Bhounty* an focal *story* go *stolley*.

71. cros
cogaí na croise a thugtar freisin ar na crosáidí.
Comhartha na Críostaíochta is ea an chros, cé gur leasc le Críostaithe úsáid a bhaint aisti go ceann i bhfad, bhí an oiread sin náire agus táire ag baint le bás croise sa sean-am. Bhain na Críostaithe feidhm ar dtús as an iasc mar chomhartha an Chreidimh. Is ionann ceannlitreacha ainm Íosa Críost agus litreacha tosaigh an fhocail 'iasc' (*ichthus*) sa Ghréigis.

72. neamhní
tá sé an-deacair 'neamhní' a shamhlú. Ní hionann é ar aon chor agus an gnáthchoincheap atá againn de, is é sin, spás folamh. I dtéarmaí na fisice níl a leithéid de rud ann agus spás folamh. Is é an spás folamh is foirfe is féidir a chumadh ná folús. Ach an folús a

---

paradacsa: frithchosúlacht/ paradox

dhéantar tar éis gach cáithnín fo-adamhach agus gach candam fuinnimh a bhaint as achar fisiceach nó as réimse fisiceach ar bith, ní folamh a bheidh sé! Beidh sé lán (nó lomlán, ba chirte a rá, b'fhéidir) de cháithníní fíorúla agus de fhrithcháithníní fíorúla. Ní féidir iad a bhaint as an 'fholús' sin. Ní hann do na créatúiríní beaga seo go praiticiúil chomh fada agus is léir dúinn. Ach mairfidh siad ar mhodh do-mhothaithe, ar staid shuthach, i liombó fisiceach, go dtí go dtiocfaidh réimse fuinnimh chun iad a shaolú go nithiúil.

Ní hionann 'neamhní' mar sin agus spás folamh, agus é ag fanacht le go dtarlóidh rud éigin ann de sheans nó de chuspóir – cruthú na cruinne, mar shampla. I dtéarmaí na fisice is nithe iad 'spás' agus 'am'; nó, más mian leat, is rud é an 'spás-am'. Mar sin, i gcás 'neamh-ní' dáiríre, ní féidir spás féin a bheith ann le go dtarlódh rud, nó níl am ann chuige ach oiread.

Níl an chruinne s'againne ag crochadh nó ag lubarnaíl i 'spás folamh'. Níl aon rud ann lasmuigh den chruinne, agus cé go n-airímid go bhfuil an chruinne ag boilsciú agus ag dul i méid, níl aon 'rud', am nó spás, lasmuigh di. Tá sé deacair an staid seo a shamhlú.

73. solasbhliain
an fad a théann solas in aon bhliain amháin. Gluaiseann solas 185,000 míle sa soicind, is é sin, 5,834,160,000,000 míle sa bhliain.

74. réaltbhuíon
dhein muintir na Bablóine agus na Gréige iarracht fadó ar chiall éigin a bhaint as an iliomad réalta atá breactha ar spéir na hoíche. Le cabhair na samhlaíochta cheangail siad na réaltaí le chéile ina scataí difriúla chun cruthanna de rudaí a bhain lena saol féin ar talamh a chumadh, nó chun íomhánna de laochra a gcuid miotas a chur in iúl. Ghlac ciníocha eile leis an nós seo, agus dá thoradh sin tá réaltbhuíonta seanaitheanta againn amhail an Camchéachta (*Ursa Major* sa Laidin, *The Plough* i mBéarla) agus an Fiagaí nó Slat an Rí (*Orion*). Tugtar réaltbhuíonta ar na scataí éagsúla seo. Is ionann réaltbhuíon, mar sin, agus pictiúr teibí atá daite ag samhlaíocht an duine ar phár na hoíche. Tá ocht réaltbhuíon is ochtó ar fad ann. *Constellation* an focal ar réaltbhuíon sa Bhéarla; is ionann brí leis agus 'comh-réaltaí'. *Stella* an focal Laidine ar 'réalta'; tá an bunús Ind-Eorpach céanna aige agus atá ag *star* an Bhéarla.

75. réaltra
sin córas oll-líon réaltaí. Meastar anois go bhfuil timpeall céad míle milliún réaltra ann; agus, cé go bhfuil difríochtaí móra eatarthu, glactar leis go bhfuil céad míle milliún réalta, ar meán, i ngach ceann díobh. Sa naoú céad déag tuairimíodh go raibh 15,000 réalta, b'fhéidir, sa chruinne ar fad. Bainimidne ar an domhan seo leis an réaltra a

---

fíorúil: ionann is a bheith ach gan an gné nó an cruth/ virtual
suthach: inniúil ar bheith ann ach nach bhfuil, insaolaithe, poitéinsiúil/ embryonic, potential

dtugaimid 'Bealach na Bó Finne' (nó 'an Réaltra') air, agus is amhlaidh a bhaineann na réaltbhuíonta go léir freisin. Tá na réaltraí eile chomh fada sin i gcéin uainn nach féidir linn aon réalta dá gcuid a fheiceáil lenár súile cinn, rud nach ionadh nuair nach féidir linn ach líon bídeach de réaltaí Bhealach na Bó Finne a fheiceáil ach oiread. Tá sórt gaoil idir an téarma 'Bealach na Bó Finne' agus *galaxy*, an focal ar 'réaltra' sa Bhéarla, óir tá baint ag *galaxia*, an focal óna dtagann sé, le *lac, lactis*, 'bainne', sa Laidin. Is ionann é sin agus 'lacht' sa Ghaeilge, focal eile ar bhainne.

76. iarsma
cuid de rud atá fágtha
iarsma galair: after-effects of illness
Focail eile le brí cosúil leis sin is ea iarmhar, fuílleach, fuíoll.
duine iarmhair, duine a thagann slán: survivor
fuílleach ama, neart ama: time to spare
fuíoll, an chuid de rud atá fágtha, mar shampla an chuid de eastát a fhágtar tar éis íocaíochtaí agus socruithe eile a ghlanadh: residue (of estate)
fuíollaí: remainder man (i gcúrsaí dlí)
fuíoll bia agus dí: lots to eat and drink ('lashings and leavings')

77. orlach
an dóú cuid déag de throigh: inch.
'Ordlach' a bhí san fhocal ar dtús, ó 'ordóg'. D'úsáidtí leithead na hordóige mar neastomhas faid tráth (féach *rule of thumb* sa Bhéarla).
'ní fearr míle ná orlach': an inch is as good as a mile
ina orlaí tríd, scaipthe tríd: interpersed with

78. piléar
ó leagan éigin den tSean-Fhraincis, *pelote*, 'liathróidín'; tagann ainm an chluiche Spainnigh *pelota* ón fhoinse chéanna (*pilotta/pila* na Laidine).

79. Karl Marx
ar feadh na mblianta bhí saothair Mharx agus Lenin ar na cinn ba mhó a d'aistrítí go dtí teangacha eile. Ba é an *Forógra Cumannach* an saothar ba mhó cáil le Marx, a chuir sé féin agus a chara Engels amach in 1848.

80. Friedrich Engels
fear gnó agus cara mór le Marx; bhí sé pósta ar bhean Éireannach (de mhuintir Bhroin), agus thug sé dhá chuairt ar Éirinn. D'fhoghlaim sé Gaeilge d'fhonn teagasc Mharx a chraobhscaoileadh abhus. D'ainneoin sin, ní go dtí 1986 a foilsíodh an *Forógra Cumannach* i nGaeilge.

81. fáidh
bean nó fear feasa. Gaolmhar le *vates* na Laidine. Sagairt a bhí sna *vates* agus ceann dá ngnóthaí fáidheadóireacht a dhéanamh i dtaobh cúrsaí an stáit.

82. Útóipe
Utopia, tír shamhalta na foirfeachta ina raibh gach rud ar fheabhas; cosúil le Maigh Meall i seanscéalaíocht na hÉireann. Teideal leabhair le Sir Thomas More (Naofa) (1478-1535). Ciallaíonn *Utopia* 'neamh-áit' sa Ghréigis. Is aisteach mar a thugann an Ghaeilge léi an dá bhrí a bhí i gceist ag More. Mar is ionann 'neamh-áit' agus 'áit atá cosúil le Neamh' nó 'áit nach bhfuil ann ar chor ar bith'.

83. dosheachanta
seachain! fainic! aire duit! faichill! faire ort!
bealaí is ea iad seo chun duine a chur ar an airdeall roimh chontúirt éigin. Tá *fore*! mar rabhadh ag galfóirí. In Albain a fuarthas é seo, agus táthar ann a mheasann gur ó 'faire' a thagann sé.

84. Déiseach
treibh a bhí lonnaithe i gceantar Phort Láirge ba ea na Déise. Tá roinnt contaetha eile a bhfuil sainainm ar a muintir: Carmanach (Loch Garman), Corcaíoch, Ciarraíoch, Cláiríneach (An Clár), Gaillmheach, Conallach (Dún na nGall), Eoghanach (Tír Eoghain), Laoiseach, Cainneach (Cill Chainnigh).

85. carcair
carcer sa Laidin. Tá an focal le feiceáil freisin in *incarcerate* sa Bhéarla. Ag Cnoc na Teamhrach bhí Carcair na nGiall (*Mound of the Hostages* i mBéarla).

86. spairn
iomaíocht, iomrascáil, coraíocht (*wrestling*) is brí leis seo. Tá sé an-chosúil le *sparring* an Bhéarla, a bhfuil na bríonna céanna leis. 'Sparnphupa' a bhíodh mar fhocal ar dhornálaí gairmiúil (*prizefighter*). Is minic a thagann spairn as argóint. 'Argúint' a bhíodh san fhocal sin, agus is dócha gur ó *arguing* nó ó *argument* an Bhéarla a tháinig sé. Tá focal eile againn, 'aighneas', atá gaolmhar (is cosúil) le *agonia* sa Ghréigis.

87. iasacht
má fhaigheann tú rud 'ar iasacht', airgead nó, abair, lomaire faiche (*lawn-mower*), níl sé le húsáid agat ach seal; ansin ní foláir é a aisíoc nó a thabhairt ar ais.
duine iasachta, duine ainaithnid, strainséir, eachtrannach: foreigner, stranger, alien
teach iasachta, teach duine eile: someone else's house
tír iasachta, tír thar lear: a foreign country

88. Ceann Comhairle
toisc nach brí litriúil a bhaineann le 'ceann' anseo, ní dhéantar aon athrú air i gcásanna mar seo: 'A Cheann Comhairle' (nuair a bheannaítear dó); mar an gcéanna, 'Oifig an Cheann Comhairle' is ainm dá phost. Ní ceart an fhoirm 'Cinn Comhairle' a úsáid riamh. Leantar den nós chéanna i gcás focail eile nuair nach mbíonn brí litriúil i gceist. Mar shampla, is ionann 'stór' agus saibhreas, ach nuair a úsáidtear é mar théarma ceana nó grá níl úsáid litriúil i gceist. Mar sin, 'a stór' a deirtear, faoi mar a dhéantar i gcás theideal an Cheann Comhairle. 'A phobal' nó 'A Phobal Dé' an bealach is ceart chun beannú do dhaoine ag Aifreann nó ag searmanas eile eaglaise.

89. nóisean
smaoineamh éiginnte, nach bhfuil mórán taobh thiar de. Síolraíonn sé ó *noscere, notum* ('aithint', 'fios a bheith ar') na Laidine
nóisean faoi rud, seachrán intinne faoi: delusion
nóisean amaideach, smaoineamh amaideach: foolish notion
tá nóisean aige di: he fancies her

90. daon–
réimír choitianta is ea é seo a chiallaíonn 'duine':
daonáireamh, comhaireamh pobail: census
daonchumhacht, líon duine ar fáil chun oibre: manpower
daonnaí, duine beo: human being
daonnacht, an nádúr daonna, carthannacht: humanity
daonra, pobal iomlán tíre: population
Is ionann an réimír 'dún' agus 'daon', mar atá sna focail seo a leanas:
dúnbhású, marú duine: homicide
dúnmharú, marú duine d'aon ghnó: murder
dúnorgain, marú duine de thimpist ach go coiriúil: manslaughter
dúnpholl, poll sráide chuig bealach séarachais srl faoi thalamh: manhole

91. coimpléascach
an-chasta, deacair a láimhseáil nó a thuiscint. Ón Laidin, *complexus* a shíolraíonn sé. 'Simplí', sin a mhalairt ar 'coimpléascach'; 'éasca', 'sothuigthe' is ciall dó. Síolraíonn sé ón Laidin, *simplex*.

92. Ó Corráin
athair Shorcha Ní Chorráin, leannán Roibeaird Emmet, faoinar scríobh Tomás Ó Mórdha *'She is far from the land where her young hero sleeps'*. Bhí an Ghaeilge ó dhúchas ag an Chorránach agus scríobh sé amhrán bríomhar ólacháin, *Let us be merry before we go,*

searmanas: deasghnáth/ ceremony

saoraistriú éifeachtach ar 'Preab san Ól' le Riocard Bairéad (1739-1819), an tÉireannach Aontaithe. Maidir leis an ainm Sorcha, ciallaíonn sé 'geal'. Contrárthacht 'dorcha' atá ann. Is mar 'Sarah' a bhéarlaítear Sorcha nó mar 'Claire' ('solus' sa Fhraincis). Tá go leor péirí contrártha eile ar nós Sorcha—Dorcha:
saor—daor (gan cheangal, in aisce; faoi cheangal, costasach)
sodhéanta—dodhéanta (furasta; deacair)
soiléir—doiléir (follas; deacair le feiceáil nó le tuiscint)
sona—dona (ámharach, séanmhar; mí-ámharach, dearóil)
soilíos—doilíos (sásamh, pléisiúr; brón, gruaim)
sólás—dólás (faoiseamh; brón)
sochar—dochar (tairbhe, brabús; díobháil, cailliúint)
soineann—doineann (dea-aimsir; drochaimsir)
soilbhir—doilbhir (meidhreach; gruama)

93. saint
sin ródhúil i rud (*greed*), mar atá i 'saint chun airgid'.
peaca na sainte: covetousness.
Tá focail eile a úsáidtear chun dúil ghoile a chur in iúl:
airc: sharp appetite
airc chun bia: ravenous hunger
ampla, ocras mór: great hunger
craos, saint chun bia: gluttony
cíocras, saint mar a bheadh ar leanbh, amhail 'cíocras milseán'
Ach is féidir dea-bhrí a bheith ag na focail seo chomh maith:
airc chun eolais, spéis mhór sa léann: thirst for knowledge
saint oibre, fonn mór chun oibre: zest for work
léitheoir craosach, duine le dúil mhór sa léitheoireacht: voracious reader

94. págánach
go bunúsach, duine a chónaíonn i sráidbhaile (*pagus* sa Laidin). Leath an Chríostaíocht ar dtús go dtí bailte móra agus cathracha na hImpireachta Rómhánaí. Is faide a mhair nósanna agus cleachtais an tseanreiligiúin faoin tuath agus sna bailte beaga. Mar sin, go ceann tamaill sách fada, ba ionann duine ón tuath (págánach) agus duine gan an creideamh Críostaí.

95. dia
tá baint ag an fhocal 'dia' leis an spiorad osnádúrtha a rialaíonn an domhain agus, chomh maith, leis an spéir a thimpeallaíonn an domhain. Nuair a bhuail teachtairí na gCeilteach le hAlastar Mór (356–323 RCh), d'fhiafraigh sé díobh an raibh ábhar ar bith a chuirfeadh eagla orthu. Dúirt siad nach raibh, ach an spéir a thitim orthu. Mheas na Gréagaigh dá bharr gur chine piseogach iad na Ceiltigh sin. B'fhéidir gurbh ea, ach d'fhéadfadh dhá mhíniú eile a bheith ar a bhfreagra chomh maith: nach raibh eagla ar

bith orthu, ach roimh Dhia féin; nó nach raibh cúis eagla dá laghad orthu, mar nár dhócha go dtitfeadh an spéir ar chor ar bith.

96. Sanscrait, an tS-
sa bhliain 1896 thaispeáin teangeolaí clúiteach Gearmánach darbh ainm Kretschmer go raibh cnuasach focal áirithe i bpáirt ag teangacha Ind-Iaránacha (an tSanscrait agus an Pheirsis) agus na teangacha Iodál-Cheilteacha (an Laidin agus an Ghaeilge den chuid is mó). Is ionann, mar shampla, *àsmi* na Sanscraite agus 'is mé' na Gaeilge. Tá cosúlachtaí áirithe gramadaí ann chomh maith. Mar shampla, 'm' ba choitianta mar chríoch sa chéad phearsa uatha den bhriathar Ind-Eorpach, faoi mar atá go fóill i gcás an bhriathair 'bheith' sa Ghaeilge ('bím/atáim'), sa Bhéarla (*I am*), sa Laidin (*sum*), sa tSeirb-Chrótais (*sam*), san Albáinis (*jam*), sa tSeicis (*jsem*), sa Pholainnis (*jestem*). *Cham* an focal a bhíodh acu san Ióla, sainchanúint oirdheisceart Chontae Loch Garman (féach nóta 106). Agus fearacht 'bím' na Gaeilge, is *bim* an focal a bhíodh sa tSean-Ard-Ghearmáinis.

An nós sin na dteangacha Ind-Eorpacha .i. 'm' a úsáid sa chéad phearsa uatha den aimsir láithreach, is é sin gnáthchleachtadh na Gaeilge go fóill, e.g. 'molaim', 'beannaím.' Tá an nós seo caillte anois sa chuid eile de iarthar na hEorpa beagnach. Ach is é is coitianta i gcríocha Ind-Eorpacha eile atá scartha i bhfad amach ó Éirinn, ó lár na hEorpa soir. *Rozumím* ('tuigim') a deir na Seicigh; *kocham* ('gráím') atá ag muintir na Polainne; *citam* ('léim') a deir na Seirbigh agus na Crótaigh; *kam* ('sealbhaím') an focal atá ag muintir na hAlbáine; *migaram* a déarfaidh Iaránach nuair is mian leis 'tógaim' a rá; agus tá *berem* na hAirméinise agus 'beirim' na Gaeilge an-chóngarach fós dá chéile i gcruth agus i gciall.

97. céatadán
'céad-chodán' atá i gceist. Is ionann 'céad' agus *centum* na Laidine. Tá dhá mhór-rannóg sna teangacha Ind-Eorpacha, a ainmnítear as an chaoi a bhfuaimníonn siad an chéad litir den fhocal 'céad'. Baineann an Ghaeilge leis an Rannóg *Centum*, mar is fuaim chrua (fuaim 'k') a bhíonn ag lucht a labhartha ar an 'c' tosaigh. Baineann na teangacha Ceiltice, Iodáilice, Gearmáinice, an Ghréigis (an Heilléinic) agus an Tocháiris (teanga fhánach Ind-Eorpach a labhraítí in iarthar na Síne tráth) leis an rannóg seo. Tugtar an Rannóg *Satem* ar an roinn eile, toisc go mbíonn fuaim bhog (fuaim 's') ag lucht a labhartha siúd ar an 'c' tosaigh. Baineann teangacha na Slavónaice, na Bailtice, na hAlbáinise, na hIaráine, na hAirméine agus thuaisceart na hIndia leis an rannóg eile seo. *Satem*, sin an focal ar 'céad' in Avastáinis na hIaráine, teanga thipiciúil den rannóg.

98. cúirt
focal a fuaireamar ó na Normannaigh. Ón Laidin, *cohors* (díorma saighdiúirí, idir 300 agus 600 fear, an deichiú cuid de léigiún Rómhánach). Leathnaíodh a bhrí chun cur síos ar an ionad a dtagadh na saighdiúirí le chéile, ansin chun cur síos ar thionól foirmiúil ar nós cúirte dlí.

99. trácht
maor tráchta, báille páirceála: traffic warden
méadar tráchta, gléas chun am páirceála gluaisteáin a thomhas: parking metre
tranglam tráchta, snaidhm tráchta: traffic jam

100. ar iasacht
de ghnáth, cuireann 'ar' ionad nó suíomh nó láthair in iúl, mar shampla, 'tá sí ina suí ar chathaoir/ ar bhalla.' I gcásanna mar seo, cuirtear séimhiú ar an ainmfhocal tar éis 'ar'. Ach cuireann 'ar' staid nó riocht in iúl chomh maith. Sna cásanna seo ní shéimhíonn sé an t-ainmfhocal ina dhiaidh. Samplaí den dara húsáid seo is ea:
ar fostú: in employment
ar saoire: on leave, on holiday
ar muir: at sea
ar talamh, ar tír: on land
ar díol: on sale
ar fáil: on tap
ar cairde: on credit
ar bís: on tenterhooks
ar cois: afoot
ar taifead: on record
ar téip: on tape
ar pinsean: on pension
ar teilifís: on television
ar bord: on board
ar siúl: in progress
Tabhair faoi deara nach mbíonn alt ar bith (cinnte nó éiginnte) roimh an ainmfhocal sa Bhéarla sna cásanna seo. Mar sin, is féidir linn riail réasúnta bheacht a chumadh maidir leis an réamhfhocal 'ar': áit nach mbíonn alt tar éis *on* sa Bhéarla, ní bhíonn séimhiú tar éis 'ar' sa Ghaeilge.
Féach na samplaí seo a leanas a léiríonn na difríochtaí brí atá idir 'ar' le séimhiú agus 'ar' gan séimhiú:
'ar bord loinge', sin staid: on board ship
'ar bhord loinge', sin áit: on a ship's table
'ar muin capaill', sin staid: on horseback
'ar mhuin capaill', sin áit: on a horse's back
'ar muin na muice', sin staid: on the pig's back
'ar mhuin na muice', sin áit: on the back of the pig

101. Quesnay, François
is ina shaothar *Tableau economique* (1758) a fhaightear a theagasc. Chreid a lucht leanúna, na fiseacrataigh, gur bhraith cearteagar agus rialú an stáit ar an talamh amháin agus ar thorthaí na talún, mar gurbh í sin an t-aon fhíorfhoinse maoine agus saibhris.

fiseacratach: duine a ghlac le teagasc Quesnay i dtaobh cúrsaí rialtais: physiocrat

102. Éire
i bhfad Éireann níos mó, i bhfad i bhfad níos mó: far far more
chomh mear in Éirinn agus is féidir, gan moill dá laghad: as quick as possible

103. Fódla
ainm eile ar Éirinn, cosúil le Banba
an saol Fódlach, gach aon duine: everybody

104. Scot
Scotbhéarla: an Ghaeilge

105. bóramha
'comhaireamh ba' is ciall leis an téarma seo. Cíos a bhí inti a bhí le híoc ag Cúige Laighean leis an Ard-Rí. D'éiligh Brian Mac Cinnéidigh í (tar éis di bheith gan íoc le fada) nuair a bhain sé an tArdríochas amach, agus leasainmníodh é aisti dá bharr.

106. sainteanga
ó aimsir na Normannach go dtí an naoú céad déag bhí sainteanga bheag á labhairt in oirdheisceart Chontae Loch Garman, sean-chanúint Bhéarla le roinnt Gaeilge ina horlaí tríd. Thugtaí Ióla ar an teanga seo. Bronnadh dileagra ómóis san Ióla ar Dhónall Ó Conaill. Seo sampla den teanga ón bhliain 1788: *'Fade teil thee zo lournagh? co Jone, zo knagge?/ Th'weithest all curcagh, wafur, an cornee'* (Cén fáth a bhfuil tú chomh gruama? arsa Seán, chomh crosta? Tá an oiread sin míshásaimh is míshocrachta ort).

107. Avari l'irc
tá cosúlacht áirithe idir é seo agus 'Alp Uí Laoire', ainm Bhaile Átha Cliath i mBéarlagair na Saor, teanga rúnda a bhíodh in Éirinn fadó.

108. eolaí
treoraí, stiúrthóir, duine ciallmhar nó léannta; anois, duine atá oilte san eolaíocht: scientist
saineolaí, duine le heolas agus scileanna faoi leith: specialist
seaneolaí, duine le seantaithí: old hand
eolaire, treoirleabhar: directory
eolchaire, cumha, gruaim i ndiaidh na muintire agus na háite dúchais: homesickness
de réir mo eolais, mar a thuigim an scéal: according to my knowledge
ar feadh mo eolais, sa mhéid gur eol dom: as far as I know

---

dileagra: aitheasc/ formal address, memorial

109. cluain
'mealladh' agus 'dallamullóg' (*deception*) is ciall don fhocal sa chomhthéacs seo.
'an chluain Mhuimhneach', mealladh agus plámás: 'the comether'.
Is ionann 'cluain' freisin agus má nó talamh féaraigh cois abhann, amhail Cluain Meala (cois Siúire), Cluain Mhic Nóis (cois Sionainne), Cluain Tarbh (cois Tulchann). Cluain Life (Clonliffe) i mBaile Átha Cliath, bhí sí cois abhann freisin. An Rúirtheach ba ainm don abhainn sin ar dtús. Ach ó ainm na cluana fuarthas an téarma 'Abhainn na Life' agus ansin an Life féin mar ainm ar an abhainn. Ó 'Abhainn na Life' tháinig *Anna Liffey*, ainm ceana traidisiúnta i mbéal mhuintir Bhaile Átha Cliath. Is uaidh sin a chum an sárcheardaí focal, James Joyce, 'Anna Livia Plurabelle', a bhaineann leis an sliocht is liriciúla in *Finnegans Wake*.

110. de dheasca
ciallaíonn an téarma seo 'de bhrí', 'de bhíthin', 'de thairbhe', 'de thoradh': on account of, because of
'deasca', níl iontu sin ach dríodar, moirt: *dregs*. Baineann 'de dheasca' le droch-chúis go minic, mar shampla 'de dheasca breoiteachta'.
Baineann 'de bharr' le dea-thoradh go minic, mar shampla 'de bharr na dea-aimsire'.

111. Platónachas
sa tríú céad AD bhí teagasc fealsúnach á chleachtadh i gCathair Alastair san Éigipt, a bhí ina mheascán de thuairimí Giúdacha, Críostaí, Gréagacha agus de mhisteachas an oirthir. Mar gheall ar an tionchar mór a bhí ag smaointeoireacht Phlatóin ar an ghluaiseacht seo, tugadh an Nua-Phlatónachas air. Plotinus (205-70 AD), fealsamh Gréagach, a bhunaigh an córas fealsúnachta seo. Ghlac sé leis gur Aonar neamhphearsanta ba chúis le gach rud. D'fhéadfadh an duine ceangal leis an Aonar, b'fhéidir, ar feadh tamaill bhig, ach diúltú do phléisiúir na colainne agus dúthracht na beatha a chaitheamh le saol na hintleachta.

Dhein Stiofán Mac Cionnaoith (1872-1934), iriseoir de bhunadh Éireannach a rugadh i Learpholl, aistriúchán ar scríbhinní Phlotinus. Áirítear a shaothar ar cheann de mhóréachtanna aistriúcháin na linne seo. Idir 1917 agus 1930 thiontaigh sé *Na hEinneáid* le Plotinus, cúig imleabhar díobh, ón Ghréigis bhunaidh go Béarla. Tá siad tiomnaithe aige leis an ghuí chéanna a chuir Micheál Ó Cléirigh (1575-1643) le saothar na gCeithre Máistrí, *Annála Ríochta Éireann*, sa seachtú haois déag: 'Do Chum Glóire Dé agus Onóra na hÉireann'. Sa bhliain 1916 d'fhoilsigh Mac Enna (mar a thug sé ar féin i nGaeilge) aistriúchán eile ar *An Claidheamh Solais*, a thuill cáil ar bhonn eile. B'in leagan Béarla de *Mac an Cheannaí*, an aisling le hAogán Ó Rathaille (1670-1729).

Cara mór leis ba ea Liam Ó Rinn (1886-1943), fear a dhein ceannródaíocht maidir leis an Ghaeilge a oiriúnú do shaol an fichiú haois. Bhí tionchar mór acu ar a chéile maidir le

---

misteachas: creideamh nó cleachtadh atá dírithe ar theagmháil a dhéanamh leis an diagacht nó le hosréaltacht/ mysticism
móréacht: sárghníomh/ outstanding achievement

cúrsaí aistriúcháin. Bhí Ó Rinn ina phríomhaistritheoir i dTeach Laighean nuair a cailleadh é. Bhí an Fhraincis, an Ghearmáinis, an Spáinnis, an Bhreatnais agus an Rúisis aige le cois na Gaeilge agus an Bhéarla. Chuir sé Gaeilge ar ábhar ón Pholainnis, ón Ghearmáinis agus ón Bhéarla. Ach an dá shaothar is mó iomrá leis, is dócha, ná *Mo Chara Stiofán*, beathaisnéis ar Stiofán Mac Enna a foilsíodh i 1939, agus *Amhrán na bhFiann*, an t-aistriú go Gaeilge a chuir sé ar an Amhrán Náisiúnta.

112. cailicéir
is duine é siúd a théann thar cailc nó thar fóir i gcúrsaí díospóireachta nó argóna.
dul thar cailc: to overstep the mark
cailc a chur le duine, é a stad go dearfa: to put a stop to one's gallop
as cailc, ó smacht: out of control
punt an chailc!, punt an t-uasmhéid!: a pound's the limit!

113. cónaidhm
mar shocrú polaitiúil is rud annamh agus is rud scaoilte é cónaidhm i gcúrsaí idirnáisiúnta an lae inniu. Ní hionadh a leithéid de shocrú áfach i gcás na Seineagaimbia, cónaidhm a cumadh i 1982 idir Seineagál agus an Ghaimbia, dhá thír san Iar-Afraic. Níl sa Ghaimbia ach stráice caol fada, deich míle ar leithead ar gach bruach den abhainn Gaimbia, a shíneann ar feadh 300 míle ó bhéal na habhann isteach i gcroílar Seineagál. Tá sé den chiall go luífeadh an dá thír iarchóilíneacha seo isteach lena chéile. Ní dócha go roinnfí an limistéar seo ina dhá stát riamh, ach gur cheannaigh na Sasanaigh an Ghaimbia ó na Portaingéiligh sa bhliain 1588, agus gur ghabh na Francaigh Seineagál.

Úsáidtear an focal 'conaidhm' go minic i dteidil eagraíochtaí tionsclaíocha agus gnó:
Cónaidhm na gComhlachas Trádála: Federation of Trade Associations
Cónaidhm na bhFostóirí Éireannacha: Federation of Irish Employers (FIE)
Cónaidhm Thionscail Éireann: Confederation of Irish Industry (CII).

114. cantún
ceann de na sé cheantar pholaitiúla is fiche atá san Eilvéis. Aisteach go leor, is ón fhréamh Laidine chéanna do 'cantún' agus do 'ceaintín' (bialann monarchan, scoile srl).

115. Eilvéis, an
thosaigh cónaidhm na hEilvéise (ó *Helvetia* na Laidine) sa bhliain 1291 nuair a dhein trí 'chantún na foraoise', Uri, Schwyz agus Unterwalden, conradh cosanta in aghaidh na Hapsburgach. Tá ceithre theanga dhúchasacha á labhairt sa tír, an Ghearmáinis (os cionn 70 faoin gcéad den phobal), an Fhraincis (20 faoin gcéad), an Iodáilis (6 faoin gcéad), agus an Rómainis (40,000 duine). Nuair a thosaigh Faisistigh na hIodáile ag éileamh cheantar na Rómainise ar an bhonn bréag-theangeolaíochta gur chanúint Iodáilise a bhí sa teanga bheag seo, chuir na Rómainiseoirí go láidir ina n-aghaidh, agus mar ghníomh diúltaithe rompu lorg siad aitheantas bunreachtúil dá dteanga mar theanga náisiúnta de

chuid na hEilvéise. Rud a thug muintir na hEilvéise dóibh de thoradh reifrinn a reachtáladh sa bhliain 1938.

116. sufraigéid
ó *suffragium* na Laidine (vóta, ceart vótála)

117. James Macpherson (1736-96)
Albanach a bhí ann. D'imir sé ceann de na bearta cama ba mhó i stair na litríochta. Chuir sé véarsaí dá chuid féin ar fáil, ach mhaígh gur aistriúcháin iad ar chuid de fhilíocht na Fiannaíochta. Bhain sé an-cháil amach ar feadh tamaill mar gheall ar an ghné Rómánsach a bhain leis an stíl a chleacht sé. Bhí ardmheas ag Napoleon (1769-1821) agus ag Goethe (1749-1832) ar a chuid 'aistriúchán'.

118. fine
Fine Gall: an chuid thuaidh de Chontae Bhaile Átha Cliath. Ainmníodh an ceantar as na Lochlannaigh a chuir fúthu ann sa deichiú haois. Le fada an lá bhí a sainchanúint féin, an *Fingallian*, ag muintir an taobh seo tíre. Fad a mhair sé, tháinig an Ghaeilge ina h-orlaí tríd. Seo sampla ó chaoineadh máthar ar uaigh a mic i 1698: *'Ribeen a roon, ribeen moorneen, thoo ware good for loand stroand and mounteen, for rig a tool and roast a whiteen.'* Fearacht Ióla, cailleadh an chanúint spéisiúil seo um dheireadh an ochtú haois déag, ach mhair a hainm ar Bhaile Átha Cliath, *Divelinn*, i gcaint na ndaoine isteach sa naoú céad déag. Fuair siad an t-ainm sin ó 'Dubhlinn' na Gaeilge.

119. dúshlán
sa séú céad déag nuair a bhí beirt thaoiseach Éireannacha ag spairn lena chéile, chuir duine acu fógra dúshlánach chuig an duine eile: 'Cuir chugam mo chíos, nó mura gcuirir—! Mise Ó Dónaill.' Fuair sé freagra a bhí lán chomh bagrach: 'Níl cíos agat orm, agus dá mbeadh—! Mise Ó Néill'.

120. frith-
cuid den líon mhór focal a thosaíonn leis an réimír seo is ea:
frithábhar: antibody
frithagóid: counter-objection
frithbheartú: counteract
frithbhuaic: anticlimax
frithchaiteoir: reflector
frithchosúil: paradoxical
frithchosúlacht: paradox
frithdhúnadh: lock-out (i gcúrsaí caidrimh tionsclaíochta)
frithéileamh: counterclaim

frithghinúint: contraception
frithionsaí: counter-attack
frithréabhlóid: counter-revolution
frithreo: anti-freeze
frithsheipteach: antiseptic

121. gintlí
ar dtús, duine a bhain le háit nó le cine faoi leith, ó *gentilis* na Laidine; anois, Gintlí, sin duine nach Giúdach é

122. Sión
ainm an chnoic ar ar tógadh cathair Iarúsailéim. Leathnaíodh a chiall de réir a chéile: (a) Iosraeilítigh an tSean-Tiomna, (b) gluaiseacht i measc Giúdach chun filleadh ar an Phalaistín, (c) Neamh, mar théarma i measc Críostaithe. De réir an tseanchais tabharfar an Breithiúnas Deireanach ar Chnoc Sióin. Sin é an fáth a dtugtar Lá an tSléibhe sa Ghaeilge ar lá dheireadh an tsaoil.

123. díspeagadh
sin 'díth (dochar, laghdú) is beag' a dhéanamh de rud.

124. saghas
sampla maith é seo de fhocal a athraíonn brí ar nós caimileoin de réir mar a aistríonn sé ó theanga go teanga. Thosaigh sé ar a chuid taistil as *sedere*, 'suí', sa Laidin. Ansin sa tSean-Fhraincis chiallaigh *assize* tionól breithiúna ina suí i dteannta a chéile. Sa Bhéarla ba chúirt chuarda *assize*, ag taisteal ó áit go háit. Giorraíodh an focal go *size*, chun tagairt don liúntas bia nó airgid a d'fhaigheadh duine i gcúiteamh freastal a dhéanamh ar *assize* nó ar ócáidí eile as baile (maireann an chiall seo go fóill i gColáiste na Tríonóide, Baile Átha Cliath, áit a dtugtar *sizar* ar mhac léinn a fhaigheann liúntas i leith costas as bheith ó bhaile ag staidéar sa Choláiste). Ansin, glacadh leis mar thagairt do 'mhéid' an liúntais; agus is 'méid' an chiall choitianta a bhaineann leis an fhocal anois sa Bhéarla. Ach nuair a tháinig sé isteach sa Ghaeilge mar 'saghas', chaill sé an bhrí sin agus ghlac ceann nua ar fad chuige féin, mar 'cineál' nó 'sórt'.

125. margadh
'aonach' a bhíodh ag na Gaeil, ach de réir cosúlachta fuair siad 'margadh' ó chine mór loingseoireachta agus tráchtála, na Lochlannaigh. Tagann an focal ó *mercari*, 'tráchtáil', na Laidine, is é sin, an gnó a bhaineann le díol agus ceannach earraí.

Tá 'aonach' le fáil i logainmneacha mar 'An tAonach' (Aonach Urmhumhan i gContae Thiobraid Árann). Aonach Tailteann, b'in aonach mór a chomórtaí gach Lúnasa

caimileon: earc, laghairt ar féidir leis a dath a athrú/ chameleon

i mBaile Tailteann i gContae na Mí. Máthair altrama Lú Lámhfhada ba ea Tailte, banríon miotasach de chuid na bhFear Bolg. Mhair an t-aonach go dtí timpeall 1800, agus leanadh de na cluichí iománaíochta agus de na cleasa lúith a ghabhadh leis go dtí lár an naoú haois déag. 'Pósadh Tailteann', sin caidreamh mídhlisteanach nó caidreamh sealadach gan chuing an phósta.

126. feirmeoir
ferme, 'talamh ar cíos' sa tSean-Fhraincis. Bhí an córas feodach bunaithe ar a leithéid de shocrú, agus 'socrú', 'réiteach' is ciall le *firmare*, an focal Laidine ónar tháinig sé.

Focal eile ar fheirmeoir is ea 'scológ'. Ar dtús chiallaigh scológ 'dalta'. Ansin, de réir a chéile, chiallaigh sé freastalaí, oibrí talmhaíochta ar thalamh mainistreach, tionónta ar thalamh eaglaise, tionónta feirme, feirmeoir beag. Is dócha gur ó 'scoil' (*schola* na Laidine) a tháinig sé ar dtús ar nós 'scoláire'.

127. uair
ó *hora* na Laidine. I nGaeilge an lae inniu úsáidtear an fhoirm uatha den ainmfhocal i ndiaidh uimhreacha (tá teangacha eile a bhfuil an nós céanna acu chomh maith, an tSeapáinis mar shampla). Cuireann na huimhreacha 'aon' go dtí 'sé' séimhiú ar an ainmfhocal, agus cuireann na huimhreacha 'seacht' go dtí 'deich' urú:

aon/dhá/trí/ceithre/cúig/sé	*seacht/ocht/naoi/deich*
bhosca	mbosca
chapall	gcapall
eitleán	n-eitleán

Tá dornán focal, a úsáidtear le haghaidh comhairimh go minic, agus gabhann an fhoirm iolra leo fós (nó foirm speisialta den iolra) tar éis na huimhreacha 'trí' go dtí 'deich'. Seo mar atá acu:

	aon, dhá	*trí–sé*	*seacht–deich*
ceann	cheann	cinn	gcinn
cloigeann	chloigeann	cloigne	gcloigne
slat	shlat	slata	slata
troigh	throigh	troithe	dtroithe
*bliain	bhliain	bliana	mbliana
*fiche	—	fichid	bhfichid
*pingin	phingin	pingine	bpingine
*seachtain	sheachtain (ach 'aon seachtain')	seachtaine	seachtaine
*ubh	ubh	huibhe	n-uibhe
*uair	uair	huaire	n-uaire

*Is iad gnáthiolraí na bhfocal seo, nuair nach mbíonn uimhir rompu: blianta, fichidí, pinginí, seachtainí, uibheacha, uaireanta.

---

miotasach: a bhaineann le fáthscéalta cine/ mythical

128. cosúlachtaí
dhá fhocal atá an-chosúil lena chéile sna teangacha Ind-Eorpacha is ea 'trí' agus 'máthair'. *Tri* agus *matri* atá orthu sa tSanscrait, an teanga scríofa is sine san India. Úsáidtear an tSanscrait fós i searmanais reiligiúin agus tá sí ar cheann de theangacha oifigiúla na hIndia.

129. satailít
tugtar 'satailít' ar mheall atá ag dul timpeall pláinéid nó réalta. Satailít don domhan is ea an ghealach, agus satailít don ghrian is ea an domhan. 'Freastalaí' is ciall don fhocal. An t-aon fhocal sa Ghaeilge, is dócha, a thagann ón Eatrúiscis, teanga atá marbh le breis agus dhá mhíle bliain. Cine neamh-Ind-Eorpach le hardchultúr san Iodáil ba ea na hEatrúscaigh. Chuir an Róimh iad faoi chois timpeall 200 RCh. Tá scríbhinní leo ann fós, ach ní féidir iad a léamh.

130. ómra
dath donnbhuí tréshoilseach. 'A Úna Bhán, a bhláth na ndlaoi ómra' a thug Tomás Mac Coisteala trí chéad bliain ó shin ar a ghrá bán, Úna Nic Dhiarmada. Ba lena muintir na tailte mar a bhfuil Páirc Náisiúnta Loch Cé anois, i gContae Ros Comáin.

131. cuarc
ceann de ghrúpa de thrí cáithníní bunúsacha fo-adamhacha a mheastar a bheith ann. *'Three quarks for Muster Mark'* arsa James Joyce in *Finnegans Wake*, agus ghlac na fisiceoirí leis an fhocal chun an grúpa a ainmniú.

132. Becquerel
is as a ainmnítear an 'beiciril', aonad tomhais na radaíochta. I 1903, bronnadh Duais Nobel na Fisice ar Henri Becquerel.

133. um
séimhíonn 'um' na consain inséimhithe seachas na trí cinn 'b', 'm', 'p', mar shampla, 'um Bealtaine, um Maigh Nuad, um Peadar'. Is furasta na trí litir seo a mheabhrú ach iad a cheangal le 'um' féin san fhocal Béarla *bump*.

134. grian
sol, faoi mar atá sa Laidin, nó leagan de (amhail *sun* sa Bhéarla) atá ag formhór theangacha na hEorpa. 'Grian' atá sa Ghaeilge. Maireann *sol* againn sa Ghaeilge mar

---

tréshoilseach: a ligeann an solas tríd/ translucent

'súil'. 'Ár súil sa spéir' a thugann Indiaigh Pheiriú ar an ghrian san úrscéal *El Hablador* ('An Scéalaí ') (1987) le Mario Vargas Llosa. Is ionann 'solas na súl' agus radharc, bua atá thar a bheith luachmhar. B'in an fáth a ndúirt Tomás Láidir, nuair a cailleadh a ghrá, 'A Úna! A chraobh chumhra! A lúibín chasta na gciabh!/ B'fhearr liom bheith gan súile ná tú a fheiceáil riamh!'

135. prionsabal
fírinne bhunúsach, dlí ginearálta atá ina fhoinse údaráis agus chomhsheasmhachta do ghníomhartha daoine. Síolraíonn an focal ón Laidin, *principium*, 'tús', 'fréamh'.

136. creideamh
prionsabal nó smaoineamh a nglactar leis mar an fhírinne, go háirithe nuair is de chineál é nach féidir a dheimhniú go 'matamaiticiúil' (tagann an focal ó *credere, creditum* na Laidine, a chiallaíonn 'muinín a bheith ag', 'glacadh leis mar an fhírinne'). Ó *credere* freisin a thagann 'cré', ráiteas foirmiúil ar bhunailt na Críostaíochta, amhail Cré na nAspal, a cuireadh le chéile timpeall 500 AD mar choimriú gonta ar theagasc na nAspal. 'Teachtaire' is ciall le *apostolos* sa Ghréigis.

137. cách
gach aon duine, an uile dhuine. Gné eile de is ea 'gach', atá cosúil le *chaque* na Fraincise. Ní athraíonn 'cách' sa tuiseal gineadach:
lá caointe cách, lá bróin don phobal: day of general mourning
i bhfianaise cách, i láthair gach aon duine: in the presence of all
chomh maith le cách, chomh maith le duine ar bith: as good as anybody
fear mar chách, gnáthdhuine: ordinary person

138. laghad
ganntanas ruda, gan mórán de a bheith ann: smallness, short supply
ag dul i laghad, ag éirí níos lú de réir a chéile: decreasing
dá laghad é, cuma cé chomh beag é: however small it is
ar a laghad, ar an chuid is lú de: at least
(Contrárthacht 'laghad' is ea 'méad'; féach nóta 179.)

139. líon
an uimhir iomlán a bhaineann le rud, nó is gá chun gnó a dhéanamh: requisite number, complement.

---

cumhra: le boladh taitneamhach/ fragrant
lúibín: cailín le lúba gruaige/ girl with ringlets
ciabh: dual gruaige/ tress
comhsheasmhacht: cáilíocht ina réitíonn gach rud le chéile/ consistency

líon tí, muintir iomlán tí: household
líon gnó, córam, dóthain i láthair chun gnó a dhéanamh: quorum
líon foirne, dóthain imreoirí: full team
líon cluiche, dóthain daoine le haghaidh cluiche: enough players for a game
líon saothair, an méid daoine atá ar fáil chun obair a dhéanamh: labour force
líon vótaí, dóthain vótaí le duine a thoghadh, cuóta: prescribed number of votes, quota

140. scríbhneoireacht
le teacht na Críostaíochta fuair an Ghaeilge mórán focal nua ón Laidin ar nós:
scríobh: *scribere*
scríbhinn: *scribendum*
léamh: *legere*
léann: *legendum*
leabhar: *liber*
caibidil: *capitulum*
líne: *linea*
focal: *vocalis*
litir: *littera*
údar: *auctor*
cléireach: *clericus*
trácht ('tuairisc'): *tractus*
stair: *historia*
uimhir ('nuimhir' a bhí sa Ghaeilge i dtosach): *numerus*
suim (méid): *summa*

141. medium
i gCúirt Mhic Eoin, bealach cúng i mBaile Átha Cliath mar a ngabhann na céadta coisithe gach lá idir Sráid Ghrafton agus Sráid Chlarendon, tá cainéal i lár na slí ann chun an t-uisce fearthainne a bhreith ar shiúl, díreach mar a bhíodh sa Róimh.

142. ríomhaire
baineann na céadta téarmaí nua leis an ríomhaireacht; tá siad le fáil faoi gach túslitir san aibítir, mar shampla:
aiseolas: feedback
beart: byte
cainéal inchuir is aschuir: input/output channel
dénártha: binary
eochairbhuille: keystroke
físdiosca: video disk
giotán: bit
heorastaic: heuristics
ilphróiseáil: multiprocessing

léasar: laser
mód: mode
nóinín: daisy wheel
oibríocht: operation
pasfhocal: password
ríomhchlár: program
siliceán: silicon
tús-isteach-tús-amach: first-in-first-out
uathcheartú: automatic correction

143. praghas
an costas a bhíonn ar rud. Ní gá gur mar an gcéanna 'praghas' agus 'luach'. I gcás earraí agus seirbhísí is ionann praghas agus slat tomhais airgid. Ciallaíonn an tslat tomhais seo méid áirithe, an méid a shásoidh an díoltóir agus a mheallfaidh an ceannaitheoir. Ach i gcás rud atá 'luachmhar' is minic nach féidir 'praghas' a chur air. Cé mhéad airgid ba chóir a éileamh ar Leabhar Cheanannais chun gurbh fhiú é a dhíol?

144. feidhmiúil
I gcúrsaí praiticiúla an tsaoil, is mian le daoine a gcuid cuspóirí a bhaint amach ar an chostas is ísle is féidir; is é sin, is mian leo bheith 'feidhmiúil'. Ach chomh maith leis sin, i gcúrsaí praiticiúla an tsaoil, is é an rud is mó is mian leo a chinntiú ná go mbainfidh siad a gcuspóirí amach gan ghó; is é sin, is mian leo bheith 'éifeachtach'. Dá bhrí sin, dearbhaíonn an rialtas i gcónaí gur mian leo a gcuid polasaithe a chur i gcrích *go feidhmiúil agus go héifeachtach*.

145. naoi mná deasa Parnassus
is iad ainmneacha na naoi mbé:
Cailipé: bé na filíochta eipiciúla
Clió: bé na staire
Earató: bé ghrá na filíochta
Eoiteirpé: bé na filíochta liricí agus an cheoil
Meilpimeiné: bé na traigéide
Polaimnia: bé na hamhránaíochta, na míme agus na damhsóireachta naofa
Teirpiscirė: bé an damhsa agus an chlaisceadail
Tailia: bé na coiméide agus fhilíocht na haoireachta
Uráinia: bé na réalteolaíochta

---

traigéid: dráma le cinniúint thubaisteach/ tragedy
mím: aithriseoireacht dhrámata gan focail/ mime
claisceadal: cantaireacht chóir/ choral singing
coiméide: dráma éadrom grinn/ comedy
aoireacht: cúram tréad/ pastoralism

146. aois neoiliteach
tréimhse bhéascnach ó timpeall 9000 RCh go dtí 3500 RCh sa Domhan Thoir, agus san Eoraip ó 4000 go dtí 2400 RCh.

147. uileghabhálach
focail eile leis an réimír 'uile-' is ea:
uilechoiteann: general, universal
uilechumhachtach: almighty
uile-Éireann: all-Ireland (aidiacht)
uilefhóinteach: all-purpose
uilefheasach: omniscient
uileghabhálach: comprehensive
uileláithreach: ubiquitous
uileloscadh: holocaust

148. scór
focal ón tSean-Ioruais a chiallaigh marc ar phíosa adhmaid chun méid áirithe earraí srl a chur in iúl (chomhairítí i bhfichidí). Ceann de na tíortha Lochlannacha is ea an Iorua. An Norua a bhí san ainm seo ar dtús ach chaill sí an túslitir 'n' le himeacht aimsire faoi mar a tharla i gcás 'uimhir' (féach nóta 140).

149. gan tacú
ní chuireann 'gan' séimhiú de ghnáth ar na litreacha 'f', 'd', 't', 's' (gan faic, gan dabht, gan tacú, gan só, a deirtear). Agus ní shéimhíonn 'gan' i gcásanna eile ach nuair a ghabhann sé le focal amháin eile chun gnó aidiachta nó dobhriathair a dhéanamh, mar atá sna samplaí seo leanas:
duine gan bheo, gan ghreann, gan phingin: a lifeless, humourless, penniless person
ag caint gan chiall, gan mheangadh: speaking unwisely, unsmilingly.
Focal an-úsáideach is ea 'gan' mar is féidir aidiachtaí gan ghanntanas agus dobhriathra gan bhac a chumadh gan mhoill ar an dul seo.

150. ceardaí
oibrí oilte láimhe: craftsman, artisan. Tá baint aige le 'ceird', slí bheatha nó gairm a éilíonn oilteacht. Ba ionann 'ceard' fadó agus ealaín. Shíolraigh *artisan* an Bhéarla ó *ars, artis*, an focal atá ar ealaín sa Laidin.

151. Coláiste na nGael, Páras
fuair ceithre easpag is caoga, ar a laghad, de chuid na tíre seo, oiliúint sa choláiste seo roimh Réabhlóid na Fraince. Orthu siúd bhí Séamas Ó Gallchóir (1681-1751), Easpag Ráth Bhoth agus Chill Dara, údar *Seanmóirí Uí Ghallchóir*; Pádraig Ó Donnaile, Easpag an

Droma Mhóir (a bhfuil cuimhne air, agus é ag saothrú faoi cheilt ina cheoltóir fhánach, mar *'the bould Phelim Brady, the bard of Armagh'*); agus Seán Ó Murchú, Easpag Chluana agus Rois i gContae Chorcaí, a bhailigh cnuasach mór de lámhscríbhinní Gaeilge na Mumhan sa naoú céad déag.

Coigistíodh an coláiste seo, mar aon le coláistí Éireannacha eile, le linn Réabhlóid na Fraince. Sna hocht déag fichidí d'íoc rialtas na Fraince suim shubstaintiúil i gcúiteamh an tsealúchais Éireannaigh a gabhadh nó a loiteadh in aimsir na Réabhlóide. Ach d'íoc siad é le rialtas na Breataine agus ní bhfuair Éire pingin de. D'úsáid an rialtas sin an t-airgead chun an leacht, Marble Arch, a thógáil i Londain, agus oibreacha eile dá leithéid i Sasana. Ar láthair Tyburn, nó in aice leis, atá Marble Arch tógtha. Is íorónta an cor sin, mar is ag Tyburn a cuireadh an dalta is oirirce, b'fhéidir, de na coláistí Éireannacha ar an mhór-roinn chun báis. B'in Oilibhéar Naofa Pluincéad, a rugadh i 1625 agus a fuair oiliúint mar shagart i gColáiste na nGael sa Róimh. Básaíodh é ag Tyburn sa bhliain 1681.

Bhí an-éileamh ar *Seanmóirí Uí Ghallchóir* san ochtú agus sa naoú céad déag. Cuireadh i gcló iad den chéad uair i mBaile Atha Cliath i 1736. Idir sin agus 1896 cuireadh athchló orthu aon uair is fiche, gan trácht ar aistriú Béarla na bliana 1835. Bhíodh na *Seanmóirí* á léamh mar ábhar spioradálta go forleitheadach i ndeoisí i dtuaisceart na tíre – in Achadh Conaire (Contae Shligigh), i nDoire (Contae Dhoire) agus i Ráth Bhoth (Contae Dhún na nGall) mar shampla – go dtí tús na haoise seo, beagnach.

152. Cluain Mhic Nóis

is eol ainmneacha líon mór údar agus scríbhneoirí léannta de chuid Chluain Mhic Nóis ón bhliain 735 ar aghaidh. Ach níor tháinig slán ón scrios a deineadh ar shaothar na gcéadta bliain ach cúig lámhscríbhinn. *Leabhar na hUidhre* an ceann is mó cáil orthu. Ceann eile, *Annála Chluain Mhic Nóis*, ní mhaireann de ach aistriúchán i mBéarla. 'Is dócha', arsa saineolaí ar Chluain Mhic Nóis, an tAthair Seán Ó Riain SJ, 'nár tháinig slán an míliú cuid de na leabhair a scríobh scoláirí agus scríobhaithe Chluain Mhic Nóis. Ach ba bhoichtede go mór ár litríocht, mura raibh an t-iarsma sin féin ar fáil'.

153. scoileanna scairte

Maolmhaodhóg Ó hOdhráin, seanchaí, tá cur síos aige sa leabhar *Malachy Horan Remembers* ar an scoil scairte ar dhein sé féin tinreamh air ag Crosbhóthar Chill an Ardáin i gceantar Thamhlachta i gContae Bhaile Átha Cliath. Rugadh é sa bhliain 1847 agus fuair sé bás i ndaichidí na haoise seo. Pingin sa tseachtain agus fód móna an táille a d'íocadh gach dalta sa scoil. Tá Scoil Náisiúnta lán-Ghaelach in aice le Cill an Ardáin anois. Bunaíodh Scoil Chaitlín Maude sa bhliain 1985 chun freastal ar phobal óg an cheantair nua tithíochta a tógadh ansin le blianta beaga roimhe sin. Ainmníodh an scoil as an fhile óg éirimiúil (1941-82) as Conamara.

---

coigistiú: rud a bhaint de dhuine de réir dlí/ to confiscate
sealúchas: maoin fhisiceach ar nós tithe nó talaimh/ property

154. Feis na Teamhrach
tugtar Sráid an Fheistí ar Shráid 'Westmoreland' i mBaile Átha Cliath. An 'Feis-Teach' as a n-ainmnítear an tsráid sa Ghaeilge, is é sin an foirgneamh mar a mbíodh Teach Pharlaimint na hÉireann go dtí an bhliain 1800. Is le Banc na hÉireann é anois. Tar éis Acht an Aontais in 1800, d'fhonn cuimhne ar an pharlaimint a mhúchadh, d'ordaigh na húdaráis go n-athrófaí an t-áras ar an taobh istigh agus go gcaochfaí na fuinneoga ar an taobh amuigh. Mar gheall air sin níl Seomra na gComóntach ann a thuilleadh, cé gur tháinig Seomra na dTiarnaí slán, de thimpist. Is mar gheall air sin freisin nach bhfuil fuinneog le feiceáil san fhoirgneamh uasal seo inniu.

155. na Lochlannaigh
as na Lochlannaigh a ainmníodh Dún na nGall, Fine Gall (i gContae Bhaile Átha Cliath), Inse Gall (Oileáin Iarthar Alban). Agus is *fjord* na Lochlainnise atá sna logainmneacha seo a leanas i mBéarla: *Strangford Lough* (Loch Cuan), *Carlingford* (Loch Cairlinne), *Waterford* (Port Láirge), *Wexford* (Loch Garman). Sloinnte a bhfuil bunús Lochlannach leo is ea Ó hUiginn (*viking*), Ó Dúill (Dubh-ghall), Ó Bruadair (Brodir), Mac Íomhair (Ivor), Mac Amhlaoibh (Olaf), Mac Shitric (Sitric), Mac Coitir (Oitir). Tháinig na Lochlannaigh ón Danmhairg, ón Iorua agus ón tSualainn. Ní fios cad as don ainm 'Lochlainn' ach b'fhéidir gur 'tír na loch' (*fjord*) atá ann.

156. tuarascáil
cuntas nó cur síos ar rud nó ar ábhar: report
tuarascáil stiúrthóra: director's report
Focail atá cosúil leis:
tuairisc, scéala, eolas, trácht: information, report, tidings
tuairisc thrádála: trade description
tuairisc ar dhul chun cinn: progress report
tuairisceán: return
tuairisceán an státchiste: exchequer returns
tuairisceoir, iriseoir: reporter, correspondent
tuairisciú, cuntas a thabhairt: to report

157. Mac Giolla Ghunna
ba é Jonathan Swift (1667-1745) a chum an téarma grinn sin sa Bhéarla, *'son of a gun'*, mar chur síos ar réice. Is téarma é a d'oir go rímhaith do dhuine de réicí móra a linne féin, Cathal Buí Mac Giolla Ghunna (1690-1756). Músclaíonn sin ceist: an raibh eolas faoi Chathal ag Swift nuair a chum sé an téarma? Ní fios, ach, ar ndóigh, bhí an Ghaeilge á labhairt go coitianta i mBaile Átha Cliath ag an am sin agus bhí an Déan cairdiúil leis an chláirseoir Ó Cearúlláin (1670-1738), agus ardmheas aige ar a chumas chun ceoil. I 1720 chuir Swift leagan Béarla ar fáil de *Pléaráca na Ruarcach* (faoin teideal 'O'Rourke's Noble

---

caochadh: dúnadh le clocha, le brící nó eile/ to block up

Feast'), saothar a chum an file Aodh Mac Shamhráin, cara eile leis an Chearúllánach, i 1712. Chaith Mac Shamhráin seal ina chónaí i mBaile Átha Cliath i dtús an ochtú haois déag, timpeall an ama a chum sé an dán bunaidh. Cháin Swift an Cearúllánach uair toisc go raibh sé ólta. Ach ní raibh an ceoltóir chomh hólta sin: bhí aisfhreagra i bhfoirm véarsa ar a bhéal aige ar an toirt:

Sibhse, a chléir, nach molann an t-ól,
Agus ar gach aon – cé mór – bhur smacht,
Cé mór bhur milleán ar chách,
Ní bhfaigheann sibh féin bás le tart!

158. barún
tagann an focal seo ó *baro*, 'saorfhear', sa tSean-Ard-Ghearmáinis.
tiarna: flaith, gaolmhar le *teyrn* sa Bhreatnais
easpag: ó *episkopos*, 'fear faire ceannais', sa Ghréigis
ridire: ó *riddere*, 'marcach' sa Phléimeannais (*ritter*, sin mionuasal sa Ghearmáinis)

159. Ó Conaill
cumadh an-chuid béaloidis ina thaobh. Laoch nach bhféadfaí a chloí a bhí ann. Sa rann seo cuireann cailín aimsire i Londain fainic air – faoi rún na Gaeilge – go bhfuil na Sasanaigh ag beartú oilc dó:

A Dhónaill Uí Chonaill, an dtuigeann tú Gaeilge?
Tuigim go maith í, a chailín ó Éirinn.
Tá nimh i do chupán a mharódh na céadta!
Maith tú, a chailín, is tabharfaidh mé spré duit!

160. consal
tugtar consal ar oifigeach a cheaptar chun ionadaíocht a dhéanamh i gcathair thar lear chun leas trádála nó leas saoránach a t(h)íre a shlánú. Ciallaíonn *consulere, consultum* sa Laidin 'dul i gcomhairle le', 'aire a thabhairt do'. Deirtear gur dhein an tImpire Rómhánach Gaius Caesar (is mó cáil atá air faoin leasainm, Caligula – 'Buataisíní', is é sin 'Buataisí Beaga') consal dá chapall. Tíoránach a bhí as a mheabhair a bhí ann ag deireadh a shaoil. Feallmharaíodh é sa bhliain 41 AD.

161. Parnell
laoch eile i mbéal an phobail, 'an rí gan choróin'. Guí choitianta in aimsir Chogadh na Talún ba ea é go mbeadh 'na *landlordaí* salacha ag imeacht gan chíos is Parnell mar rí againn ar Éirinn'. Is cóir an bhéim a chur ar an chéad siolla den sloinne seo, faoi mar a dhéantar sa líne filíochta seo.

---

tíoránach: aintiarna/ tyrant

Ar an leacht mhaisiúil chuimhneacháin ar Pharnell ag ceann Shráid Uí Chonaill i mBaile Átha Cliath tá na focail seo le Parnell greanta, mar aon le guí i nGaeilge: *No man has the right to fix the boundary to the march of a nation. No man has the right to say to his country, 'Thus far shalt thou go and no further'. We have never attempted to fix the* ne plus ultra *to the progress of Ireland's nationhood – and we never shall.* Go soirbhighidh Dia Éire dá cloinn.

Dhein Parnell an tagairt seo do *ne plus ultra* in óráid i gCorcaigh in 1885, nuair ba mhó tábhacht an náisiúnstáit ná mar atá anois. Ach oireann brí na bhfocal do chúrsaí sóisialta agus béascna an náisiúin mar phobal i gcónaí.

162. aniar aduaidh
nuair a thagann deacracht gan choinne i mullach do chinn ort, tagann sé 'aniar aduaidh' ort. Téarma bádóireachta é seo, ag tagairt don chaoi a n-iompaíonn an ghaoth go tobann ar iascairí.

163. comhlathas
eagras de stáit neamhspleácha. 'Comhlathas' a tugadh ar phoblacht Chromail (1649–60). Úsáidtear an focal sa chiall sin fós i gcás na hAstráile, Kentucky, Massachusetts, Pennsylvania, Virginia, agus Puerto Rico. Is é Comhlathas na Stát Neamhspleách a bheidh feasta mar theideal ar an chomhcheangal atá idir cuid de na stáit a bhí sa sean-Aontas Sóivéadach agus atá ina náisiúin neamhspleácha anois.

164. leabharlann
-lann: iarmhír a chiallaíonn áit nó ionad le haghaidh sainghnó, ar nós:
aíochtlann, teach aíochta: guest-house
amharclann: theatre
áraslann, teach árasán: block of flats
armlann: arsenal
beachlann: apiary
bialann, proinnteach: restaurant
ceardlann, stiúideo: workshop
clárlann: registry
clólann: printing house
cógaslann, siopa poitigéara: pharmacy
cultúrlann: cultural centre
dánlann, músaem ealaíon: art gallery
dialann, cín lae: diary
dílleachtlann: orphanage
drioglann: distillery
feithealann, seomra feithimh: waiting-room

---

maisiúil: ealaíonta, galánta/ elegant, graceful

grúdlann: brewery
iarsmalann: museum
íoclann: dispensary
longlann: dockyard
marbhlann: morgue
marglann: mart
naíolann: children's nursery
neachtlann: laundry
obrádlann: operation theatre
óstlann: hotel
otharlann: infirmary
pictiúrlann: cinema
réadlann: observatory (focal ar réalta ba ea 'réad')
sadhlann, túr nó coimeádán le haghaidh sadhlais: silo
saotharlann: laboratory
scaglann: refinery
teanglann: language laboratory
tolglann: lounge
uachtarlann: creamery
Tá '-lann' gaolmhar le *llan* na Breatnaise a chiallaíonn 'eaglais' e.g. Llandudno. 'Lann Dé', sin téarma eile sa Ghaeilge ar eaglais, rud a chuireann i gcuimhne dúinn an líne as an dán *Ag Críost an Síol*, 'in iothlainn Dé go gcastar sinn'. ('Iothlainn', sin clós ina gcoimeádadh an feirmeoir an eorna, an chruithneacht srl ina stácaí sula mbaintí an grán as: *haggard – hay-yard* – i mBéarla.)

165. onnmhaire, allmhaire
anonn: ón áit seo
anall: ón áit thall (.i. go dtí an áit seo)
aneas: ón deisceart
aduaidh: ón tuaisceart
aniar: ón iarthar
anoir: ón oirthear
anuas: ón áit thuas
aníos: ón áit thíos
Sna cásanna thuas 'ó' is ciall don réimír 'a-'. An focal *down* sa Bhéarla, tagann seo ó *adown*, leagan de théarma Ceilteach a chiallaigh 'ón dún' nó 'a-dún'. Ba ghnách go mbeadh dún ar bharr cnoic murab é barr an chnoic féin é. Mar sin, chiallaigh 'adún' teacht 'anuas'.

166. dealramh
ciallaíonn an focal seo 'cosúlacht', 'cuma', 'cruth'.
de réir dealraimh, de réir cosúlachta: in all likelihood
i ndealramh a chéile, cosúil lena chéile: alike

i ndealramh báistí, an chosúlacht air go bhfuil báisteach chugainn: likely to rain
baineann sé le dealramh, tá an chuma air: it is likely
dealraíonn sé, is cosúil: it appears that

167. saighdiúir
tagann roinnt focal cogaíochta ón Laidin, nó tá gaol ag téarmaí cogaidh sa Ghaeilge le focail sa teanga sin:
sagitta: saighead/ arrow
sagittarius: saighdeoir, boghdóir/ archer
scutum: sciath/ shield
lorica: lúireach/ breastplate. ('Lúireach Phádraig', ceann de na paidreacha is sine sa Ghaeilge)
gladius: claíomh ('claidheamh' sa seanlitriú)/ sword
laicus: laoch, curadh/ warrior, champion
conflictus: coinbhleacht/ conflict
(*navis*) *longa*: long/ (long) ship

168. croí
má théimid ar ais go dtí fréamha focal, feicimid go bhfuil gaol sinseartha nach samhlófaí idir mórán focal Gaeilge agus Béarla. Tá sin amhlaidh toisc go síolraíonn an dá theanga seo, agus mórán teanga eile – ón Laidin go dtí an tSanscrait – ón aon teanga shinseartha amháin, an Ind-Eorpais. Níl mórán eolais chruinn againn i dtaobh na hInd-Eorpaise, mar cailleadh í sula raibh an scríbhneoireacht ann. Is eol dúinn áfach gur cailleadh an t-ionannas teanga a bhí aici breis agus ceithre mhíle bliain ó shin agus deineadh deich gcinn de theangacha difriúla aisti.

Ar na teangacha sin bhí an Cheiltic, an Ghearmáinic, an Iodáilic. Síolraíonn an Ghaeilge agus na teangacha Ceilteacha eile ón Cheiltic; síolraíonn an Béarla agus na teangacha Gearmánacha ón Ghearmáinic; agus síolraíonn an Laidin ón Iodáilic (bhí teangacha Iodálacha eile ann chomh maith, ach bhasc an Laidin iad go léir). Mar sin, nuair a fheicimid cosúlachtaí idir na teangacha seo, ní ceart a cheapadh go gciallaíonn a leithéid go síolraíonn aon cheann acu ó aon cheann eile acu: níl ann ach go léiríonn na cosúlachtaí go raibh an bhunfhoinse chéanna acu fadó.

Ar na focail sin a bhfuil gaol eatarthu nach samhlófaí, b'fhéidir, tá 'croí ' na Gaeilge agus *heart* an Bhéarla. Is féidir an gaol a aimsiú ach dul i muinín na Laidine. *Cor, cordis* atá sa Laidin, agus is soiléir gaol idir é agus 'cridhe' na Sean-Ghaeilge. Ach i gcás an Bhéarla tháinig séimhiú ar an 'c' (rud a thug fuaim 'h' don chonsan tosaigh) agus d'athraigh an 'd' atá le fáil in *cord*(*is*) go dtí 't'. Mar an gcéanna le 'lán' na Gaeilge agus *full* an Bhéarla, is gaolta iad. *Plenus* atá sa Laidin. Is léir gaol idir sin agus 'lán', mar is amhlaidh a chaith na Q-Cheiltigh an 'p' tosaigh agus an *-us* deireannach ar leataobh, rud a d'fhág 'lán' acu. Rud níos casta a tharla i gcás an Bhéarla. Is ionann an 'f' tosaigh aige agus 'p' séimhithe; ansin cuireadh an fhuaim 'u' idir 'f' agus 'l' den bhunfhocal Ind-Eorpach; d'fhág sin rud cosúil le *'fullanus'* acu; giorraíodh é seo le himeacht aimsire go dtí 'full'. Seo samplaí eile de chosúlachtaí idir na trí theanga:

LAIDIN	GAEILGE		BÉARLA	
pater	athair	('p' ar lár)	*father*	('p' séimhithe)
piscis	iasc	('p' ar lár)	*fish*	('p' séimhithe)
centum	céad		*hund-red*	('c' séimhithe)
canis	cú-con		*hound*	('c' séimhithe)

169. oiread

méid áirithe de rud, de am, de spás, de fhad srl. Focal firinscneach é, ach d'ainneoin sin ní chuirtear 't' roimhe leis an alt: 'an oiread' a deirtear. Iarsma is ea é seo den seaninscne neodrach, rud atá imithe as na teangacha Ceilteacha agus Rómánsacha leis na cianta. Mar fhocal neodrach, an rud a bhíodh ann fadó ná 'an n-oiread'. Mar an gcéanna le 'iomad' (líon mór, mórán, iomarca), is focal firinscneach é anois, ach 'an iomad' a deirtear toisc gur sean-neodrach eile ('an n-iomad') a bhíodh ann.

170. *Khmer Rouge*

Páirtí Cumannach na Cambóide. *Khmer*, sin 'Ciméarach', duine de phobal dúchasach na Cambóide, cine a raibh ardsibhialtacht acu idir 800 AD agus 1350 AD. Tá a sainstíl shuntasach ailtireachta le feiceáil in Angkor Thom, sean-ardchathair na sibhialtachta sin, a chuaigh as cuimhne daoine nuair a folaíodh le foraoisí dlútha é ón ceathrú céad déag go dtí deireadh na haoise seo caite. *Rouge*, sin an focal Fraincise ar 'dearg', ar ndóigh. Ba dheacair réimeas níos fuiltí a aimsiú i stair aon tíre ná réimeas an *Khmer Rouge* faoi cheannas Phol Pot (1925–) tar éis dóibh teacht i gcumhacht i 1975. Idir sin agus 1980 mharaigh siad breis agus milliún duine agus thug bás na gcéadta míle eile i gcampaí forshaothair. Sa tréimhse deich mbliana idir 1975 agus 1985, tháinig laghdú de 24.5 faoin gcéad ar dhaonra na tíre, ó 8.1 milliún go dtí 6.2 milliún, de dheasca fhoréigean an pháirtí seo. Ba mhó é seo de scrios ná mar a tharla in aon tubaiste nádúrtha san aois seo (seachas an Fliú Mór a sciob 21.6 de mhilliúin duine leis idir Aibreán agus Samhain na bliana 1918).

171. rothlú

rothlaíonn, nó casann, an domhan ar a ais uair amháin le linn gach tréimhse ceithre huaire fichead. Is ionann sin dúinn in Éirinn agus bheith ag gluaiseacht de réir ráta de 0.6 míle sa soicind nó mar sin. (Ionann sin agus 2,160 míle san uair.) Ach déanann an domhan imrothlú freisin timpeall na gréine i gcaitheamh bliana, agus mar gheall air sin gluaisimid chomh maith ar luas 18 míle sa soicind ar an turas sin (nó ar luas 64,800 m.s.u). Le cois na ngluaiseachtaí sin, timpeallaíonn an ghrian (agus an domhan ina teannta) croílár an Réaltra gach 200 milliún bliain ar luas 155 míle sa soicind (nó ar luas 558,000 m.s.u.) Murar leor sin de scéal, tá an Réaltra ar fad (agus réaltraí áirithe eile ina theannta) ag ropadh leis i dtreo fathaigh de thoirt ábhalmhór éigin, a dtugtar 'An Tarraingteoir Mór' air, atá i bhfolach laistiar de ollghrúpa réaltraí ar a dtugtar *Hydra*

ábhalmhór: sármhór/ colossal

Centaurus. Sa chás deiridh seo tá an domhan ag gluaiseacht ar luas 250 míle sa soicind (nó ar luas 900,000 m.s.u.). Ní heol mórán i dtaobh an Tarraingteora Mhóir ach seo, gur dócha go bhfuil sé (agus sinne leis) ag gluaiseacht freisin i dtreo éigin eile, ar luas níos tapúla fós!

172. samhradh
baineann an focal le foinse Ind-Eorpach, *somo* (samhradh) i bhfad siar; *sama* (séasúr nó bliain) atá i Sanscrait na hIndia; agus *hama* san Avastáinis, an teanga Ind-Eorpach is sine scríbhinn de chuid na hIaráine. 'Samhain', sin 'samh-fhuin' .i. bás an tsamhraidh. 'Fuineadh gréine', sin luí, nó dul faoi, na gréine.

173. geimhreadh
ó fhréamh choitianta Cheilteach: *gaeaf* sa Bhreatnais, *goyf* sa Chornais, *goam* sa Bhriotáinis. Tá sé ráite leis go bhfuil 'geamh' gaolmhar le *hiems* (geimhreadh) sa Laidin, agus le *hima*, an focal ar 'sneachta' sa tSanscrait. Himalaya, sin 'áit chónaithe an tsneachta'.

174. roth an áidh
casann an roth gach seachtain sa Chrannchur Náisiúnta. I bPáipéar Bán Mhí Dheireadh Fómhair 1984 (*Ag tógáil ar an Réadúlacht*) thug an rialtas le fios go mbunófaí crannchur náisiúnta. Ritheadh an tAcht chuige sin i Mí Iúil 1986. Tugadh an saincheadúnas do An Post chun an crannchur a fheidhmiú. Chuir siad fochuideachta ar bun, Comhlacht Chrannchur Náisiúnta An Post, chun an gnó a láimhseáil. Is é cuspóir an chrannchuir ná foinse airgeadais a sholáthar le haghaidh gnóthas fiúntach i réimsí áirithe: cúrsaí spóirt agus caitheamh aimsire, sláinteachas, na healaíona is an cultúr náisiúnta agus an Ghaeilge san áireamh.

175. reacht
an seanreacht, an tseanréim: the old regime, *l'ancien régime*

176. naoi
urú a leanann an uimhir seo: 'naoi bpunt', 'naoi mbé'.
Chríochnaíodh an uimhir seo ar 'm' sa ré chianársa (amhail *novem* sa Laidin), agus cé gur cailleadh an 'm', maireann srónaíl, i bhfoirm urú, mar iarsma de go fóill. Mar an gcéanna le 'seacht' agus 'deich' (*septem* agus *decem* sa Laidin). Cheapfaí, b'fhéidir, gur eisceacht é 'ocht' (*octo*), ach ceanglaíodh é leis na huimhreacha eile sin, trí aithris orthu, i bhfad ó shin. Na ceithre uimhir seo a chuireann urú, tá siad le fáil in animneacha an Bhéarla ar cheithre mhí dheiridh na bliana, *September, October, November, December*. Lá den saol ba iad an seachtú, an t-ochtú, an naoú agus an deichiú mí den bhliain dáiríre.

177. osnádúrtha
tá an-saibhreas réimíreanna sa Ghaeilge a chuireann ar chumas na teanga focail nua a chumadh. Ceann acu is ea 'os-'. Feicfear thíos roinnt samplaí de fhocail eile a thosaíonn leis an réimír seo agus le réimíreanna eile atá in úsáid san alt ar reiligiún:

os–
osnáisiúnta: supranational
osréalach(as): surreal(ism)
osteilgeoir: overhead projector

gnáth–
gnáthbhéas: common courtesy
gnáthdhuine, Tadhg an mhargaidh: the man in the street
gnáthghalar, (an): chronic ailment
gnáthstoc: ordinary stock

idir–
idirbhealach: line of communication
idirbheart: transaction
idirbhliain: transition year
idirchreidmheach: interdenominational
idirdhealú: differentiation
idirghabháil: intervention, mediation
idirghuí: intercession
idirlinn: interval, intermission
idirnáisiúnta: international

iar–
iarbháis: posthumous, post-mortem (aidiacht)
iarchéimí: post-graduate
iarimpriseanachas: post-impressionism
iarmhír: suffix

cian–
cianaimsir: the distant past
cianchúis: remote cause
cianghlaoch: long-distance (telephone) call
cianrialú: remote control

comh–
comhbhách: sympathetic
comhcheangal: join together, coalesce
comhchinniúint: common destiny
comhchoiste: joint committee
comhdheas: ambidextrous

comhdhúil: compound
comhghairdeas: congratulations
comhghleacaí: mate, peer
comhiomlán: aggregate
comhionannas: equality
comhoibriú: cooperation
comhrialtas: coalition (government)
comhthoghadh: co-opt

barr–
barrbhuí: blonde
barréadrom: giddy
barrlá: a great day
barrluas: maximum speed

ath–
athbhunú: re-establish
athchló: reprint
athchluiche: replay
athphreab: rebound

178. bord
ó *borth* sa tSean-Ioruais, 'taobh loinge', 'tábla'; gaolmhar le *bardhaka* na Sanscraite, 'slios', 'gearradh'

179. méad
méad, méid: oiread, suim, fairsinge, cuid nó uimhir áirithe, líon ruda: amount, quantity, extent, muchness.
Maidir le 'méad' agus 'méid' is féidir a rá gur:
(1) focail fhirinscneacha gan díochlaonadh iad
(2) 'méad' an téarma a úsáidtear tar éis na bhfocal 'ar', 'cá?', 'cé?', 'dá' (baineann éiginnteacht nó amhras le 'méad').
ar a mhéad, ar an chuid is mó de: at most
ar mhéad a bhróin, toisc an oiread sin bróin a bheith air: so great was his sorrow
cá/cé mhéad atá air?, cén costas atá air?: how much is it?
dá mhéad, cuma cé chomh líonmhar, minic srl: however numerous, frequent etc
(Contrárthacht 'méad' is ea 'laghad'; féach nóta 138.)
Tá focal eile ann leis an fhoirm 'méid'. Focal baininscneach é a chiallaíonn toirt fhisiceach (*size, magnitude*):
de réir méide: according to size
méid an tseomra: the size of the room
méid na hÉireann: the size of Ireland

180. contae
an limistéar tíre a bhíodh faoi chúnta. Is ó *comes* na Laidine, 'compánach' – sa chás seo compánach rí – a shíolraíonn an focal.

Sular tháinig na Normannaigh bhí Éire roinnte ar timpeall ceithre scór tuath, agus rí tuaithe i gceannas ar gach ceann díobh. Bhí na ríthe cúige os a gcionn siúd, agus ar uaire bhíodh ceannasaíocht uile-Éireannach ag duine de na ríthe cúige, an t-Ard-Rí, amhail Brian Bóramha.

Thug na Normannaigh faoi seilbh a ghabháil ar na bailte Gael-Lochlannacha agus ar na tuatha. Faoi chóras na Normannach rialaítí bailte ag 'bardais' faoi mhéaraí agus na ceantair tuaithe faoi bharúin agus faoi chúntaí. Tar éis na bailte a ghabháil d'fhéach na Normannaigh leis na bunaonaid pholaitiúla, na tuatha, a chloí. Is léir gurbh ionann go minic réimsí na mbarúntachtaí a bhunaigh siad agus réimsí na dtuath. Nuair a thosaigh an próiseas chun an tír a roinnt i gcontaetha (i réimeas an Rí Seán) (1199-1216), cnuasaíodh méid áirithe barúntachtaí le chéile chun na contaetha a dhéanamh. Faoin am a d'éag Seán, sa bhliain 1216, bhí na trí chontae tosaigh ann, Baile Átha Cliath, Port Láirge agus Corcaigh. Lean an próiseas ar feadh na gcéadta bliain. Níor roinneadh an chuid is mó de Chúige Uladh i gcontaetha go dtí deireadh réimeas Eilís I (1558–1603). An contae ba dhéanaí a cumadh ná Cill Mhantáin, sa bhliain 1606, nuair a chaill muintir Bhroin agus mhuintir Thuathail ceannas ar a dtuatha dúchasacha.

Is é Contae Lú an contae is lú in Éirinn, ach ní mar gheall air sin a tugadh an t-ainm sin dó. Ainmníodh é as Lú Lamhfhada (féach nóta 38 freisin). Bhain Cú Chulainn leis an taobh seo tíre, agus de réir cuid de na seanscéalta ba é Lú a athair.

Is é Corcaigh an contae is mó in Éireann. Tá sé díreach naoi n-uaire níos fairsinge ná Contae Lú.

181. disciplín
oiliúint le haghaidh feabhsaithe, smacht.
Ón Laidin, *disciplina*, 'múineadh', a shíolraíonn sé. Roinntear na hábhair staidéir in ollscoileanna nó in institiúidí ardléinn eile ina réimsí speisialta. Tugtar 'cúrsaí staidéir' nó 'disciplíní' ar na réimsí seo.

182. soiscéal
scéal agus teagasc Chríost mar atá sna ceithre shoiscéal. Ionann 'soiscéal' agus 'so-scéal', is é sin, 'dea-scéal'. Mar an gcéanna sa Bhéarla: is ionann *gospel* agus *god* (*good*) agus *spell* (teachtaireacht).

183. uamhan
is ionann 'uamhan' agus staid ina mothaíonn duine meascán den ionadh agus den eagla: awe
uamhan clóis: claustrophobia

---

ceannas: flaitheas/ sovereignty, control

uamhan sráide: agoraphobia
Tá go leor focail ann a chuireann staideanna eile den uafás in iúl:
eagla, focal coitianta ar mhothú i dtaobh contúirte nó ábhair mhíshocrachta: fear
ar eagla: for fear that
ar eagla na heagla: just in case
imeagla, anbhá, eagla thobann a thagann ar chách i gcoitinne: panic
faitíos, eagla intleachtúil go minic: apprehension
imní, eagla bhuan leanúnach: anxiety
scáth, eagla a thagann ón scáfaireacht: timidity
scanradh, eagla fhisiceach: fright
scaoll, scanradh gan réasún ar dhuine: panicky feeling
sceimhle, eagla thréan: terror
sceimhlitheoir: terrorist

184. éadulangach
réimír dhiúltach is ea 'éa-', 'éi-'
fulangach, éadulangach: tolerant; intolerant
daingean, éadaingean: steady; unsteady
deimhin, éideimhin: certain; uncertain
tairbhe, éadairbhe: benefit; fruitlessness
dóchas, éadochas: hope; despair
trom, éadrom: heavy; light
cosúil, éagsúil: like; unlike
cothrom, éagothrom: equal; unequal
cóir, éagóir: fairness; injustice
treoir, éidreoir: direction; lack of direction
cinnte, éiginnte: certain; vague

185. Montesquieu
Charles Louis de Secondat, Baron de la Brede et de Montesquieu (1689–1755). Bhí an-tionchar aige ar smaointeoireacht pholaitiúil a linne san Eoraip agus i Meiriceá.

186. bhíothas
tá sé cinn de bhriathra neamhrialta le briathar saor, aimsir chaite, a chríochnaíonn ar '-thas':

bhíothas	ní rabhthas
chonacthas	ní fhacthas
chualathas	níor chualathas
chuathas	ní dheachthas
fuarthas	ní bhfuarthas
thángthas	níor thángthas

187. triúr
nuair is daoine atá i gceist i gcomhaireamh, is nós é go minic foirm ar leith de na huimhreacha a úsáid. Tá an focal 'fear' faoi cheilt iontu ach amháin i gcás 'beirt'; mar shampla, aonar ('aon fhear'), triúr ('trí fhear'):
beirt: pair, duo
triúr: trio
ceathrar: quartet
cúigear: quintet
seisear: sextet
seachtar: septet
ochtar: octet
naonúr: nonet
deichniúr: ten persons
dháréag: twelve persons (mar shampla, an Dáréag Aspal: the twelve Apostles)

188. meán
'lár'; is ó fhréamh Ind-Eorpach *medhyo* dó; *medius* atá sa Laidin, agus 'meadhón' a bhíodh sa Ghaeilge. Focal gaolmhar le 'meán' is ea Midhe (Mí), ainm an chontae, agus ar dtús ainm an chúige a bhí i lár baill idir na cúigí eile.
an Mheánaois: the Middle Ages
meánaoiseach: medieval
meánaosta: middle-aged
meán oíche: midnight
meán lae: midday, noon
fear meánach: intermediary, middleman
meáncheannaí: middleman (i gcúrsaí gnó)
An Baile Meánach: Ballymena, Contae Aontroma
Cúirt an Mheán Oíche: an dán is cáiliúla sa Ghaeilge. Tá 1,096 líne sa leagan is faide atá ar fáil. Foilsíodh seacht n-eagrán Gaeilge de ar a laghad san aois seo, agus cúig aistriú Béarla. Donncha Ulf, máistir scoile, a dhein an chéad aistriú riamh go Béarla timpeall 1825. Tá aistriú Gearmáinise ann chomh maith. Brian Merriman (1749-1805), múinteoir matamaitice as Contae an Chláir, a scríobh.

189. Ard na Ria
caisleán é seo in aice le Muine Chonalláin i gContae Mhaigh Eo. Cé gur cuireadh muintir Dhubhda as an chaisleán na céadta bliain ó shin, bhí súil acu i gcónaí lena fháil ar ais lá éigin. Dóchas gan bonn céille, nó dóchas daingean nach féidir a chloí d'ainneoin gach deacrachta, sin is brí le 'súil Uí Dhubhda le hArd na Ria'. B'fhéidir nach mbíonn mórán de dhifríocht idir an dá bhrí ar uaire. Nuair a tháinig na Francaigh i dtír i gCill Ala i gContae Mhaigh Eo sa bhliain 1798, ghabh Séamas Ó Dubhda, miontiarna talún de chuid na háite, athsheilbh, ar feadh scaithimh ghlórmhair ghairid, ar oidhreacht a shinsear.

190. Eliezer Ben Yehuda (1858-1922)
ón am a thosaigh na Giúdaigh ag filleadh ar an Phalaistín ón deoraíocht Bhablónach sa séú céad RCh, bhí an Eabhrais mar theanga labhartha faoi ionsaí ag an Aramais, teanga ghnó agus teanga oifigiúil iarthar Impireacht na Peirse. Leanadh den Eabhrais mar theanga scríofa i gcúrsaí reiligiúin, ach de réir a chéile glacadh leis an Aramais mar theanga phobal na Palaistíne. Ba í an Aramais teanga dhúchais Chríost féin, ach is léir go raibh léamh na hEabhraise aige chomh maith. Lasmuigh den tír, ghlac an-chuid Giúdach leis an Ghréigis mar theanga labhartha, faoi thionchar ardchultúr Ghiúdaigh Chathair Alastair ach go háirithe.

Cibé iarsma den Eabhrais a mhair á labhairt, cailleadh é idir 70 AD agus 200 AD ar a dhéanaí. Ón am sin i leith, go dtí deireadh an naoú haois déag, ba nós ag na Giúdaigh glacadh le teanga na dtíortha inar chuir siad fúthu. Sna tíortha Arabacha, agus an Phalaistín ina measc, ghlac siad leis an Araibis. (Is teanga oifigiúil í an Araibis in Iosrael go fóill, mar aon leis an Eabhrais.) I lár na hEorpa ghlac na Giúdaigh leis an Ghearmáinis, agus leathnaigh a gcanúint den teanga sin, le meascán Slavach agus roinnt Eabhraise ina n-orlaí tríd, gur dhein teanga nua de, an Ghiúdais.

Ba í an Ghiúdais an teanga dhúchais a bhí ag Eliezer Perlmann, Giúdach a rugadh sa bhliain 1858 in aice Vilnius sa Liotuáin (a bhí ina cuid de Impireacht na Rúise ag an am). Ba é an chéad duine é le 1,800 bliain a chinn, agus é in aois a fiche ceathair, ar iomlán a shaoil feasta a chaitheamh trí mheán na hEabhraise. Rud a dhein nuair a chuir sé faoi sa Phalaistín in 1882. D'fhógair sé go poiblí ansin go raibh Perlmann marbh, agus ghlac chuige féin ainm nua Eabhraise – Eliezer Ben Yehuda. B'éigean dá bhean an Eabhrais a fhoghlaim chun caidreamh a dhéanamh leis, agus nuair a tháinig a mháthair ón Liotuáin ar cuairt chuige tar éis na mblianta fada, dhiúltaigh sé labhairt léi ach san Eabhrais, teanga nach raibh aici féin. B'éigean dó an-chuid focal nua a chumadh san Eabhrais chun an teanga a chur in oiriúint do shaol an lae inniu. (Ba é *millon* an chéad cheann díobh; chiallaigh sé 'foclóir' – ó *milla*, 'focal'.)

'Athair na Nua-Eabhraise' a thugtar air, agus is minic a deirtear gurbh é a chuir tús le hathbheochan na teanga. Níl sin iomlán ceart. Ní ón ghaoth a fuair sé an spéis nó an spreagadh a líon a shaol, nó a mheall daoine eile chun a threoir a leanúint. Cuireadh síol na hathbheochana, agus tosaíodh ar an bhonneagar chuige a thógáil, breis agus 150 bliain roimhe sin.

Cuireadh tús leis an ghnó nuair a d'fhéach Giúdach óg Iodálach, Moses Chaim Luzzatto (1707-47), leis an Eabhrais a úsáid arís i ngnáthchúrsaí an tsaoil, den chéad uair tar éis scrios Iarúsailéim i 70 AD agus tar éis an scaipeacháin a imríodh ar na Giúdaigh ina dhiaidh sin. Ach chuir a mhuintir, pobal coimeádach Giúdach, an ruaig air ón Iodáil de bharr a thuairimí radacacha. D'éag Luzzatto in aois a dhá scór, ina dheoraí, tamall gairid tar éis dó cur faoi sa Phalaistín. Bhí an chosúlacht air gur theip go glan ar a iarracht. Ach diaidh ar ndiaidh tugadh cluas dá theagasc, agus thosaigh Giúdaigh in oirthear na hEorpa – sna críocha Rúiseacha – ar irisí beaga Eabhraise a fhoilsiú ina raibh aistí, filíocht, drámaíocht agus a leithéid. Leanadh mar sin ar feadh céad go leith bliain beagnach. Ansin d'imigh Perlmann chun na Palaistíne.

Ach ní raibh deireadh fós le deacrachtaí. Nuair a chuaigh David Ben Gurion (1886-1973) (a bhí ina chéad phríomh-aire ar stát nua Iosrael i 1948), chun cur faoi sa Phalaistín i 1906, baineadh stangadh coscrach as. An chéad scéal, beagnach, a chuala sé ná go raibh deireadh dóchais bainte ag Ben Yehuda dá aisling go dtógfaí ann an nua-Phalaistín, Sión úr, leis an Eabhrais mar theanga dhúchais ann. Bhí Ben Yehuda ag taobhú ag an am sin le moltaí go lorgfaí malairt tearmainn do Ghiúdaigh in Úganda nó sa Bhrasaíl.

Is féidir féachaint ar athbheochan na hEabhraise ó cheachtar de dhá thaobh. Ar bhonn amháin, tá éacht déanta laistigh de chéad bliain ó aimsir Ben Yehuda, sa mhéid go bhfuil codán sonrach de phobal Iosrael ina gcainteoirí dúchais Eabhraise anois. Ar bhonn eile, is léir gur obair mhall chéimseach atá inti mar athbheochan, nach bhfuil críoch léi go fóill: mar sa bhliain 1965 ní raibh a leath féin de phobal fásta Iosrael ag úsáid na hEabhraise mar phríomhtheanga labhartha. B'in beagnach dhá chéad caoga bliain ó thosaigh Luzzatto óg ar a chéad iarrachtaí san Eabhrais.

Nach cuí – más greannmhar, ar bhealach – gur rugadh agus gur tógadh an Giúdach Luzzatto i mbaile Phadova, baile San Antaine (1195-1231), an bráthair Proinsiasach atá ina naomhphátrún acu siúd a lorgann nithe a bhíodh acu tráth ach atá ceilte orthu anois?

Sampla an-mhaith de shainteanga Ghiúdach eile is ea an Laidineo, nó an Easpainneoil – sean-chanúint Spáinnise – a thóg na Giúdaigh leo nuair a díbríodh iad ón Spáinn sa bhliain 1453. Mhair sí ar feadh cúig chéad bliain beagnach mar ghnáth-theanga na nGiúdach a chuir fúthu in Salonika na Gréige tar éis a ndíbeartha. Níor stopadh dá labhairt go dtí 1944, nuair a scuabadh chun siúil pobal iomlán Giúdach na cathrach sin, líon de 46,091 duine, chun bás a fhulaingt in Auschwitz agus i sluachampaí géibhinn eile.

191. treallchogaíocht
troid a chuireann guairillí ar siúl: *guerilla warfare*. 'Treall', sin tréimhse ghairid nó seal gearr. 'Cogaíocht pháirtaimsire', mar sin, is ciall litriúil don téarma Gaeilge!

192. slua
focal a bhfuil glactha leis i mBéarla Mheiriceá san aois seo. *Slew* nó *slue* an litriú atá air. Úsáidtear é mar chnuasfhocal ginearálta, mar shampla *a slew of troubles, a slew of bears.*
Cnuasfhocail sa Ghaeilge is ea:
ál sicíní: a clutch of chickens
báire éisc: a shoal of fish
beart cipíní: a bundle of sticks
bolg saighead: a quiver of arrows
braisle bláthanna: a cluster of blossoms
bratainn páistí: a gang of kids
brútam daoine: a crush of people
buíon gasóg: a troop of scouts
cath saighdiúirí: a battalion of soldiers
cíor fiacla: a set of teeth
cloigín eochrach: a bunch of keys
cluiche gainéad (os cionn báire éisc): a flock of gannets (wheeling over fish)
comhaltas ceoltóirí: a fellowship of musicians
compántas aisteoirí: a troupe of actors

conairt mac tíre: a pack of wolves
conlán compánach: a circle of friends
cnuas cnó: a hoard of nuts
cnuasach tacar: a family of (mathematical) sets
crobhaing bláthanna: a bouquet of flowers
cuain coileán: a litter of pups
cuideachta ban: a gathering of women
cur sceana: a set of knives
díolaim dána: an anthology of poetry
díorma saighdiúirí: a detachment of troops
dreabhlán páistí: a swarm of children
ealbha eallach: a drove of cattle
ealta éan: a flock of birds
ealta eitleán: a flight of planes
eilbhín caorach: a flock of sheep
éillín lachan: a brood of ducklings
feadhain fear: a band of men
fiann fichille: a set of chessmen
fleasc diamant: a spray of diamonds
foireann spéirbhan: a bevy of beauties
gallach éisc: a catch of fish
gasra óglach: a party of youths
glac scéalta: a handful of stories
graí láracha: a stable of mares
macha bó bainne: a herd of milch cows
maicne gaiscíoch: a band of heroes
mám milseán: a handful of sweets
maois scadán: a load of herrings
maoiseog prátaí: a heap of potatoes
meitheal oibrithe: a team of workers
mogall marcach: a troop of cavalry
moll tithe: a huddle of houses
morc daoine: a throng of people
mothar crann: a clump of trees
muclach laoch: a mass of warriors
paca bithiúnach: a pack of ruffians
plód daoine: a crush of people
ráth ronnach: a shoal of mackerel
rois urchar: a volley of shots
rópa eascainí: a string of curses
ruathar piléar: a hail of bullets
saithe beach: a swarm of bees
scaoth cuileog: a cloud of flies
scata scabhaitéirí: a gang of scoundrels
scoil cearrbhach: a school of gamblers

scuad mílteog: a cloud of midges
scuaidrín carráistí: a train of carriages
scuaine gluaisteán: a line of cars
sealbhán saothraithe: a squad of workmen
seilbh géanna: a gaggle of geese
slua sí: a host of fairies
speil muc: a herd of swine
sraith uimhreacha: a series of numbers
stábla capall: a string of horses
stadhan faoileán (agus iad ag foluain os cionn báire éisc): a wheel of seagulls
stór amhrán: a collection of songs
táinte póg: showers of kisses
táth bláthanna: a posy of flowers
teaglaim úll: a store of apples
trilseán oinniún: a string of onions
tréad caorach/bó: a flock of sheep/a herd of cattle
triopall caor: a cluster of berries

193. Traí
tógadh naoi gcathair i ndiaidh a chéile, ón bhliain 3000 RCh anall, ar láthair na Traí, atá in aice Hissarlik sa Tuirc. Meastar gurbh é an seachtú cathair díobh a dódh i Scrios na Traí. Tharla an eachtra sin timpeall 1200 RCh.

194. caoinfhulaingt
faoin Fhéineachas (an córas dlí dúchasach, dlíthe na mBreithiúna) níor cuireadh aon duine chun báis ar chúis chreidimh, agus ní fhéadfaí. Saintréith den bhéascna Ghaelach ba ea an chaoinfhulaingt. Bhí an chaoinfhulaingt sin le sonrú in Albain freisin. Aimsir an Reifirméisin, níor cuireadh ach Caitliceach amháin, ar a mhéad, chun báis ansin ar chúinsí creidimh amháin. Agus fiú i gcás an Athar Iain Ó Giollabhuí, b'fhéidir gur chúiseanna polaitiúla, den chuid is mó, a thug a bhás. Níorbh ionann an scéal i dtíortha eile san Eoraip ag an am. Léirítear an chaoinfhulaingt mar thréith náisiúnta sa chíocras leathan sin chun chothrom na Féinne atá ina bhuanghné den dúchas Éireannach. Thug Sir John Davies (1569-1626), Ard-Aighne na tíre faoin rí Seamas I, an tréith seo faoi deara nuair a dúirt, *'There is no nation or people under the sun that doth love equal or indifferent* (.i. neamh-chlaonta) *justice better than the Irish'*.

Tá an sainchomhartha seo fréamhaithe chomh daingean sin i meon an phobail go searbhaíonn sé ár laigí náisiúnta oiread agus a mhaisíonn sé ár mbuanna. Rud a spreag Samuel Johnson (1709-84) lena rá, ar thaobh amháin, *'The Irish are a fair people – they never speak well of one another'*. Ar an drochuair, is féidir le ródhúil sa tréith seo daoine a dhalladh agus aighneas nach gá a chothú, uaireanta, i gcúrsaí daonna, idir chúrsaí muinteartha agus chúrsaí tionsclaíocha.

Ar an taobh eile de, lonnraíonn uaisleacht na tréithe sa chaoi a roinneann pobal na tíre go fial le daoine sa tríú domhan ar uair na tubaiste, faoi mar a dhein nuair a d'iarr

Bob Geldof cabhair orthu ar son mhuintir na hAetóipe roinnt blianta ó shin. Tá an tréith le fáil inár litríocht chomh maith. Seo mar a chuireann Tomás Ó Criomhthain (1856-1937) clabhsúr lena chur síos ar a shaol anróiteach féin, in *An tOileánach*: 'Théadh mo mháthair ag tarraingt na móna, agus mise ocht mbliana déag d'aois. Dheineadh sí é d'fhonn go bhféadfainnse dul ar scoil, mar gur fhánach a bhíodh fáil ar scoil againn. Tá súil le Dia agam go bhfaighe sí féin agus mo athair an Ríocht Bheannaithe; agus go mbuailfidh mé (agus gach aon a léifidh an leabhar seo im dhiaidh) leo in Oileán Parrthais. Go soirbhí Dia dá n-anam go léir, agus nár thuga sé aon drocháit do aon duine den chine daonna ach oiread'.

195. contrárthacht
bheith in éadan: ciallaíonn *contra* sa Laidin 'i gcoinne'. Meastar de ghnáth go dtagann an focal *'agin'* i mBéarla na hÉireann ón fhocal *against*, ach tá an chosúlacht ann go bhfuil baint ag an téarma Gaeilge 'i gcoinne' leis an scéal chomh maith. Tá focal dúchasach 'codarsnacht' atá ar aon bhrí le 'contrárthacht'.

196. dínit
gradam nó iompar foirmiúil, riocht inghradaim: dignity. Ó *dignus* na Laidine (fiúntach, oiriúnach) a thagann sé; *dignité* a bhí sa tSean-Fhraincis.

197. toscaire
ionadaí, teachtaire. Tagann an focal ó 'toisc', a chiallaíonn 'turas gnó' nó 'aistear chun rud a lorg'. Is minic a úsáidtear 'toisc' anois san iolra ('tosca') i gciall 'cúinsí', 'dálaí': *circumstances*.

198. Aithin, an
Sa Chogadh Pheilipinéiseach (431-404 RCh) bhris na Spartaigh ar an Aithin. An scrios millteanach a tharla lena linn ba chúis le bás Ré Órga na Gréige. Cúig bliana i ndiaidh an chogaidh daoradh Sócraitéas chun deoch na muinge mire agus chun lámh a chur ina bhás féin.

199. sráid
Ciallaíonn sráid 'bealach' nó 'slí' mar a bhfuil leaca leagtha síos, chun taisteal agus trácht a éascú. Síolraíonn an focal 'sráid' ó *strata* (*via*) na Laidine. Tagann *strata* ó *sternere*, *stratum*, 'leagan síos'. 'Bóthar', b'in casán le haghaidh bó ar dtús.

Bealach mór stairiúil i mBaile Átha Cliath, tráth, ba ea Slí Chualann, a tháinig ó Theamhair na Rí agus a ghabh ó dheas thar Abhainn na Life. Bóthar leacach a bhí i Slí Chualann, in áiteanna pé scéal é, faoi mar is léir ón ainm 'Bóthar na gCloch' (nó

---

muing mhear: deoch a dhéantar as planda nimhneach/ hemlock

Stonybatter i mBéarla) atá ar an cheantar ar thuaisceart na cathrach mar a ngabhadh an tSlí. Maireann cuimhne ar an tSlí i gceantar ó dheas den chathair chomh maith, san ainm 'Baile an Bhóthair' (nó *Booterstown*). Is ionann *batter* agus *booter* sa dá ainm seo agus 'bóthar'. D'fhuaimnítí 't' séimhithe na Gaeilge mar a fhuaimnítear 'th' sa Bhéarla anois go dtí taréis teacht na Normannach.

San ochtú haois déag agus roimhe sin, ba cheantar é Bóthar na gCloch a raibh cáil an ragairne air. Théadh réicí na cathrach ann ar spraoi ólacháin – théidís '*on the batter*'.

Teideal foinn ó Chontae Aontroma is ea 'Garbhlach Bhaile Átha Cliath' ('*The Rocky Road to Dublin*'). An féidir go bhfuil blúirín de chuimhne ar Shlí Chualann sa teideal seo? Tá iarsma den Gharbhlach féin le feiceáil in aice leis an Iúr i gContae an Dúin: níl ann anois ach bóithrín féarghlas tréigthe ag dul i dtreo Dhún Dealgan.

200. ráithe
tréimhse trí mhí, séasúr. Is mar seo a áirítí na ráithí fadó, de réir an Duinnínigh: ráithe ó Nollaig (25 Nollaig) go Féile Pádraig (17 Márta), ráithe ó Fhéile Pádraig go Féile San Seán (24 Meitheamh), ráithe ó Fhéile San Seán go Féile Michíl (29 Meán Fómhair), ráithe ó Fhéile Michíl go Nollaig. Bheadh ar thionóntaithe an cíos a íoc faoi na laethanta sin.

201. féinmhuinín
cuid de na focail leis an réimir 'féin-' is ea:
féinaithne: self-knowledge
féinchaomhnú: self-preservation
féinchúiseach: self-interested
féindiúltú: self-denial
féiníobairt: self-sacrifice
féiniúlacht: selfhood, individuality
féinlárnach: egocentric
féinléiriú: self-expression
féinmharú: suicide
féinriail: autonomy
féinrialtas: self-government
féinseirbhís: self-service
féinsmacht: self-control
féinspéis: egoism
féinspéisí: egoist
féinteagasc: self-instruction
féintoirchiú: self-fertilization

202. stiúir
treorú báid, treorú go ginearálta (ó *stiura* sa tSean-Fhreaslainnis, teanga a labhraítear fós san Ísiltír).

Ísiltír, an: an Ollainn/ Netherlands

Tá drochstiúir air, tá cuma an oilc air: he's up to no good
Ón fhocal 'stiúir' tagann 'stiúrthóir' a chiallaíonn:
(1) fear stiúrach: helmsman
(2) ceannasaí: controller
(3) an té a bhíonn i mbun ceolfhoirne: conductor
(4) ball de bhord cuideachta: company director
Téarmaí eile le 'stiúrthóir' is ea:
stiúrthóir bainistíochta: managing director
luach saothair stiúrthóra: director's emoluments
Stiúrthóir Gnóthaí Tomhaltóirí: Director of Consumer Affairs

203. caife
focal a tháinig trí *kahve* na Turcaise ó *qahwah* (fíon) na hAraibise. Tagann an focal 'tae' ón tSínis, *t'e*. Is túisce a tháinig an caife don chearn seo den domhan ná an tae; is sa séú céad déag agus sa seachtú céad déag a tháinig siad faoi seach.

204. comharba
Comharba Pheadair: an Pápa
Comharba Phádraig: Ardeaspag Ard Mhacha
Comharba Chiaráin: Ab Chluain Mhic Nóis
Comharbacht Choinn: Oidhreacht Choinn, Éire

205. Mac an Taoisigh
an cineál cóta fearthainne uiscedhíonach a dtugtar *mackintosh* air, ainmníodh é as Charles Macintosh (1760–1843). Sin 'Mac an Tóisich' i nGàidhlig na hAlban; is ionann an sloinne sin agus 'Mac an Taoisigh'.
taoiseach an bháis, an tÁibhirseoir (*adversarius* sa Laidin), Satan
taoiseach teaghlaigh, maor tí: major-domo
taoiseach conaire, treoraí, an fear a théann chun tosaigh ar chonair (bealach, slí, cosán: féach An Chonair – *Conor Pass* – i gCiarraí): guide, pathfinder
taoiseach na mban, bean atá chun tosaigh i measc ban: a leader among women

206. Hóráit
bhí gean ag an fhile seo ar thiobraid áirithe, nó 'foinse', focal a úsáidtear go minic sa leabhar seo. Chan sé *O fons Bandusiae, splendidior vitro* ('A Fhoinse Bandusia, is gléiní tú ná gloine'). Maireann cuid de na ráitis ghonta a chum sé: *in medias res* (i lár gnóthaí), *dormitat Homerus* (déanann Hóiméar míogarnach), *inter silvas Academe* (i ndoirí na hAcaidéime), *nil desperandum* (ná géilltear don éadóchas), *aureum mediocritatem* (an meán órga), *odi profanum vulgus* (is fuath liom an choitiantacht), *monumentum aere perennius* (cloch chuimhneacháin níos buaine ná cré-umha), *non omnis moriar* (ní éagfaidh mé go hiomlán). B'fhíor dó.

207. uachtar
toisc go suitear treo an tuaiscirt ar bharr leathanaigh de chuid léarscáileanna an lae inniu, tá claonadh láidir ag daoine 'barr' na tíre a thabhairt ar an tuaisceart agus 'bun' na tíre ar an deisceart. Ach sula raibh na Gaeil i dtaithí ar léarscáileanna a bhí treoshuite chun an tuaiscirt, d'airídís 'barr' na tíre i dtreo na gréine agus í i mbarr a réime, agus dá bhrí sin d'airídís 'bun' na tíre i dtreo an tuaiscirt. Mar sin, uachtar na hÉireann, b'in an deisceart, nó Leath Mogha; agus íochtar na tíre, b'in an tuaisceart, nó Leath Coinn. Ar an chúis chéanna tugadh 'Mac Liam Uachtair' ar Bhúrcach (Clann Riocaird) Chontae na Gaillimhe, agus 'Mac Liam Íochtair' ar Bhúrcach Mhaigh Eo.

Bhí an nós seo i mBéarla na hÉireann chomh maith mar is léir ó bhailéad de chuid an tuaiscirt. I nDroim Atháin i gContae Chorcaí a rugadh Tomás Ruiséal, ach chaith sé tamall de bhlianta ag eagrú na nÉireannach Aontaithe i gContae an Dúin sular gabhadh agus sular crochadh é tar éis éirí amach Roibeaird Emmet in 1803. Is follas ón bhailéad a scríobhadh faoi nár chaill sé riamh an tuin Chorcaíoch, tuin an deiscirt, a bhí ar a chuid cainte:

For I knowed the set, an' I knowed the walk,
And the sound of his strange up-country talk ...
For the man that they hanged at Downpatrick Jail
Was the man from God-knows-where.

208. guth
tá gaol idir na focail 'guth' sa Ghaeilge, *goth* (dia) sa tSean-Ioruais agus *god* sa Bhéarla sa mhéid go dtagann siad ón fhréamh chéanna. Ar an chéad amharc, dealraíonn sé nach mbeadh gaol ar bith eatarthu. Ach is follas gur shamhlaigh lucht machnaimh fadó an spiorad diaga – nach bhfuil colainn chorpartha aige – mar anáil, is é sin mar dhúil nach féidir a fheiceáil ach ar féidir leis gluaiseacht. D'úsáid na Rómhánaigh an focal *anima* chun 'anáil' agus 'anam' (nó 'spiorad') a chur in iúl.

Úsáidtear an guth chun focail a rá; léiríonn focail, ar ndóigh, cumas smaointeoireachta an duine. Ní hionadh é mar sin gur úsáid na Gréagaigh an téarma *logos* ('focal') mar théarma le haghaidh 'réasún' nó 'réasúnaíocht' chomh maith. (Féach mar a úsáidtear an iarmhír *–ologie* na Gréigise i dteangacha eile chun tagairt a dhéanamh do réimsí eolais atá bunaithe ar an réasún.) Bhain na Gréagaigh úsáid freisin as an téarma *logos* chun an diagacht a chur in iúl, is é sin an spiorad neamh-ábhartha atá ina fhoinse don réasún atá laistiar den ord agus den eagar atá sa chosmas. Mar sin, nuair a theastaigh ó Naomh Eoin Soiscéalaí tuiscint ar an Chríostaíocht a thabhairt don saol Heilléanach, bhain sé úsáid as an téarma *Logos* chun Dia a chur in iúl. Nó mar a deirtear i dtosach an tSoiscéil de réir Eoin: 'Bhí an Briathar ann i dtús báire, agus bhí an Briathar in éineacht le Dia, agus ba Dhia an Briathar'.

INNÉACS

B

C

I

L

M

T